Colleen Hoover
Weil ich Will liebe

Colleen Hoover stand mit ihrem Debüt ›Weil ich Layken liebe‹, das sie zunächst als eBook veröffentlichte, sofort auf der Bestsellerliste der ›New York Times‹. Mittlerweile hat sie auch in Deutschland die SPIEGEL-Bestsellerliste erobert. Mit ihren zahlreichen Romanen, die alle zu internationalen Megasellern wurden, verfügt Colleen Hoover weltweit über eine riesengroße Fangemeinde. Sie lebt mit ihrem Mann und ihren drei Söhnen in Texas.

Katarina Ganslandt wurde 1966 geboren, lebt mit ihrem Freund Sascha und Hund Elmo in Berlin und sammelt am liebsten alle möglichen Arten von nützlichem und unnützem Wissen an, wenn sie nicht gerade Bücher aus dem Englischen übersetzt. Mittlerweile sind über hundert Titel zusammengekommen.

Colleen Hoover

Weil ich Will liebe

Roman

Aus dem amerikanischen Englisch von
Katarina Ganslandt

Ausführliche Informationen über
unsere Autoren und Bücher
www.dtv.de

Von Colleen Hoover sind bei dtv junior außerdem lieferbar:
Weil ich Layken liebe
Weil wir uns lieben
Hope Forever
Looking for Hope
Finding Cinderella
Love and Confess
Maybe Someday
Zurück ins Leben geliebt

Deutsche Erstausgabe
7. Auflage 2016
2014 dtv Verlagsgesellschaft mbH & Co. KG, München
© Colleen Hoover 2012
Titel der amerikanischen Originalausgabe: ›Point of Retreat‹,
2012 erschienen bei ATRIA Paperback,
a Division of Simon & Schuster, Inc., New York
© der deutschsprachigen Ausgabe:
2014 dtv Verlagsgesellschaft mbH & Co. KG, München
Umschlagkonzept: Balk & Brumshagen
Umschlaggestaltung: buxdesign/München
unter Verwendung einer Illustration von Carla Nagel
Gesetzt aus der Janson 10,5/14˙
Gesamtherstellung: Druckerei C.H.Beck, Nördlingen
Gedruckt auf säurefreiem, chlorfrei gebleichtem Papier
Printed in Germany · ISBN 978-3-423-71584-3

Dieses Buch ist all denen gewidmet,
die ›Weil ich Layken liebe‹ gelesen
und mich dazu ermutigt haben,
die Geschichte von Layken und Will
weiterzuerzählen.

Prolog

31. Dezember

Eine Art Neujahrsvorsatz

Ich habe das Gefühl, dass das jetzt endlich unser Jahr wird – Lakes und meins.

Verdient hätten wir es jedenfalls. Die letzten Monate waren verdammt hart. Für sie genauso wie für mich.

Es ist jetzt drei Jahre her, seit Mom und Dad tödlich verunglückt sind und ich von heute auf morgen allein für Caulder sorgen musste. Seit Vaughn mit mir Schluss gemacht hat. Seit ich auf mein Stipendium an der Privatuni verzichtet habe, um wieder nach Ypsilanti zu ziehen, ans staatliche College zu gehen und mich um meinen kleinen Bruder zu kümmern. Heute weiß ich, dass das die beste Entscheidung meines Lebens war.

In der ersten Zeit habe ich mich nur darauf konzentriert, überhaupt klarzukommen: damit, dass ich keine Eltern mehr hatte. Damit, dass ich selbst plötzlich die Vaterrolle für einen Siebenjährigen übernehmen musste. Damit, dass ich gleichzeitig studie-

ren und Geld verdienen musste, um uns zu ernähren. Das hat viel Kraft gekostet, aber ohne Caulder hätte ich es nie geschafft. Er ist es, der mir die Energie gibt, durchzuhalten und weiterzumachen.

Ich war lange wie betäubt und habe mehr funktioniert als gelebt. Eigentlich hat mein Leben erst am 22. September vor fast anderthalb Jahren wieder begonnen: dem Tag, an dem ich Lake begegnet bin.

Mit ihr habe ich mich lebendiger gefühlt als je zuvor, auch wenn die Augenblicke, in denen wir zusammen sein durften, viel zu kurz waren.

Im letzten Jahr ist so viel passiert, viel Schönes, aber auch viel Trauriges. Seit Lake und ich endlich offiziell ein Paar sind, ist unsere Liebe noch stärker geworden. Trotzdem war es keine leichte Zeit für uns. Wir haben Lakes Mutter beim Sterben begleitet und gemeinsam um sie getrauert, als sie im September den Kampf gegen den Krebs endgültig verloren hat. Ihr Tod hat mich noch tiefer getroffen, als ich gedacht hätte. Es war fast so, als hätte ich meine eigene Mutter ein zweites Mal verloren. Mom fehlt mir so sehr. Und auch Julia fehlt. Zum Glück habe ich Lake.

Dad hat sein Leben lang Tagebuch geführt und immer gesagt, für ihn wäre es so eine Art Therapie, täglich seine Gedanken aufzuschreiben. Ich frage mich, ob ich mit allem, was passiert ist, besser klargekommen wäre, wenn ich das auch getan hätte. Bis vor Kurzem habe ich noch geglaubt, mir würde es reichen, alle paar Wochen beim Poetry Slam mitzumachen, aber jetzt denke ich, dass das womöglich nicht genug war.

Ich habe beschlossen, alles dafür zu tun, dass das nächste Jahr so perfekt wird, wie ich es mir erträume. Dazu gehört, von jetzt an alles aufzuschreiben, was mich beschäftigt, um klarer sehen zu können. Selbst wenn es nur ein Wort pro Tag ist – ich lasse es heraus.

Erster Teil

1.

Donnerstag, 5. Januar

Heute Vormittag war ich an der Uni, um mich für meine Kurse einzutragen. Dadurch dass ich nur noch zwei Semester vor mir habe, bin ich nicht mehr so flexibel in der Zusammenstellung meines Stundenplans, und kann mir die Veranstaltungen nicht aussuchen, was bedeutet, dass ich Montag, Mittwoch und Freitag Vorlesung habe und meine Woche komplett zerfasert ist.

Am Ende des nächsten Semesters will ich mich um eine Stelle an einer Highschool hier in Ypsilanti bewerben, damit ich so schnell wie möglich wieder mein eigenes Geld verdiene. Ich bin Grandma und Grandpa total dankbar dafür, dass sie uns unterstützen, weil ich das alles mit dem Studienkredit allein niemals stemmen könnte. Aber sobald ich den Abschluss in der Tasche habe, möchte ich finanziell unabhängig sein.

Heute Abend kommen Gavin und Eddie mal wieder zum Essen zu uns. Es gibt Hamburger. Die mag wirklich jeder, da kann man nichts falsch machen.

Tja, das war's auch schon, was ich für heute zu sagen habe …

»Ist Layken hier oder noch bei sich drüben?«, fragt Eddie, die ohne zu klopfen die Haustür aufgerissen hat und ihren Kopf reinstreckt.

»Drüben«, rufe ich aus der Küche zurück, wo ich gerade die Hamburger vorbereite. Manchmal frage ich mich, ob über unserer Tür ein Schild hängt mit der Erlaubnis, dass hier jeder einfach so reinplatzen darf. Klar, Lake klopft nicht mehr, aber das heißt doch nicht, dass das automatisch auch für Eddie gilt.

»Okay. Dann geh ich schnell rüber.« Eddie verschwindet wieder. Gleich darauf steht ihr Freund Gavin im Haus, der vorher immerhin anstandshalber mit den Knöcheln leicht gegen das Holz gepocht hat.

»Hey. Was gibt's heute Leckeres?« Er kommt in die Küche.

»Hamburger.« Ich drücke ihm den Pfannenwender in die Hand und zeige auf den Herd. »Hier. Du kannst sie gleich umdrehen, dann hole ich die Pommes aus dem Ofen.«

»Ist dir schon mal aufgefallen, dass die Kocherei meistens an uns beiden hängen bleibt?«, fragt Gavin.

»Ja, aber das ist mir ehrlich gesagt auch lieber so«, sage ich, während ich die Pommes frites vom Backblech auf eine Platte gleiten lasse. »Erinnerst du dich an die Nudeln in Sahnesoße, die Eddie neulich gemacht hat?«

»Wie könnte ich sie jemals vergessen.« Gavin verzieht das Gesicht.

»Kel! Caulder!«, rufe ich den Jungs zu, die drüben vor der Xbox hocken. »Deckt ihr bitte schon mal den Tisch?«

Seit Julia gestorben ist und Lake, ich und unsere beiden

kleinen Brüder praktisch eine Familie geworden sind, kommen Gavin und Eddie mindestens zweimal pro Woche zum Abendessen zu uns, weshalb ich vor Kurzem einen richtigen Esstisch angeschafft habe. An der Küchentheke saßen wir einfach zu dicht gedrängt.

»Hallo, Gavin.« Kel kommt mit Caulder in die Küche geschlendert und holt Gläser und Teller aus dem Schrank.

»Hey, Kel«, sagt Gavin. »Na? Hast du schon entschieden, wo du deine Geburtstagsparty steigen lässt?«

Kel zuckt mit den Schultern. »Vielleicht gehen wir zum Bowling, kann aber auch sein, dass wir einfach hierbleiben.«

Caulder nimmt die Teller von der Theke und geht damit zum Tisch. Mir fällt auf, dass er für sieben Leute deckt statt für sechs.

»Erwarten wir noch jemanden?«, frage ich erstaunt.

Mein Bruder kichert. »Kel hat Kiersten gesagt, dass sie vorbeikommen kann.«

Kiersten ist vor ein paar Wochen in unsere Straße gezogen und geht auf dieselbe Schule wie die Jungs. Lake und mir ist nicht entgangen, dass Kel sich anscheinend ein bisschen in sie verknallt hat, auch wenn er das natürlich niemals zugeben würde. Aber er wird schließlich nächste Woche elf, es war damit zu rechnen, dass das früher oder später passieren würde. Allerdings überragt Kiersten ihn um einen Kopf und wirkt wesentlich reifer, obwohl sie nur ein paar Monate älter ist. Ich hoffe mal für ihn, dass sich das mit der Zeit wieder ausgleicht. Mädchen kommen ja meistens früher in die Pubertät als Jungs.

»Könnt ihr mir nächstes Mal bitte rechtzeitig Bescheid sagen, wenn ihr jemanden einladet?«, stöhne ich. »Jetzt muss ich schnell noch einen Burger machen.«

»Musst du nicht. Kiersten isst kein Fleisch«, informiert Kel mich. »Sie ist Vegetarierin.«

Auch das noch. »Gemüseburger hab ich aber keine da. Was soll sie denn essen? Etwa Hamburgerbrötchen mit Pommes?«

»Kein Problem«, ruft Kiersten, die in diesem Moment zur Tür hereinkommt – natürlich ohne anzuklopfen. »Ich mag Brot und ich mag Pommes, aber ich mag nichts, wofür andere Lebewesen sterben mussten. Ich will mich nicht als Mittäterin an einem Tiergenozid schuldig machen.«

Gavin starrt sie fassungslos an. »Wer ist das?«, raunt er mir zu.

Kiersten streicht sich ihre roten Locken hinter die Ohren und geht zum Tisch, wo sie beginnt, Blätter von der Küchenrolle abzureißen und als Servietten neben die Teller zu legen. Ihre zupackende Art erinnert mich ein bisschen an Eddie. Angesichts der Selbstverständlichkeit, mit der sie sich bei uns bewegt, könnte man meinen, sie würde ständig hier ein und aus gehen. Dabei ist sie heute zum ersten Mal zum Essen da.

»Das ist das neue Nachbarsmädchen, von dem ich euch letztes Mal erzählt habe«, antworte ich. »Angeblich ist sie erst elf, aber so, wie sie manchmal redet, hab ich den Verdacht, dass sie in Wirklichkeit eine kleinwüchsige Erwachsene ist, die sich nur als Kind ausgibt.«

»Ach. Ist das etwa die, in die Kel verknallt ist?« Gavin reibt sich grinsend die Hände. Wahrscheinlich heckt er

16

schon Pläne aus, wie er Lakes Bruder gleich aufziehen kann. Der Abend verspricht lustig zu werden. Na ja, außer für Kel. Seit Lake und Eddie beste Freundinnen geworden sind, sehen Gavin und ich uns auch häufiger als früher. Ich kenne ihn ja schon seit Ewigkeiten von der Schule – erst als jüngeren Mitschüler und später dann als sein Lehrer –, aber im Laufe des letzten Jahres sind wir so etwas wie beste Kumpel geworden. Kel und Caulder mögen ihn und Eddie auch sehr. Ich finde es schön, dass wir so viel zusammen unternehmen und fast so eine Art Großfamilie sind.

Wir sitzen schon am Tisch, als Eddie und Lake auch endlich rüberkommen. Lake hat ihre feuchten Haare zu einem nachlässigen Knoten geschlungen und trägt Jogginghose und Sweatshirtjacke. Ich liebe sie dafür, dass sie so natürlich und ungezwungen herumläuft und nicht wie viele andere Mädchen ständig das Bedürfnis hat, sich zu stylen.

»Danke, dass du dich mal wieder ums Essen gekümmert hast, Baby.« Sie lässt sich auf den Stuhl neben mir fallen und gibt mir einen Kuss. »Tut mir leid, dass ich so lange gebraucht hab. Ich wollte mich noch schnell online für Statistik eintragen, aber der Kurs ist schon voll. Jetzt muss ich morgen zur Uni und versuchen, mich bei den Sekretärinnen einzuschleimen. Vielleicht können die mich doch noch reinschleusen.«

»Statistik?«, fragt Gavin erstaunt und greift nach der Ketchupflasche. »Wieso willst du den Kurs denn jetzt schon machen?«

»Algebra II hab ich schon im Wintersemester belegt. Ich hab mir vorgenommen, die ganzen mathematischen Pflichtkurse im ersten Jahr hinter mich zu bringen, weil ich so einen Horror davor habe.« Lake nimmt ihm die Flasche aus der Hand und drückt erst mir und dann sich selbst einen Klecks Ketchup auf den Teller.

»Ich versteh trotzdem nicht, warum du es so eilig hast«, sagt Gavin. »Du hast doch jetzt schon mehr Studienpunkte gesammelt als Eddie und ich zusammen.«

Eddie nickt. »Stimmt. Wieso tust du dir das an?«, fragt sie und beißt in ihren Burger.

»Weil ich auch schon mehr Kinder habe als ihr beide zusammen.« Lake deutet auf Kel und Caulder. »Deswegen will ich das Studium so schnell wie möglich durchziehen.«

»Was studierst du denn im Hauptfach?«, erkundigt sich Kiersten interessiert.

Eddie sieht Kiersten an, als würde sie erst jetzt bemerken, dass noch jemand am Tisch sitzt. »Huch. Wer bist du denn?«, fragt sie.

Kiersten strahlt sie an. »Ich heiße Kiersten und wohne diagonal zu Will und Caulder und parallel zu Layken und Kel. Wir sind kurz vor Weihnachten aus Detroit hergezogen. Mom hat gesagt, dass wir dringend aus der Stadt rausmüssen, bevor die Stadt aus uns rauskommt, wenn ihr wisst, was ich meine. Ich bin am 11.11.2011 elf geworden, was wahrscheinlich nicht viele Leute von sich behaupten können. Nur schade, dass ich um drei Uhr nachmittags geboren wurde und nicht um elf. Sonst wäre in den Nachrichten bestimmt ein Bericht über mich gebracht worden. Das wäre super gewesen, um schon mal ein bisschen bekannt zu werden. Ich werde später nämlich mal Schauspielerin.«

Eddie starrt Kiersten mit offenem Mund an – genau wie wir anderen. Kiersten bekommt davon aber anscheinend gar nichts mit und wendet sich wieder an Lake. »Also. Was studierst du im Hauptfach?«

Lake legt ihren Burger auf den Teller und räuspert sich. Ich weiß, dass sie diese Frage hasst, auch wenn sie versucht, sich ihre Verlegenheit nicht anmerken zu lassen. »Ich habe mich noch nicht entschieden«, antwortet sie so selbstbewusst wie möglich.

Kiersten nickt mitleidig. »Verstehe. Mein älterer Bruder studiert auch schon seit ein paar Jahren und wechselt ständig die Fächer, weil er sich nicht entscheiden kann. Ich glaube ja, dass das mehr was damit zu tun hat, dass er lieber jeden Abend feiert, dann bis mittags schläft und höchstens drei Stunden in die Uni geht, statt endlich einen Abschluss zu machen und sich einen richtigen Job zu suchen. Mom behauptet, er würde noch in der Selbstfindungsphase stecken und ›seine Interessen ausloten‹. Aber wenn ihr mich fragt, ist das totaler Bullshit.«

Bei dem Versuch, mein Lachen zu unterdrücken, verschlucke ich mich rettungslos an meinem Eistee.

»Hey!« Kel sieht Kiersten mit großen Augen an. »Du hast gerade Bullshit gesagt.«

»Kel, Bullshit sagt man nicht«, schimpft Lake.

»Aber sie hat zuerst Bullshit gesagt!«, verteidigt Caulder seinen Freund.

»Caulder, es reicht. Wehe, du sagst noch mal Bullshit!«, greife ich ein.

»Tut mir leid«, entschuldigt sich Kiersten. »Meine Mutter sagt, das Fernsehen wäre daran schuld, dass bestimmte Wörter quasi verboten sind. Dadurch, dass jedes Mal, wenn jemand eins von diesen Wörtern sagt, ein Piepsen eingeblendet wird, steigt natürlich der Skandalfaktor und damit automatisch die Zuschauerquote. Aber wenn man diese Wörter regelmäßig verwenden würde, dann würde sich wahrscheinlich keiner mehr darüber aufregen, weil alle daran gewöhnt wären.«

Ich bin sprachlos. Dieses Mädchen ist echt ein Phänomen.

»Dann findet deine Mutter es also gut, wenn du Bullshit sagst?«, fragt Caulder.

Kiersten nickt. »So ähnlich. Sie findet es jedenfalls gut, wenn ich mir nicht von der Gesellschaft diktieren lasse, dass bestimmte Wörter gefährlich sind, obwohl sie nur aus harmlosen Buchstaben bestehen und auch nicht schlimmer sind als zum Beispiel das Wort ›Schmetterling‹. Stellt euch mal vor, jemand würde eines Tages behaupten, Schmetterling wäre ein total krasses Schimpfwort. Dann würden die Leute anfangen, es zu benutzen, um sich gegenseitig zu beleidigen, und man würde bald geschockt angeschaut werden, wenn man es in der Öffentlichkeit ausspricht. Versteht ihr? Das Wort an sich hat keine Bedeutung. Es geht darum, welche Bedeutung *wir* ihm geben. Aber wenn dann alle ständig bei allen möglichen Gelegenheiten ›Schmetterling‹ sagen würden, würde das irgendwann mal niemanden mehr schockieren, und es würde wieder zu einem ganz normalen, harmlosen Wort werden. Das gilt für alle Schimpfwörter. Je häufiger man sie benutzt, desto normaler werden sie. Wenn wir alle die ganze Zeit ›Bullshit‹ sagen würden, fände das keiner mehr schlimm. Das ist jedenfalls die Theorie meiner Mutter.« Kiersten greift nach einer Pommes und zieht sie durch den Ketchup-See auf ihrem Teller.

Ich habe Kierstens Mutter bisher noch nicht kennengelernt, bin aber wahnsinnig gespannt auf sie. Ihre Tochter ist zwar eindeutig frühreif und sicher auch intelligenter als viele andere Kinder, aber ich könnte mir vorstellen, dass sie ebenfalls ihren Anteil daran hat, dass Kiersten so geworden ist, wie sie ist. Verglichen mit ihr wirken Kel und Caulder geradezu normal.

»Du bist cool.« Eddie strahlt Kiersten an. »Willst du meine neue beste Freundin werden?«

Lake wirft mit einer Pommes nach Eddie und trifft sie an der Wange. »Hey, was soll der *Bullshit*?«, sagt sie. »*Ich* bin deine beste Freundin.«

»Du? Vergiss es! Du bist ein … verschmetterlingter Schmetterling!« Eddie wirft die Pommes in Lakes Richtung zurück.

Ich fange sie ab und lege sie auf den Tisch, weil ich nicht will, dass das Ganze wieder in einer Lebensmittelschlacht endet wie letzte Woche. Beim Aufräumen habe ich später überall am Boden noch Brokkoliröschen gefunden. »Stopp!«, sage ich mit meiner strengsten Lehrerstimme. »Wenn ihr beide heute wieder mit Essen um euch werft, trete ich euch so was von in den Schmetterling, dass ihr nicht mehr wisst, wo oben und unten ist!«

Lake sieht mir an, dass ich es ernst meine, drückt beruhigend den Schenkel gegen meinen und wechselt das Thema. »Okay. Zuckerstück und Säurebad«, sagt sie.

»Zuckerstück und Säurebad?«, wiederholt Kiersten fragend.

»Das ist so ein Spiel, bei dem jeder erzählen muss, was heute toll und was blöd für ihn war«, erklärt Kel. »Das spielen wir immer beim Abendessen.«

»Ach so, verstehe.« Kiersten nickt.

»Okay. Ich fang an«, sagt Eddie. »Mein Säurebad war heute definitiv, dass ich nächstes Semester Montag, Mittwoch und Freitag in die Uni muss. Die Dienstags- und Donnerstagskurse waren alle schon voll.«

Wie bei mir. Jeder möchte natürlich die Dienstags- und Donnerstagskurse belegen. Die Tage sind zwar länger, dafür kann man sie kompakt hinter sich bringen und muss nicht dreimal die Woche an die Uni.

»Und mein heutiges Zuckerstück ist«, Eddie schickt Lake ein teuflisches Grinsen, »Kiersten. Meine neue beste Freundin.«

Lake bewirft Eddie wieder mit Fritten, aber die duckt sich so blitzschnell, dass sie auf dem Boden landen.

»Jetzt reicht's!« Ich greife nach Lakes Teller und schiebe ihn so weit weg, dass sie nicht mehr drankommt.

Sie klaut sich stattdessen kurzerhand eine von meinen Pommes und steckt sie sich in den Mund.

»Okay, dann sind Sie jetzt dran, *Mr Cooper*«, sagt Eddie. So nennt sie mich immer, wenn sie findet, dass ich mich wie ein alter Langweiler benehme. »Ihr Zuckerstück und Säurebad, bitte.«

»Mein Säurebad war, als mir klar wurde, dass ich genau wie Eddie Montag, Mittwoch und Freitag zur Uni muss.«

»Was, echt?«, ruft Lake enttäuscht. »Wir hatten doch extra ausgemacht, dass wir dieses Semester beide nur Dienstags- und Donnerstagskurse belegen.«

»Ich hab getan, was ich konnte, Baby«, sage ich achselzuckend. »Aber die Kurse, in denen ich noch Punkte brauche, finden nur an den anderen Tagen statt. Ich hab dir doch eine SMS geschickt, hast du die nicht bekommen?«

»Nein. Ich finde mein Handy mal wieder nicht. Keine Ahnung, wo ich es hingelegt habe.« Lake schiebt die Unterlippe vor. »Und ich hatte mich schon so darauf gefreut, dass wir uns ab jetzt öfter sehen können.«

»Und was war dein Zuckerstück?«, fragt Eddie.

»Das ist leicht«, sage ich, küsse Lake auf die Stirn und sehe ihr in die Augen. »Mein Zuckerstück bist du.«

Die beiden Jungs stöhnen auf. »Kannst du dir nicht mal was Neues einfallen lassen? Layken ist jeden Abend dein Zuckerstück«, murrt Caulder.

»Jetzt bin ich dran«, sagt Lake. »Also für mich war die Anmeldung zu den Kursen das Zuckerstück des Tages. Abgesehen von Statistik bin ich überall reingekommen, wo ich reinwollte. Und mein Säurebad …« Sie sieht Eddie an. »Mein Säurebad ist, dass ich meine beste Freundin an eine Elfjährige verloren habe.«

Eddie streckt ihr die Zunge raus.

»Darf ich als Nächste?«, ruft Kiersten. »Mein Säurebad war, dass ich zum Abendessen bloß labberiges Brot und fettige Fritten bekommen habe«, sagt sie und zeigt anklagend auf ihren Teller.

»Das ist echt frech«, rufe ich. »Wenn du das nächste

Mal ohne Voranmeldung bei Fleischfressern zum Abendessen auftauchst, musst du dir deinen Tofu eben selbst mitbringen.«

Kiersten geht nicht auf meinen Kommentar ein. »Mein Zuckerstück hatte ich um drei Uhr nachmittags.«

»Und was war um drei?«, fragt Gavin.

»Da war die Schule endlich aus«, sagt sie. »Ich finde es dort zurzeit nämlich extrem Schmetterling.«

Sie, Kel und Caulder sehen sich an und verdrehen die Augen, als wären sie in dieser Frage alle einer Meinung. Komisch, bisher sind die beiden Jungs eigentlich immer ganz gern in die Schule gegangen. Ich nehme mir vor, Caulder bei Gelegenheit zu fragen, ob irgendwas passiert ist. Lake hat offenbar denselben Gedanken, denn sie stößt mich leicht mit dem Ellbogen an und zieht die Augenbrauen hoch.

»Dann bist du jetzt dran, Wie-auch-immer-du-heißt«, wendet sich Kiersten an Gavin.

»Ich heiße Gavin, und mein Säurebad war, als eine Elfjährige das Wort *Genozid* verwendet und mir damit klargemacht hat, dass sie mehr Fremdwörter kennt als ich«, sagt er grinsend. »Und mein Zuckerstück hatte ich vorhin, als ich einen Anruf bekommen habe.«

»Von wem denn?«, fragt Eddie, und auch Lake und ich sehen ihn neugierig an.

Gavin lehnt sich in seinem Stuhl zurück und genießt es ganz offensichtlich, uns auf die Folter zu spannen. »Ratet.«

Eddie stößt ihn in die Seite. »Jetzt sag schon!«

»Okay, okay.« Er beugt sich vor und klatscht mit den

Handflächen auf die Tischplatte. »Nächste Woche fange ich im Getty's an. Ich fahre Pizzas aus!« Er strahlt, als hätte er im Lotto gewonnen.

»Du wirst … Pizzabote?«, fragt Eddie verwirrt. »Und das findest du toll?«

»Hallo? Wir reden hier vom Getty's. Der besten Pizzeria der Stadt, wenn nicht der ganzen Welt. Und ich kann mir endlich was dazuverdienen. Du weißt doch, wie lange ich schon einen Job suche.«

»Wow …« Eddie zuckt mit den Schultern. »Gratuliere«, sagt sie dann, klingt aber nicht wirklich überzeugt.

»Heißt das, wir können alle immer umsonst Pizza essen?«, fragt Kel.

»Umsonst nicht, aber ich bekomme sie billiger und ihr damit auch«, antwortet Gavin.

»Hey, cool. Dann ist das eindeutig mein Zuckerstück!«, jubelt Kel. »Von jetzt an gibt's jeden Abend Pizza!«

Gavin scheint froh zu sein, dass sich wenigstens einer mit ihm freut.

»Und dein Säurebad?«, frage ich.

»Mein Säurebad war Mrs Brill«, sagt Kel düster.

»Oh Gott, was hat sie jetzt schon wieder gemacht?«, fragt Lake. »Oder besser gesagt, was hast *du* gemacht, dass du schon wieder zur Direktorin musstest?«

»Das war ich gar nicht allein!«, protestiert er.

Caulder stützt die Ellbogen auf den Tisch und versteckt sein Gesicht hinter den Händen.

»Was habt ihr angestellt?«, frage ich.

Caulder nimmt die Hände runter und schaut Gavin an,

worauf der sein Gesicht ebenfalls versteckt und so tut, als würde er meinen Blick nicht bemerken.

»Gavin?«, sage ich streng. »Hast du die beiden etwa wieder zu irgendeinem Quatsch angestiftet?«

Gavin sieht Kel und Caulder gespielt beleidigt an. »Onkel Gavin erzählt euch nie mehr lustige Geschichten aus seiner Jugend. Wegen euch bekommt er immer Stress mit Mr Cooper.«

Kel und Caulder stoßen sich kichernd die Ellbogen in die Rippen.

»Ich kann erzählen, was passiert ist«, bietet Kiersten an. »Es ging darum, dass sie Mrs Brill zum Rennen bringen wollten, weil sie dann angeblich immer mit dem Hintern wackelt wie eine Ente. Meistens geht sie ganz langsam und steif. Deswegen hat Kel beim Mittagessen so getan, als hätte er sich verschluckt und würde ersticken, und Caulder ist aufgesprungen und hat ihm auf den Rücken geklopft. Der Trick hat funktioniert. Mrs Brill ist richtig hysterisch geworden und quer durch die Cafeteria zu unserem Tisch gerannt. Als sie bei uns war, hat Kel behauptet, dass es ihm schon wieder besser geht und Caulder ihm das Leben gerettet hätte. Blöderweise hatte aber schon irgendjemand den Notarzt alarmiert, und ein paar Minuten später standen zwei Kranken- und ein Feuerwehrwagen im Pausenhof. Außerdem hat irgendjemand Kel verpetzt und Mrs Brill gesagt, dass er nur so getan hätte, als würde er ersticken. Und deswegen musste Kel dann nach dem Essen zu Mrs Brill ins Büro.«

Lake vergräbt das Gesicht in den Händen und stöhnt. »Bitte sag mir, dass das nicht stimmt.«

Kel lächelt schief. »Es war doch nur ein Spaß. Ich hätte nie gedacht, dass sie gleich einen Krankenwagen rufen. Na ja, und jetzt ... muss ich eine Woche lang nachsitzen.«

»Und warum hat Mrs Brill mich nicht angerufen?«, fragt Lake. »Sonst beschwert sie sich doch auch ständig bei mir über dich.«

»Sie hat es bestimmt versucht«, sagt Kel kleinlaut. »Aber du hast doch vorhin erzählt, dass du dein Handy nicht findest.«

»Mist!« Lake schlägt sich mit der flachen Hand an die Stirn. »Okay, da hast du Glück gehabt. Aber wenn sie mich wieder zu einem Gespräch in die Schule bestellt, kriegst du Hausarrest. Darauf kannst du dich verlassen.«

Ich schaue meinen Bruder an. »Und was ist mit dir, Caulder? Warum hat Mrs Brill mich nicht angerufen?«

Caulder, der die ganze Zeit über zerknirscht getan hat, kann sich jetzt ein Grinsen nicht verkneifen. »Weil Kel mich nicht verpfiffen hat. Er hat Mrs Brill gesagt, ich hätte wirklich geglaubt, dass er erstickt, und versucht, ihm das Leben zu retten«, erzählt er. »Das war übrigens mein Zuckerstück heute. Mrs Brill hat mich nämlich für meine gute Tat gelobt und mir einen Büchergutschein geschenkt.«

Das ist wieder mal typisch. Nur Caulder und Kel schaffen es, einen Streich so hinzubiegen, dass zumindest einer von ihnen seiner gerechten Strafe entgeht und sogar noch belohnt wird. »Ich möchte, dass ihr mit diesem Quatsch ein für alle Mal aufhört«, sage ich streng. »Und du, Gavin, stachelst sie nicht mehr mit irgendwelchen Geschichten auf.«

»Nie mehr. Ehrenwort, Mr Cooper«, sagt Gavin mit ge-

27

spielter Reue. »Aber eine Frage habe ich noch.« Er sieht die Kinder an. »Wackelt sie denn wirklich mit dem Hintern, wenn sie rennt?«

»Und wie!« Kiersten kichert. »Dazu flattert sie noch mit den Armen wie mit Flügeln. Eine Ente ist nichts dagegen! Aber jetzt ist Caulder dran. Dein Zuckerstück kennen wir ja schon, aber was war dein Säurebad heute?«

Caulders Blick wird ernst. »Hallo? Was für eine Frage. Mein bester Freund wäre beinahe erstickt. Er hätte *sterben* können!«

Daraufhin müssen wir alle lachen – auch Lake und ich. Wir nehmen unsere Aufgabe als Ersatzeltern zwar sehr ernst, aber manchmal fällt es uns schwer, Kel und Caulder gegenüber immer vernünftig und erwachsen zu sein. Schließlich sind wir nur ihre älteren Geschwister. Lake sagt, dass es wichtig ist, nicht an zu vielen Fronten gleichzeitig zu kämpfen, weshalb wir die Schlachten, die wir mit den Jungs ausfechten, sorgfältig auswählen. Als ich sie lachen sehe, schließe ich daraus, dass wir für heute genug gekämpft haben.

»Darf ich jetzt bitte meinen Burger weiteressen«, fragt sie und deutet auf ihren Teller, der immer noch rechts neben mir steht.

»Na klar.« Ich schiebe ihn ihr hin.

»Vielen Dank, *Mr Cooper*«, sagt sie.

»Hey!« Ich stoße sie mit dem Knie an. Sie weiß ganz genau, dass ich es hasse, wenn sie mich so nennt, obwohl ich eigentlich gar nicht genau sagen kann, warum. Vielleicht weil ich die Monate, in denen ich tatsächlich ihr Lehrer gewesen bin, als absolute Folter empfunden habe.

28

Unser erstes Date war so perfekt, dass es mich umgehauen hat. Ich hatte bis dahin noch nie einen Menschen getroffen, dem ich mich vom ersten Moment an so nahe fühlte und in dessen Gegenwart es mir so leichtfiel, einfach ich selbst zu sein. Das ganze darauf folgende Wochenende hatte ich nur sie im Kopf und konnte es nicht erwarten, sie endlich wiederzusehen. Als ich dann am Montag in der Schule um die Ecke bog und sie im Flur vor meinem Klassenzimmer stehen sah, fühlte sich das an, als hätte mir jemand ein Messer in die Brust gerammt. Mir war sofort klar, was das bedeutete – sie brauchte etwas länger, um zu verstehen. Aber als ihr dämmerte, dass ich ihr Lehrer war, trat ein Ausdruck in ihre Augen, der mir das Herz zerriss. Sie sah aus, als wäre für sie gerade eine Welt zusammengebrochen. Und das konnte ich ihr verdammt gut nachfühlen. Denn mir ging es genauso.

Kiersten steht auf und bringt ihren Teller zum Spülbecken. »Ich muss jetzt gehen. Danke für das Hamburgerbrötchen und die Fritten«, sagt sie. »Beides war wirklich exzellent.«

»Ich bring dich nach Hause«, sagt Kel und springt auf. Lake runzelt die Stirn, und ich sehe ihr an, dass ihr das alles ein bisschen zu schnell geht. Wahrscheinlich hat sie Angst, schon viel zu bald überschäumende Pubertätshormone in Schach halten zu müssen.

»Ich geh in mein Zimmer und schau noch ein bisschen fern«, verkündet Caulder und schiebt seinen Stuhl zurück. »Bis morgen, Kel. Nacht, Kiersten.«

»Ich finde die Kleine echt cool«, sagt Eddie, nachdem die Kinder verschwunden sind. »Hoffentlich wird sie Kels erste Freundin. Kiersten passt perfekt in unsere Großfamilie. Ich will, dass die beiden heiraten und ganz viele durchgeknallte Kinder kriegen.«

»Bitte sag so was nicht, Eddie«, stöhnt Lake. »Er ist erst zehn!«

»In acht Tagen wird er elf«, mischt sich Gavin ein. »Das ist das ideale Alter, um erste sexuelle Erfahrungen zu sammeln.«

Lake wirft Gavin eine Handvoll Pommes ins Gesicht.

Ich schüttle seufzend den Kopf. Dieses Mädchen ist einfach unverbesserlich. »Wer mit Lebensmitteln schmeißt, muss aufräumen«, sage ich zu ihr und Eddie. »Ich hab euch gewarnt. Komm, Gavin, lass uns Football schauen, wie es sich für echte Kerle gehört, während die beiden Weiber tun, was ihre natürliche Bestimmung ist.«

Gavin schiebt Eddie sein Glas hin. »Schenk mir noch mal nach, Weib.«

Als wir drüben sitzen und Eddie und Lake sich kichernd in der Küche zu schaffen machen, nutze ich die Gelegenheit, Gavin um einen Gefallen zu bitten.

»Ich weiß, dass es viel verlangt ist, aber … könntet ihr vielleicht mit den Jungs morgen Abend ins Kino gehen? Lake und ich hatten seit Wochen keine einzige Sekunde für uns.«

Als Gavin nicht sofort antwortet, bereue ich es, ihn gefragt zu haben. Wahrscheinlich haben er und Eddie schon andere Pläne.

»Kommt darauf an«, sagt er zögernd. »Müssen wir diese Kiersten auch mitnehmen?«

Ich lache. »Das muss Eddie entscheiden. Schließlich ist sie ihre neue beste Freundin.«

Gavin grinst. »Oh Mann. Zwei solche verrückten Hühner halte ich nicht aus. Aber die Jungs nehme ich gerne mit, wir wollten morgen sowieso ins Kino. Wie lange sollen wir sie denn beschäftigen? Was habt ihr vor?«

»Nichts Besonderes. Wir bleiben hier. Ich will Lake nur ein paar Stunden für mich haben. Es gibt da was, was ich ihr geben möchte.«

»Oh, verstehe«, sagt Gavin verschwörerisch. »Schick mir eine SMS, wenn du es ihr *gegeben* hast, und wir bringen die Jungs wieder nach Hause.«

Ich muss grinsen. Typisch, dass er sofort an das eine denkt. Ich mag Gavin wirklich und bin froh, jemanden zu haben, mit dem ich alles besprechen kann. Das Einzige, was mich manchmal ein bisschen stört, ist das Gefühl, dass nichts von dem, was zwischen mir und Lake oder ihm und Eddie passiert, geheim bleibt. Aber so ist das eben, wenn man mit der besten Freundin der Freundin des besten Freundes zusammen ist.

Eddie kommt aus der Küche. »Wir müssen los«, sagt sie und zieht Gavin von der Couch hoch. »Danke für die köstlichen Burger, Will. Ach so, das hätte ich fast vergessen – Joel möchte euch nächstes Wochenende zum Essen einladen. Er macht Tamales.«

»Oh, toll. Ich liebe mexikanisches Essen«, sage ich. »Richte ihm bitte aus, dass wir sehr gerne kommen.«

Nachdem die beiden gegangen sind, setzt Lake sich zu mir auf die Couch, zieht die Beine an und kuschelt sich an mich. Ich lege den Arm um sie und ziehe sie noch ein Stückchen näher an mich heran.

»Echt blöd, dass das mit deinen Kursen nicht geklappt hat«, sagt sie. »Ich hatte mich so darauf gefreut, dass wir dieses Semester ein bisschen mehr Zeit füreinander haben. Mit diesen verschmetterlingten Rabauken, die ständig um uns herumwuseln, kommt Zweisamkeit bei uns definitiv zu kurz.«

Eigentlich könnte man denken, wir würden uns oft genug sehen – schließlich wohnen wir praktisch Tür an Tür. Aber so ist es leider nicht. Letztes Semester hatte Lake montags, mittwochs und freitags Uni und ich sogar an allen fünf Tagen. An den Wochenenden müssen wir unser Lernpensum bewältigen und Caulder und Kel zu ihren diversen Baseball-, Football- und Eishockeyspielen fahren und sie anfeuern. Für Lake ist das alles doppelt schwer, weil sie noch immer sehr um ihre Mutter trauert und kaum mal einen Moment ganz für sich hat.

Mittlerweile ist eine gewisse Routine eingekehrt und wir stemmen den Alltag ganz gut. Das Einzige, was uns fehlt, ist Zeit für uns. Irgendwie käme es uns seltsam vor, wenn wir die Jungs im einen Haus sich selbst überlassen und ins andere rübergehen würden, nur um allein sein zu können. Abgesehen davon würde das sowieso nicht funktionieren, weil sie immer da sein wollen, wo wir sind, und uns automatisch folgen.

»Das stehen wir auch noch durch«, tröste ich sie. »Bis jetzt haben wir alles durchgestanden.«

Sie legt ihre Hände an meine Wangen, zieht mein Gesicht zu sich herunter und küsst mich. So unwahrscheinlich es klingt: Selbst nach einem Jahr kommt es mir immer noch so vor, als würden unsere Küsse mit jedem Mal schöner und überwältigender werden.

»Dann geh ich jetzt mal rüber«, flüstert sie. »Ich muss morgen ganz früh zur Uni fahren, um die Sekretärinnen zu bezirzen. Außerdem sollte ich vielleicht mal nachsehen, ob Kel nicht irgendwo da draußen mit Kiersten rumknutscht.«

Jetzt lachen wir noch darüber, aber in ein paar Jahren werden wir auf zwei heftig pubertierende Jungmänner aufpassen müssen. Der Gedanke macht mir ein bisschen Angst.

»Moment noch. Bevor du gehst ... Hast du für morgen Abend schon irgendwelche Pläne?«

Lake grinst. »Was für eine Frage«, sagt sie. »Du bist mein einziger Plan, Baby.«

»Perfekt. Eddie und Gavin gehen mit den Jungs nämlich ins Kino. Um sieben kommst du zu mir rüber. Okay?«

Sie sieht mich mit zusammengekniffenen Augen an. »War das jetzt gerade die Einladung zu einem Date?«

Ich nicke.

»Ach Will.« Sie schüttelt den Kopf. »In Sachen Romantik musst du echt noch einiges lernen. Es heißt nicht umsonst, um ein Date *bitten* und nicht ein Date *anordnen.*«

Natürlich weiß ich, dass sie nur so spröde tut, aber ich spiele mit, gehe vor ihr auf die Knie und sehe ihr tief in die Augen. »Ich wäre über alle Maßen entzückt, wenn du mir die Ehre erweisen würdest, den morgigen Abend mit mir zu verbringen.«

Sie lehnt sich ins Polster zurück und runzelt die Stirn. »Ich weiß nicht. Morgen hab ich ziemlich viel zu tun«, sagt sie desinteressiert. »Ich werfe mal einen Blick in meinen Terminkalender und gebe dir dann Bescheid, okay?« Sie versucht, gelangweilt auszusehen, kann aber nicht verhindern, dass es um ihre Mundwinkel zuckt. Im nächsten Moment hält sie es nicht mehr aus, beugt sich vor und umarmt mich so stürmisch, dass ich nach hinten kippe und wir zusammen auf dem Teppich landen. Sie sieht lachend zu mir auf, als ich sie sanft auf den Rücken drehe.

»Also gut. Ich lasse mich von dir zu einem Date einladen. Aber nur unter einer Bedingung. Du musst mich zu Hause abholen.«

Ich streiche ihr eine Haarsträhne aus den Augen und zeichne langsam die Konturen ihres Gesichts nach. »Ich liebe dich, Lake.«

»Sag es noch mal«, flüstert sie.

Ich küsse sie auf die Stirn und wiederhole, was ich gesagt habe. »Ich liebe dich, Lake.«

»Noch mal.«

»Ich.« Ich küsse sie auf die Lippen. »Und liebe.« Ich küsse sie noch einmal. »Und dich.«

»Und *ich* liebe dich.«

Ich verschränke meine Hände mit ihren, ziehe ihre Arme über den Kopf und beuge mich vor, als wollte ich sie küssen – verharre dann aber ein paar Millimeter vor ihrem leicht geöffneten Mund. Es macht mir Spaß, sie so in den Wahnsinn zu treiben. Ich nähere mich ihren Lippen, bis sich ihre Lider flatternd schließen, und lehne mich im letzten Moment wieder zurück. Als sie die Augen aufschlägt, grinse ich und beuge mich wie in Zeitlupe wieder vor, aber sobald sie die Augen erneut schließt, richte ich mich wieder auf.

»Verschmetterlingt, Will!«, fleht sie. »Küss mich endlich!«
Sie befreit ihre Hände aus meinem Griff, schlingt sie um
meinen Nacken und zieht mich zu sich herunter. Und dann
versinken wir in einem Kuss, der uns alles vergessen lässt, bis
Lake im letzten Moment das *Rückzugssignal* gibt, wie wir es
nennen.

»Stopp!« Keuchend kämpft sie sich unter mir hervor und
richtet sich auf, während ich mich auf den Rücken rolle und
versuche, wieder zu Atem zu kommen.

Bis jetzt ist immer einer von uns noch geistesgegenwärtig
genug gewesen, rechtzeitig die Bremse zu ziehen, bevor wir
völlig die Kontrolle verloren haben. Nur ein Mal wäre es uns
fast nicht gelungen – und zwar zu einem Zeitpunkt, der in
jeder Hinsicht nicht der richtige war und vor allem viel zu
früh.

Wir waren damals erst seit zwei Wochen »offiziell« zusammen. Caulder schlief bei Kel drüben, wo Julia auf die beiden aufpasste, während Lake und ich beim Poetry Slam im
Club N9NE waren. Auf der Rückfahrt beschlossen wir, noch
ein bisschen zu mir rüberzugehen, und parkten den Wagen
an der Straßenecke, damit Julia nicht mitbekam, dass wir
schon wieder zurück waren. Wir setzten uns im Dunkeln auf
die Couch und begannen uns zu küssen. Ganz behutsam und
vorsichtig erst, dann immer leidenschaftlicher, bis keiner von
uns beiden mehr in der Lage war, aufzuhören. Wir hätten
miteinander geschlafen, wenn Julia sich nicht irgendwann
gefragt hätte, wo ihre Tochter blieb, und sich auf die Suche
nach ihr gemacht hätte.

Als plötzlich das Licht im Zimmer anging und sie vollkommen entsetzt vor uns stand, wäre ich am liebsten gestorben. Sie war unglaublich wütend. Nicht weil wir fast Sex gehabt hätten – schließlich war Lake damals schon achtzehn –, sondern weil wir versucht hatten, sie zu hintergehen, indem wir den Wagen woanders geparkt hatten. Julia fand unsere Trickserei würdelos. Ich habe mich wahnsinnig geschämt, weil ich natürlich genau spürte, wie sehr es ihr Vertrauen in mich erschütterte, dass ich bereit gewesen wäre, schon nach so kurzer Zeit mit Lake zu schlafen, obwohl sie noch Jungfrau war.

Julia nahm uns das Versprechen ab, mit dem Sex noch ein Jahr zu warten, und arrangierte einen Termin beim Frauenarzt für Lake, um ihr für alle Fälle die Pille verschreiben zu lassen. Außerdem bat sie uns, innerhalb dieses Jahres nachts immer getrennt zu schlafen. Ich glaube, es ging ihr dabei nicht nur um uns, sondern vor allem auch um Caulder und Kel. Die beiden sollten nicht noch zusätzlich verunsichert werden – schließlich war die Zeit durch Julias Krankheit für Kel hart genug. Aus Respekt vor ihr haben wir uns auch nach ihrem Tod an unser Versprechen gehalten, obwohl es uns schwergefallen ist … verdammt schwer.

Letzte Woche war das Wartejahr vorbei, aber ich habe Lake nicht darauf angesprochen, weil ich sie auf gar keinen Fall unter Druck setzen will. Sie soll selbst entscheiden, wann sie bereit ist. Bis jetzt hat sie noch nichts gesagt, aber wir waren eben auch schon sehr lange nicht mehr allein miteinander.

Sie küsst mich ein letztes Mal, dann steht sie auf. »Wir sehen uns morgen Abend. Sieben Uhr. Sei pünktlich.«

»Such dein Handy und schick mir noch eine Gute-Nacht-SMS, ja?«, bitte ich.

Lake öffnet die Tür, dreht sich noch einmal zu mir um und sieht mich an.

»Noch mal?«

»Ich liebe dich.«

2.

Gleich gebe ich Lake das Päckchen. Irgendwie komisch, dass ich selbst nicht weiß, was drin ist. Ich bin nervös und habe totales Herzklopfen. Wir kennen uns jetzt schon so lange, und trotzdem fühle ich mich vor jedem Date mit ihr, als wäre es unser erstes. Unglaublich.

»Und bitte redet kein Rückwärtsisch. Ihr wisst, dass Gavin damit immer völlig überfordert ist«, schärfe ich den Jungs zum Abschied ein, bevor ich die Tür hinter ihnen schließe.

Es ist kurz vor sieben. Nachdem ich mir die Zähne geputzt habe, nehme ich den Schlüssel vom Küchentresen, gehe zum Wagen und bemerke drüben Lakes Schatten hinter dem Vorhang. Ich glaube nicht, dass sie es weiß, aber ich habe es immer gesehen, wenn sie mich von ihrem Wohnzimmerfenster aus heimlich beobachtet hat. Besonders in den Wochen, in denen ich den Kontakt zu ihr auf ein Minimum beschränken musste, war es wahnsinnig tröstlich, jeden Tag ihre Silhouette am Fenster zu sehen. Das gab mir die Hoffnung, dass sie vielleicht doch auf mich wartete, obwohl ich ihr so deutlich gesagt hatte, dass ich das nicht wollte. Nach dem Vorfall in der Wäschekammer habe ich sie allerdings nie mehr hinter dem Vorhang gesehen. Damals war ich mir sicher, dass ich es endgültig vermasselt hatte.

Während ich aus unserer Einfahrt quer über die Straße direkt in ihre fahre, kommt sie schon zur Haustür heraus. Ich lasse den Motor laufen, steige aus und gehe um den Wagen herum, um ihr die Tür zu öffnen. Als ich mich wieder hinters Steuer setze, steigt mir ihr Parfüm in die Nase. Vanille ... Wie ich diesen Duft liebe.

»Wohin fahren wir?«, fragt sie.

»Abwarten«, sage ich und lege den Gang ein. »Das ist eine Überraschung.« Statt rechts oder links abzubiegen, rolle ich wieder in unsere Einfahrt, stelle den Motor ab, steige aus, gehe um den Wagen herum und öffne ihr die Tür.

»Was soll das, Will?«

Ich greife nach ihrer Hand und helfe ihr, auszusteigen. »Wir sind da.«

Ich liebe den verwirrten Blick auf ihrem Gesicht.

»Wir bleiben zu Hause? Verdammt, Will, ich hab mich extra schön gemacht. Ich hatte mich so darauf gefreut, mal wieder auszugehen. Das ist doch kein Date!«

Ich führe sie lachend ins Haus. »Ich habe dich auch nicht auf ein Date eingeladen, sondern dich nur gefragt, ob du irgendetwas vorhast. Das mit dem Date hast *du* gesagt.«

Lake folgt mir in die Küche, wo ich zwei Teller mit Spaghetti alla Carbonara fülle, die ich uns zum Abendessen vorbereitet und warm gehalten habe. Statt zum Esstisch gehe ich damit ins Wohnzimmer und stelle sie auf den Couchtisch, wo bereits ein Korb mit Brot, Gläser und eine Kanne Eistee stehen. Lake zieht ihre Jacke aus und setzt sich auf den Boden. Auch wenn sie versucht, es sich nicht anmerken zu lassen, kann ich sehen, wie enttäuscht sie ist.

Wir setzen uns nebeneinander und beginnen zu essen.

»Ich will echt nicht undankbar erscheinen ...«, sagt sie nach einer Weile. »Ich finde es total süß von dir, dass du für uns gekocht hast, ehrlich. Es ist nur ... wir waren schon so lange nicht mehr zusammen weg, und ich hatte mich darauf gefreut, mal was anderes zu machen.«

Ich greife nach meinem Glas und trinke einen Schluck. »Das geht mir genauso. Aber der Abend heute ist sozusagen für uns vorgeplant worden. Ich habe das nicht entschieden.«

Lake sieht mich verständnislos an. »Für uns *vorgeplant* worden? Von wem denn?«

Ich lächle nur und esse weiter.

»Will, jetzt sag mir, was das soll. Du machst mich total nervös mit deiner Geheimniskrämerei.«

Ich grinse und trinke noch einen Schluck Eistee. »Ich will dich nicht nervös machen, Lake. Wirklich nicht. Ich mache nur, worum ich gebeten wurde.«

Als sie merkt, wie sehr ich es genieße, sie im Dunkeln tappen zu lassen, ändert sie ihre Taktik. »Ist ja auch nicht so wichtig. Wenigstens ist das Essen gut.«

»Die Gesellschaft auch«, sage ich.

Lake zwinkert mir zu und wickelt Spaghetti auf.

Sie trägt ihre Haare heute offen. Ich finde sie immer wunderschön, wenn sie ihr in weichen Wellen auf die Schultern fallen. Wobei ich sie auch wunderschön finde, wenn sie die Haare hochsteckt oder zum Pferdeschwanz bindet. Ich kann mich nicht erinnern, dass sie schon jemals eine Frisur hatte, die mir nicht gefiel. Lake ist einfach immer wunderschön … und am allerschönsten ist sie dann, wenn sie es nicht darauf anlegt.

Anscheinend habe ich sie sehr lange so gedankenverloren angesehen, denn ich merke plötzlich, dass ich kaum etwas gegessen habe, während sie schon fast fertig ist.

Sie wischt sich mit der Serviette über die Lippen. »Will?«, fragt sie leise. »Hat dieses Date etwas mit Mom zu tun? Du weißt schon … mit dem, was wir ihr versprochen haben?«

Ich weiß, was sie meint, und fühle mich sofort mies. Ich hätte mir denken können, dass sie glaubt, das wäre der Grund, warum ich sie allein sehen wollte. Dabei sollte sie doch auf gar keinen Fall das Gefühl bekommen, ich würde irgendetwas von ihr erwarten.

»Ja, hat es. Aber nicht so, wie du denkst«, sage ich und greife nach ihrer Hand. »Das, woran du gedacht hast – falls du daran gedacht hast –, wird irgendwann passieren … aber erst, wenn du bereit bist.«

Sie lächelt mich an. »Ich bin bereit.«

Das erwischt mich so unvorbereitet, dass ich nicht weiß, was ich sagen soll. Ich habe mich schon so daran gewöhnt, dass immer einer von uns das Rückzugssignal gibt, dass ich gar nicht auf den Gedanken gekommen bin, heute Abend könnte das anders sein.

Lake sieht plötzlich aus, als wäre ihr ihre Offenheit peinlich. Sie nimmt sich ein Stück Brot aus dem Korb, tunkt damit einen Rest Soße auf und steckt es sich in den Mund. Nachdem sie es aufgegessen hat, greift sie nach ihrem Glas und sieht mich an.

»Als ich dich gefragt habe, ob das Ganze etwas mit Mom zu tun hat, hast du gesagt: ›Ja, aber nicht so, wie du denkst.‹ Was hast du damit gemeint? Es hat also etwas mit ihr zu tun?«

Ich stehe auf, nehme ihre Hand und ziehe sie hoch. Sie schlingt die Arme um mich und schmiegt sich an meine Brust.

»Ja, hat es«, sage ich.

Lake hebt den Kopf und sieht mich stumm an.

»Sie hat mir außer den Briefen noch etwas gegeben …«

Julia hat vor ihrem Tod Abschiedsbriefe an Lake und Kel geschrieben, die sie an Weihnachten bekommen haben, und außerdem ein Päckchen gepackt, das für mich und Lake bestimmt war. Eigentlich hätten wir es auch an Weihnachten aufmachen sollen, aber in dem ganzen Trubel hatte es keinen einzigen ruhigen Moment gegeben und auch seitdem nicht.

»Komm mit.« Ich nehme sie an der Hand und führe sie in mein Zimmer, wo auf dem Bett das Päckchen steht.

Lake streicht mit den Fingerspitzen andächtig über das Papier und die rote Schleife.

»Hat sie das eingepackt?«, fragt sie leise.

Ich nicke. Wir setzen uns, das Geschenk zwischen uns, im Schneidersitz einander gegenüber aufs Bett. Oben auf dem Päckchen klebt ein Umschlag, auf dem unsere Namen stehen und die Bitte, ihn erst zu öffnen, nachdem wir es ausgepackt haben.

»Warum hast du mir nicht gesagt, dass du noch etwas von

ihr für mich hast? Ist das jetzt das letzte Geschenk oder kommt da noch mehr?« In ihren Augen glitzern Tränen, die sie wegzublinzeln versucht. Ich weiß nicht, warum sie es so schlimm findet, zu weinen.

»Es ist das letzte, Ehrenwort«, sage ich und wische ihr mit dem Zeigefinger behutsam eine Träne weg, die über ihre Wange rollt. »Julia wollte, dass wir es zusammen aufmachen, wenn wir ungestört sind.«

Lake strafft die Schultern und atmet tief durch. »Und wer darf es auspacken? Du oder ich?«, fragt sie.

»Das ist eine dumme Frage«, sage ich.

»Es gibt keine dummen Fragen«, antwortet sie. »Ich dachte, so etwas weiß man als Lehrer, Mr Cooper.« Sie beugt sich vor, küsst mich auf die Lippen, legt den Umschlag neben sich aufs Bett und beginnt dann, die Schleife zu lösen. Ich sehe zu, wie sie eine Ecke des Papiers zurückschlägt, unter dem ein Karton zum Vorschein kommt, der dick mit Klebeband umwickelt ist.

»Mein Gott, das sind ja mindestens sechs Schichten! So ähnlich sah wahrscheinlich dein Auto damals aus, nachdem Gavin und Eddie damit fertig waren.« Sie grinst.

»Wahnsinnig witzig«, sage ich. Ich streichle über ihr Knie und sehe zu, wie sie mit dem Daumennagel das Klebeband löst und es abzuziehen beginnt. Als sie fast fertig ist, hält sie plötzlich inne.

»Danke, dass du das für mich tust«, sagt sie ernst. »Und für Mom. Danke, dass du ihren letzten Wunsch erfüllst.« Sie wiegt den Karton in den Händen. »Weißt du, was drin ist?«, fragt sie.

»Ich habe nicht die geringste Ahnung. Hoffentlich kein Hundewelpe. Das Päckchen lag jetzt monatelang unter meinem Bett.«

Sie lacht. »Irgendwie macht mich das total nervös. Und ich will auf gar keinen Fall wieder weinen.« Sie zögert, bevor sie den Deckel aufklappt, das zerknüllte Seidenpapier entfernt und vorsichtig unser Geschenk herausnimmt. Es ist eine runde Glasvase, die bis zum Rand mit kleinen gefalteten Papiersternen in allen Farben gefüllt ist. Es müssen Hunderte sein.

»Was ist das?«, frage ich leise.

»Ich weiß es nicht, aber es sieht wahnsinnig schön aus«, flüstert Lake.

Während ich noch über die Bedeutung der Sterne rätsele, nimmt sie den Umschlag, öffnet ihn und zieht eine Karte heraus. Ihre Augen füllen sich sofort wieder mit Tränen, als sie die Schrift ihrer Mutter sieht, und sie hält sie mir schnell hin. »Kannst du sie bitte vorlesen?«

Meine liebste Lake, mein lieber Will,

es gibt nichts Schöneres im Leben, als Liebe zu finden, aber wohl auch nichts Schwierigeres, als sie dauerhaft zu halten, und viel zu oft wird sie leichtfertig weggeworfen.

Ihr habt beide keine Mutter und keinen Vater mehr, an die ihr euch wenden könnt, wenn ihr in eurer Beziehung an einen Punkt kommt, an dem ihr nicht mehr weiterwisst. Keine Schulter, an der ihr euch ausweinen könnt, wenn es schwierig wird – und es wird schwierig werden. Ihr könnt die schönen, die lustigen und die glücklichen Momente, die ihr erleben werdet, nicht

44

mehr mit uns teilen, und auch nicht den Herzschmerz. Ihr habt nur euch beide, und das bedeutet, dass ihr noch mehr tun müsst als andere Paare, um ein stabiles Fundament für eure gemeinsame Zukunft zu errichten. Ihr seid nicht nur Liebende, sondern zugleich auch engste Vertraute.

Ich habe ein paar Gedanken, die ich im Laufe meines Lebens gesammelt habe, auf Papierstreifen geschrieben und zu Sternen gefaltet. Wenn ihr sie öffnet, werdet ihr inspirierende Worte und Gedichte von klugen Menschen finden und zwischendurch auch immer mal wieder den Rat einer liebenden Mutter.

Ich wünsche mir, dass ihr immer dann einen der Sterne herausnehmt und lest, wenn ihr das Gefühl habt, Rat oder Trost zu brauchen. Diese Sterne sind für die schlechten Stunden gedacht, für die Momente, in denen ihr streitet oder in denen ihr etwas braucht, das euch Mut macht oder eure Laune hebt. Ihr könnt sie zusammen öffnen oder für euch allein, wann immer euch danach ist. Ich wünsche mir, dass der Inhalt dieser Vase euch Trost und Kraft spendet, wenn ihr beides am nötigsten braucht.

Will – ich bin so froh, dass du in unser Leben getreten bist. Das Wissen, dass du meine Tochter liebst und an ihrer Seite bist, hat mir viel von dem Schmerz und den Sorgen genommen, die mich in den vergangenen Monaten gequält haben. Dafür danke ich dir.

Meine Stimme bricht und Lake greift nach meiner Hand. Sie wischt sich über die Augen und auch ich muss schlucken und gegen die Tränen ankämpfen. Nachdem ich tief Luft geholt habe, räuspere ich mich und lese weiter.

Du bist ein wunderbarer Mensch und hast dich in dieser schweren Zeit als einzigartiger Freund erwiesen. Es erleichtert mich ungeheuer, dass du meine Tochter so liebst, wie du es tust, weil ich spüre, dass du sie aus tiefstem Herzen respektierst, dass du sie nicht verändern möchtest und dass du sie inspirierst, ein besserer Mensch sein zu wollen. Und ich weiß, dass sie dich auf dieselbe Weise liebt. Es ist nicht in Worte zu fassen, wie viel Gutes du mir damit tust.

Meine liebste Lake,
spürst du, wie ich dich gerade leicht mit der Schulter anstupse, um dir zu zeigen, wie glücklich ich mit deiner Wahl bin? Ich hätte dir keinen besseren Mann aussuchen können als den, den du dir selbst gesucht hast.

Ich danke dir so sehr, dass du dafür gekämpft hast, dass unsere Familie zusammenbleibt. Du hattest von Anfang an recht mit deiner Einschätzung, dass Kel bei dir aufwachsen muss, und ich bin froh, dass du mir geholfen hast, das zu erkennen. Wenn er schwere Zeiten durchmacht, erinnere ihn bitte daran, dass irgendwann immer der Punkt kommt, an dem man aufhören muss, Kürbisse zu schnitzen.

Ich liebe euch beide über alles und wünsche euch ein Leben voller gemeinsamem Glück.

Eure Mom und Julia

»And all around my memories, you dance«
– The Avett Brothers

Ich schiebe die Karte wieder in den Umschlag zurück. Lake nimmt die Vase mit den Sternen in die Hände und dreht sie langsam, um sie von allen Seiten zu betrachten.

»Ich musste gerade daran denken, wie ich einmal in ihr Zimmer gekommen bin. Sie lag im Bett und hat Papierstreifen zu Sternen gefaltet. Als ich mich zu ihr gesetzt habe, hat sie sie schnell zur Seite geschoben«, erzählt sie leise. »Das hatte ich ganz vergessen. Es sind so viele. Sie muss eine Ewigkeit dafür gebraucht haben.«

Während Lake gedankenverloren die Sterne betrachtet, betrachte ich sie. Schließlich wischt sie sich die Tränen aus den Augenwinkeln und lächelt. Ich staune immer wieder über ihre Tapferkeit.

»Am liebsten würde ich jetzt sofort alle auf einmal lesen, und gleichzeitig wünsche ich mir, dass wir niemals auch nur einen einzigen öffnen müssen«, sagt sie.

»Du bist großartig, Lake. Genau wie deine Mutter.« Ich beuge mich vor, um ihr einen Kuss zu geben. Dann nehme ich ihr die Vase sanft aus den Händen und stelle sie behutsam auf die Kommode. Lake greift nach dem Karton, verstaut das Geschenkpapier und die Schleife darin und legt den Umschlag mit der Karte auf den Nachttisch. Anschließend bleibt sie einen Augenblick unschlüssig sitzen und lässt sich dann rücklings aufs Bett fallen. Ich lege mich neben sie, stütze mich auf einen Ellbogen und schlinge einen Arm um ihre Taille.

»Wie geht es dir jetzt?«, frage ich, weil ich nicht einschätzen kann, was Julias Geschenk in ihr ausgelöst hat.

Sie sieht mich an und lächelt. »Ich dachte, es würde wehtun, zu hören, was sie geschrieben hat, aber genau das Gegenteil ist passiert. Es hat mich glücklich gemacht.«

»Mich auch«, sage ich. »Ich hatte echt ein bisschen Angst, es könnte ein Welpe sein.«

Lake lacht leise und bettet ihren Kopf auf meinen angewinkelten Arm. Eine ganze Weile liegen wir schweigend da und sehen uns nur an. Ich streichle ihren Arm, lasse die Hand zu ihrem Hals hinaufwandern und streiche über die zarte Haut ihrer Wangen. Ich liebe es, ihr beim Nachdenken zuzusehen.

Irgendwann richtet sie sich auf, klettert auf mich und schiebt ihre Hände unter meinen Hinterkopf. Sie beugt sich langsam vor, küsst mich und teilt meine Lippen mit ihrer Zungenspitze. Der Geschmack ihrer Küsse und ihre warmen Hände in meinem Nacken überwältigen mich. Meine Finger gleiten durch ihre langen, seidigen Haare, während ich mich ihrem Kuss mit geschlossenen Augen hingebe. Es ist so lange her, dass wir das letzte Mal ungestört sein konnten. Nicht zueinanderkommen zu können, ist wie Folter. Aber eine bitter-süße Folter. Ihre Haut ist so unglaublich weich und ihre Lippen sind einfach perfekt. Es fällt mir mit jedem Mal schwerer, zu widerstehen.

Lake lässt ihre Hände unter mein T-Shirt wandern und haucht mir gleichzeitig zarte Küsse auf den Hals. Sie weiß genau, dass mich das wahnsinnig macht, und ich glaube, genau aus diesem Grund tut sie es in der letzten Zeit immer häufiger. Sie will Grenzen ausloten. Einer von uns muss jetzt das Rückzugssignal geben … und ich weiß nicht, ob ich die Kraft dazu aufbringen kann. Ihr geht es anscheinend ähnlich.

»Wie viel Zeit haben wir noch?«, flüstert sie rau, streift

mein Shirt hoch, zieht es mir mit einem Ruck über den Kopf und lässt ihre Lippen über meinen Oberkörper gleiten.

»Zeit?«, frage ich schwach.

»Wie viel Zeit haben wir …«, sie küsst sich an meinem Hals entlang langsam wieder aufwärts, »… bis die Jungs nach Hause kommen …« Ihr Gesicht ist jetzt auf der Höhe von meinem, und ich sehe ihr an, dass sie das Signal diesmal bestimmt nicht geben wird.

Ich lege mir einen Arm übers Gesicht, um nicht in ihren grünen Augen zu versinken. *Denk an etwas anderes, Will. Denk an dein Studium, an die Hausarbeit, die du noch schreiben musst, denk an vergessene Welpen in Kartons unter dem Bett, an egal was …* Ich muss mich ablenken, um nicht vollends die Kontrolle zu verlieren. Ich möchte nicht, dass unser erstes Mal hastig und unter Zeitdruck passiert.

Lake zieht meinen Arm weg, um mir in die Augen sehen zu können. »Will, das Jahr ist vorbei … Ich will es.«

Ich fasse sie an den Oberarmen, hebe sie sanft von mir herunter und lege sie auf den Rücken. Den Kopf in eine Hand gestützt, beuge ich mich zu ihr vor und streiche ihr über die Wange, während ich sie ernst ansehe. »Ich will es auch, Lake. Und wie ich es will. Aber nicht so, nicht hier und nicht jetzt. Die Jungs kommen in einer Stunde wieder, und dann musst du nach Hause und … das würde ich nicht aushalten.« Ich küsse sie auf die Stirn. »In zwei Wochen ist ein verlängertes Wochenende. Was hältst du davon, wenn wir zusammen wegfahren? Nur wir beide. Ich könnte meine Großeltern fragen, ob sie auf die Jungs aufpassen. Dann hätten wir drei ganze Tage nur für uns.«

Lake stöhnt auf. »Ich kann aber nicht noch zwei Wochen warten!« Wie ein trotziges Kind trommelt sie mit Fäusten und Fersen auf die Matratze. »Wir warten schon seit verschmetterlingten siebenundfünfzig Wochen!«

Ich beuge mich lachend vor und küsse sie auf die Lippen. »Wenn ich warten kann, kannst du es auch«, versichere ich ihr.

Sie verdreht die Augen. »Gott, Mr Cooper. Sie sind so ein elender Langweiler.«

»Ach, bin ich das, ja? Ich glaube, du brauchst dringend eine kleine Abkühlung«, sage ich. »Ich kann dich gern mal wieder unter die Dusche stellen. Du weißt, dass das immer hilft.«

»Nur wenn du mitduschst.« Plötzlich richtet sie sich auf, wirft sich über mich und sieht mich mit großen Augen an. »Will!«, sagt sie aufgeregt. »Ist dir klar, dass wir endlich zusammen duschen können, wenn wir übers Wochenende wegfahren?«

Ihre Unbekümmertheit überrascht mich ein bisschen. Alles an ihr überrascht mich. »Hast du überhaupt keine Angst davor?«, frage ich sie.

»Angst? Nein, gar nicht!« Sie beugt sich lächelnd über mich. »Ich weiß schließlich, dass ich in allerbesten Händen bin.«

»Das bist du. Darauf kannst du dich verlassen«, sage ich und ziehe sie an mich. Als ich sie gerade küssen will, vibriert mein Handy hinten in der Hosentasche. Lake angelt es heraus und wirft einen Blick aufs Display.

»Gavin«, sagt sie, reicht es mir und rollt sich von mir herunter.

»Na toll«, murmle ich, als ich die SMS lese. »Kel hat gerade gekotzt. Wahrscheinlich hat er eine Darmgrippe. Sie bringen ihn gleich nach Hause.«

Lake stöhnt und springt vom Bett auf. »Beim Anblick von Leuten, die sich übergeben, wird mir immer selbst ganz schlecht. Und wenn es eine Darmgrippe ist, hat Caulder sie garantiert auch. Die beiden stecken sich doch immer mit allem gegenseitig an.«

»Ich schreibe Gavin, dass sie Kel sofort zu dir rüberbringen sollen. Du kannst ihm ja schon mal einen Eimer neben das Bett stellen, dann fahre ich schnell zur Apotheke und hole Medikamente.« Ich fasse nach meinem Shirt, ziehe es an und greife dann nach der Vase mit den Sternen, um sie ins Wohnzimmer zu stellen. Als wir aus dem Zimmer gehen, sind wir beide wieder voll im Elternmodus.

»Bring auch Hühnersuppe mit für morgen. Und ein paar Flaschen Sprite«, bittet Lake mich.

Als ich die Vase gerade ins Regal stellen will, greift sie schnell hinein und nimmt sich einen Stern. Sie bemerkt meinen Blick und grinst. »Vielleicht steht ja ein guter Tipp drin. Gegen Übelkeit, du weißt schon.«

»Hey, du darfst die Sterne nicht so vergeuden, wir haben noch ein ganzes Leben vor uns.«

Ich schlage die Tür hinter uns zu, aber bevor Lake über die Straße geht, ziehe ich sie noch einmal an mich. »Soll ich dich schnell nach Hause fahren?«

Sie umarmt mich lachend. »Nicht nötig. Ich hab's nicht so weit. Danke für das Date. Es war eines meiner schönsten.«

»Das allerschönste kommt erst noch«, sage ich leise.

»Ich kann es kaum erwarten.« Sie löst sich von mir und geht rüber. Ich habe gerade die Wagentür geöffnet, als sie ruft: »Noch mal, Will?«

»Ich liebe dich, Lake!«

3.

Schon der Gedanke an diese verschmetterlingten Hamburger reicht und mir wird wieder speiübel ...

Es war die Hölle. Die pure Hölle. Anders lassen sich die vergangenen vierundzwanzig Stunden nicht beschreiben. Als Gavin und Eddie die beiden Jungs nach Hause gebracht hatten, war klar, dass Kel *keine* Magen-Darm-Grippe hatte. Gavin stürzte, ohne anzuklopfen, ins Haus und rannte sofort auf die Toilette. Caulder war der Nächste, den es niederstreckte. Danach erwischte es Lake und Eddie. Ich war der Letzte, bei dem sich die Fleischvergiftung bemerkbar machte. Seit gestern Abend liegen Caulder und ich im Wohnzimmer auf den beiden Sofas und rennen abwechselnd ins Bad.

Ich muss zugeben, dass es durchaus Vorteile hat, vegetarisch zu leben. Wenn ich geahnt hätte, wie es mir heute geht, hätte ich mich liebend gern ebenfalls mit Brot und Pommes begnügt wie Kiersten. Während ich ernsthaft darüber nachdenke, ob ich mich in Zukunft nicht auch fleischlos ernähren soll, klopft es an der Haustür, aber das kann niemand sein, den ich jetzt sehen möchte – meine Freunde klopfen nicht an. Caulder rührt sich nicht, und auch ich bleibe reglos mit dem Rücken zur Tür liegen, als plötzlich kalte Luft hereinweht und eine mir unbekannte Frauenstimme meinen Namen ruft.

»Will?«

Es ist mir egal, wer es ist. Von mir aus kann es auch eine Serienmörderin sein. Ich fühle mich so elend, dass ich mir fast wünsche, jemand würde mich von meinem Leiden erlösen. Unter Aufbietung all meiner Kräfte hebe ich die Hand und winke schwach, um auf mich aufmerksam zu machen.

»Oje, du Armer«, sagt die Frau. Als ich höre, wie sie die Tür schließt und zur Couch kommt, drehe ich mich stöhnend auf die andere Seite, blinzle zu ihr auf und stelle fest, dass ich tatsächlich keine Ahnung habe, wer sie ist. Ich schätze sie auf Mitte vierzig. In ihre kurzen schwarzen Haare mischen sich erste graue Strähnen und sie ist relativ klein. Kleiner als Lake. Ich versuche zu lächeln, was aber vermutlich nicht besonders überzeugend aussieht. Die Frau runzelt jedenfalls besorgt die Stirn und schaut zu Caulder rüber, der auf der anderen Couch liegt und so weggetreten ist, dass er nichts mitbekommen hat. Sie stellt eine Flasche auf den Couchtisch und geht dann in die Küche, wo sie Schubladen auf- und zuzieht. Mit einem Löffel in der Hand kommt sie zurück.

»Hier, das wird helfen. Layken hat mir erzählt, dass ihr euch den Magen verdorben habt.« Sie kniet sich neben mich, gießt etwas aus der Flasche auf den Löffel und hält ihn mir an die Lippen. Mittlerweile habe ich einen Punkt erreicht, an dem ich zu allem bereit bin, also öffne ich brav den Mund. Die sirupartige Flüssigkeit brennt so sehr in der Kehle, dass ich husten muss. Ich greife nach dem Wasserglas, das neben der Couch steht, und nehme einen vorsichtigen Schluck. Aus Angst, dass mir alles gleich wieder hochkommt, will ich lieber nicht zu viel trinken.

»Was zum Teufel ist das für ein Zeug?«, krächze ich.

Die Frau scheint etwas enttäuscht über meine mangelnde Begeisterung. »Selbst gemachte Medizin aus Heilkräutern. Bald geht es euch besser, vertrau mir.«

Sie geht zu Caulder und rüttelt ihn sanft wach. Mein Bruder lässt sich den Sirup einflößen, ohne Fragen zu stellen, und schließt danach sofort wieder die Augen.

»Ach so, entschuldige bitte, ich habe mich noch gar nicht vorgestellt.« Die Frau dreht sich wieder zu mir. »Ich bin Sherry, Kierstens Mutter.«

Das erklärt alles.

»Kiersten hat mir erzählt, dass ihr verdorbenes Fleisch gegessen habt.« Bei dem Wort *Fleisch* verzieht sie angewidert das Gesicht.

Allein schon beim Gedanken an die Hamburger wird mir wieder schlecht. Ich schließe die Augen und denke schnell an etwas anderes.

»Tut mir leid«, sagt Sherry, die anscheinend sieht, wie es mir geht. »Deswegen sind wir Vegetarier, weißt du?«

»Ja, ich weiß. Danke für die Medizin«, murmle ich und hoffe, dass Sherry ihre Mission damit als erfüllt ansieht.

Sie tut es nicht.

»Ich habe bei Layken drüben gleich mal eine Ladung Wäsche gewaschen«, sagt sie. »Wenn du willst, kann ich bei euch auch eine Maschine anwerfen.« Sie wartet gar nicht ab, was ich dazu sage, sondern bückt sich nach den am Boden verstreut liegenden Klamotten und Handtüchern und bringt sie in die Wäschekammer. Kurz darauf höre ich, wie die Maschine dröhnend anspringt, danach dringt Geschirrgeklapper aus der Küche. Unglaublich! Diese Frau, die ich überhaupt nicht kenne, räumt mein Chaos auf. Aber ich bin viel zu erschöpft, um zu protestieren. Ich bin sogar zu erschöpft, um mich darüber zu freuen.

»Will?« Sherry kommt ins Wohnzimmer zurück und ich öffne meine Augen einen Spaltbreit. »Ich komme in einer Stunde wieder, um die Sachen in den Trockner zu tun. In der Zwischenzeit koche ich euch eine stärkende Gemüsesuppe, okay?«

Ich nicke. Jedenfalls glaube ich, dass ich nicke.

Eine halbe Stunde nachdem Sherry mir ihre selbst gebraute Medizin eingeflößt hat, geht es mir tatsächlich ein bisschen besser. Caulder schafft es sogar, sich in sein Zimmer zu schleppen und ins Bett zu legen, wo er sofort wieder einschläft. Ich stehe gerade in der Küche und gieße mir eine Sprite ein, als die Haustür aufgeht. Diesmal ist es Lake, die genauso elend aussieht wie ich und trotzdem wunderschön ist. Sie trägt Schlafanzug und Hausschuhe, und obwohl es nicht die Darth-Vader-Hausschuhe sind, die sie bei unserer zweiten Begegnung anhatte, finde ich ihren Look unwiderstehlich.

»Hey, Süßer.« Sie kommt in die Küche und umarmt mich. »Wie geht es Caulder?«

»Besser. Was auch immer das für ein Zeug war, das Sherry uns gegeben hat, es scheint zu wirken.«

»Bei uns auch.« Sie schmiegt sich an mich und seufzt. »Ich wünschte, wir hätten so eine riesige Sofalandschaft im Wohnzimmer, dann könnten wir wenigstens alle zusammen leiden.«

Wir haben schon öfter darüber gesprochen, dass es praktisch wäre, wenn wir alle in einem Haus wohnen würden. Wir könnten eine Menge Geld sparen und auch sonst würde es vieles einfacher machen. Aber Lake ist erst neunzehn, und es ist bestimmt wichtig für sie, erst einmal die Erfahrung zu machen, allein zu leben. Der Gedanke, zusammenzuziehen, macht uns beiden ein bisschen Angst, weshalb wir beschlossen haben, damit noch zu warten, bis wir uns absolut sicher sind.

»Ja, das wäre echt schön«, stimme ich zu und will ihr einen Kuss geben, aber sie schüttelt den Kopf und dreht sich weg.

»Nicht«, sagt sie und presst die Lippen zusammen. »Für die nächsten vierundzwanzig Stunden herrscht absolutes Küssverbot.«

Ich lache und küsse sie stattdessen auf die Stirn.

»Okay, dann geh ich mal wieder. Ich wollte nur schnell nach dir sehen«, sagt sie und drückt ihre Lippen kurz auf meinen Hals statt auf meinen Mund.

»Gott, seid ihr süß!«, ruft Sherry, die plötzlich mit einem großen Topf vor uns steht.

Ich habe nicht gehört, wie sie hereingekommen ist, geschweige denn, dass sie geklopft hätte.

»Hallo, Sherry. Danke für Ihre Medizin«, sagt Lake. »Sie hat wirklich geholfen.«

Sherry lächelt. »Sehr gern geschehen. Mein Zaubertrank bringt jeden wieder auf die Füße. Wenn ihr mehr davon möchtet, müsst ihr es bloß sagen.«

»Werden wir«, sagt Lake und wirft mir heimlich einen Werden-wir-nicht!-Blick zu. »Bis später, Baby. Ich liebe dich.«

»Ich dich auch. Ruf mich an, wenn es Kel besser geht, dann kommen wir zu euch rüber.«

Als Lake gegangen ist, setze ich mich an den Esstisch und trinke in kleinen, vorsichtigen Schlucken meine Sprite. Ich traue meinem Magen immer noch nicht so ganz und bin mir nicht sicher, ob ich etwas bei mir behalten kann.

Sherry zieht sich einen Stuhl heran, setzt sich mir gegenüber und sagt: »Okay, erzählst du mir die Geschichte?«

Weil ich nicht weiß, welche Geschichte sie meint, ziehe ich die Augenbrauen hoch, trinke noch einen Schluck und sehe sie fragend an.

»Eure Geschichte, meine ich. Die von Layken und dir. Und von Layken und Kel und dir und Caulder. Du musst zugeben, dass es ein bisschen ungewöhnlich ist, dass ihr beide allein für eure Brüder sorgt. Ihr seid doch selbst fast noch Kinder. Kiersten mag euch sehr und verbringt gern Zeit mit euch, da würde ich als Mutter natürlich gern ein bisschen mehr über die Hintergründe wissen.«

Man könnte ihre Frage als zu direkt empfinden, aber irgendwie ist mir ihre Offenheit sympathisch. Jetzt wundert mich nicht mehr, warum Kiersten so ist, wie sie ist.

Ich stelle meine Sprite auf den Tisch und reibe mit dem Daumen das Kondenswasser vom Glas. »Meine Eltern sind vor drei Jahren ums Leben gekommen«, sage ich, den Blick auf die Tischplatte gerichtet, um das Mitleid in ihren Augen nicht sehen zu müssen. »Lakes Vater hatte vor eineinhalb Jahren einen Herzinfarkt und letzten September ist ihre Mutter an Krebs gestorben. Seitdem sorgen wir allein für unsere Brüder.«

Sherry lehnt sich im Stuhl zurück und verschränkt die Arme vor der Brust. »Ach du Scheiße.«

Ich lächle schief und nicke. Wenigstens hat sie nicht gesagt, wie leid ihr das alles für uns tut. Das ist für mich immer das Schlimmste, wenn ich Leuten erzähle, was passiert ist.

»Und wie lange seid ihr schon ein Paar?«

»Offiziell seit etwas über einem Jahr. Seit dem 18. Dezember, um genau zu sein.«

»Und inoffiziell?«, fragt sie.

Ich rutsche unbehaglich auf meinem Stuhl hin und her. Warum habe ich das nur gesagt?

»Wir sind seit dem 18. Dezember vor etwas über einem Jahr zusammen«, wiederhole ich noch einmal und lächle. Mehr ins Detail will ich nicht gehen. »Und was ist mit Ihrer Geschichte? Erzählen Sie mir die auch?«

Sherry lacht und steht auf. »Hat dir noch nie jemand gesagt, dass es unhöflich ist, anderen Leuten neugierige Fragen zu stellen?« Sie geht zur Tür. »Scheu dich nicht, mich um Hilfe zu bitten, wenn ihr etwas braucht. Du weißt ja, wo wir wohnen.«

Am Sonntag fühlen wir uns immer noch so kraftlos, dass wir den ganzen Tag vor dem Fernseher abhängen. Auf den normalerweise dazugehörigen Fresskram verzichten wir allerdings.

Am Montag geht der Alltag wieder los, und ich fahre zur Uni, nachdem ich Kel und Caulder zur Schule gebracht habe. Der Campus ist ziemlich groß und anonym, aber die meisten meiner Kurse finden praktischerweise im selben Gebäude statt, sodass ich nicht viel laufen muss. Nur fürs erste Seminar des Tages muss ich zum anderen Ende des Geländes. Es trägt den Titel »Tod und Sterben in der Literatur«, ein Thema, das mich grundsätzlich interessiert, besonders weil ich auf dem Gebiet ja auch schon einige persönliche Erfahrung vorzuweisen habe. Abgesehen davon gab es um acht Uhr morgens keinen anderen Kurs, der für mich infrage gekommen wäre.

Als ich hereinkomme, sitzen erst ein paar wenige Studenten in dem großen Hörsaal, und ich entscheide mich für einen Platz in einer der oberen Reihen. Es hat einige Zeit gedauert, bis ich mich wieder daran gewöhnt hatte, ein Student unter vielen zu sein und nicht als Lehrer vor der Klasse zu stehen. Ein bisschen fühlt es sich für mich immer noch an wie verkehrte Welt.

Der Raum füllt sich ziemlich schnell. Klar, zu Beginn des Semesters bemühen sich natürlich alle, pünktlich zu sein.

Nach ein paar Tagen lässt der Eifer bei den meisten nach und dann nehmen sie es nicht mehr so genau.

Ich habe gerade meine Unterlagen aus der Tasche geholt und auf den Tisch gelegt, als mein Handy vibriert. Es ist eine SMS von Lake.

Stell dir vor, ich hab es wiedergefunden! Viel Spaß an deinem ersten Unitag. Ich liebe dich und freu mich jetzt schon auf heute Abend.

Als ich gerade meine Antwort tippe – **Ich liebe dich auch und kann es kaum erwarten** … –, beginnt der Dozent, die Anwesenheit zu überprüfen, also drücke ich schnell auf *Senden* und stecke das Handy wieder weg.

»Will Cooper?« Er sieht sich im Saal um.

Ich hebe die Hand. Der Dozent nickt und hakt mich auf seiner Liste ab. Während er weitere Namen aufruft, sehe ich mich im Saal nach bekannten Gesichtern um. Letztes Jahr waren ein paar ehemalige Mitschüler aus der Highschool in meinen Kursen, aber weil ich einer der wenigen bin, die an den Bachelor noch den Master dranhängen, ist die Chance gering, dass ich jemanden kenne. Ich lasse den Blick durch den Raum wandern und erstarre, als ich ein Mädchen in der ersten Reihe sehe, das sich umgedreht hat und mir lächelnd zuwinkt. Im nächsten Moment packt sie ihre Sachen zusammen und läuft die Treppe hoch.

Nein. Komm bloß nicht auf die Idee, dich zu mir zu setzen, denke ich. Aber da steht sie auch schon vor mir.

»Will, das ist ja Wahnsinn! Wir haben uns ewig nicht gesehen, und auf einmal sind wir im selben Seminar«, sagt sie und strahlt mich an.

Ich ringe mir ein Lächeln ab, während ich einzuordnen versuche, was ich gerade fühle: Wut, Verbitterung, aber auch eine trügerische Vertrautheit. »Hey, Vaughn.«

Sie lässt sich auf den Sitz neben mir fallen und umarmt mich. »Wie geht es dir?«, flüstert sie. »Und wie geht es Caulder?«

»Gut«, antworte ich steif. »Er wächst und gedeiht. In zwei Monaten wird er elf.«

»Elf? Wow.« Sie schüttelt ungläubig den Kopf.

Wir haben uns seit fast drei Jahren nicht mehr gesehen und unsere Trennung verlief alles andere als freundschaftlich, trotzdem tut sie so, als wäre es die reinste Freude, dass wir uns hier begegnen. Von mir selbst kann ich das nicht behaupten.

»Und Ethan? Was macht er so?«, frage ich. Ich habe mich mit ihrem älteren Bruder immer gut verstanden, ihn aber aus den Augen verloren, seit Vaughn und ich nicht mehr zusammen sind.

»Dem geht es total gut. Er ist verheiratet und wird bald zum ersten Mal Vater.«

»Sag ihm bitte, dass mich das sehr für ihn freut, wenn du ihn siehst.«

Vaughn nickt. »Mache ich.«

»Vaughn Gibson?«, ruft der Dozent.

Sie hebt die Hand und ruft: »Hier oben!«, worauf er sein Häkchen auf die Liste setzt. »Was ist mit dir?«, fragt sie mich. »Bist du verheiratet?«

Ich schüttle den Kopf.

»Ich auch nicht.« Sie strahlt mich an.

Ich kenne diesen Blick, und ich mag ihn nicht, weil ich die Absicht dahinter durchschaue. Immerhin waren wir zwei Jahre zusammen, da lernt man sich ziemlich gut kennen.

»Ich bin zwar nicht verheiratet, aber ich habe eine Freundin«, beeile ich mich klarzustellen, damit sie nicht auf falsche Gedanken kommt. Ich sehe, wie ein Schatten über ihr Gesicht huscht, den sie durch ein breites Lächeln zu kaschieren versucht.

»Das freut mich für dich«, sagt sie. »Ist es was Ernstes?« Sie sieht mich forschend an.

»Sehr ernst, ja.«

Als der Dozent beginnt, den Semesterablauf zu erklären, wenden wir unsere Aufmerksamkeit nach vorn und sprechen kaum noch. Ich mache mir Notizen und reagiere wortkarg auf die wenigen Kommentare, die Vaughn im Laufe der Stunde abgibt. Sobald das Seminar zu Ende ist, stehe ich hastig auf.

»Ich fand es echt schön, dass wir uns wiedergesehen haben, Will«, sagt sie. »Jetzt freue ich mich richtig auf dieses Semester. Wir haben uns eine Menge zu erzählen.«

Ich lächle zurückhaltend, als sie mich umarmt, greife nach meiner Tasche und verlasse den Hörsaal.

Während ich über den Campus zu meinem nächsten Kurs gehe, denke ich darüber nach, ob ich Lake erzählen soll, dass ich Vaughn begegnet bin und sie sogar in meinem Seminar ist. Ich bin unschlüssig.

Lake hat mich noch nie nach meinen früheren Beziehungen gefragt, weil sie glaubt, dass dabei nichts Gutes herauskommen kann. Sie weiß zwar, dass ich in der Highschool eine feste Freundin hatte, mit der ich auch geschlafen habe, aber wir haben nie konkret über Vaughn gesprochen. Ich kann überhaupt nicht einschätzen, wie sie es aufnehmen würde, wenn sie erfährt, dass ich sie ab jetzt regelmäßig in der Uni sehe. Ich will sie nicht unnötig beunruhigen, andererseits möchte ich auch nichts vor ihr verheimlichen.

Aber würde ich das denn? Vaughn bedeutet mir nichts mehr. Letzten Endes ist sie einfach nur eine Studentin, die sich zufällig für dasselbe Seminar eingeschrieben hat wie ich. Ich sage Lake ja auch nicht, wer sonst noch in meinen Kursen ist. Wozu auch? Nein, wenn ich von Vaughn erzähle, würde sie sich nur völlig unbegründet Sorgen machen, und ich würde sie damit wahrscheinlich mehr belasten, als wenn ich einfach nicht darüber rede.

Lake ist nicht in meinen Kursen, wir sind nicht einmal an denselben Tagen an der Uni, was bedeutet, dass sie Vaughn nie über den Weg laufen wird. Außerdem habe ich Vaughn deutlich zu verstehen gegeben, dass ich eine Freundin habe. Eigentlich müsste das reichen … Oder?

Gegen Ende des Tages habe ich den Beschluss gefasst, dass es das Beste ist, Lake nichts davon zu sagen.

Als ich vor der Grundschule halte, sehe ich Kel und Caulder ein Stück von den anderen Schülern entfernt mit finsteren Mienen auf einer Bank im Pausenhof sitzen. Hinter ihnen steht eine rotblonde Frau, die aussieht, als würde sie sie bewachen. Es ist Mrs Brill, die Schulleiterin.

»Auch das noch!«, murmle ich und steige aus dem Wagen.

»Ah, hallo, Mr Cooper«, begrüßt sie mich und schüttelt mir die Hand.

»Freut mich, Mrs Brill.« Ich sehe die Jungs an, die meinem Blick aber ausweichen. Mrs Brill gibt mir mit einem Kopfnicken zu verstehen, dass ich ihr folgen soll. Ein paar Meter weiter bleiben wir stehen.

»Letzte Woche hat sich Kel während der Mittagspause einen geschmacklosen Scherz erlaubt, für den ich ihn bestrafen musste«, sagt sie. »Ich konnte seine Schwester telefonisch nicht erreichen, weshalb ich nicht weiß, ob sie darüber informiert ist, was passiert ist …?«

»Die Jungen haben uns davon erzählt«, antworte ich. »Ms Cohen hatte an dem Tag ihr Handy verlegt. Soll ich ihr ausrichten, dass sie sich wegen der Sache bei Ihnen melden soll?«

»Nicht nötig.« Mrs Brill winkt ab. »Ich wollte nur sicherstellen, dass sie erfahren hat, was vorgefallen ist, und angemessen reagiert hat.«

»Das hat sie«, versichere ich, ohne ins Detail zu gehen. Obwohl ich nicht weiß, was Mrs Brill unter »angemessen« versteht, vermute ich stark, dass Gelächter in großer Runde nicht darunterfällt.

»Heute möchte ich Sie allerdings in einer anderen Angelegenheit sprechen«, sagt Mrs Brill. »Wir haben eine neue Schülerin an der Schule, die sich mit Kel und Caulder sehr gut zu verstehen scheint. Ich weiß nicht, ob Sie sie kennen – sie heißt Kiersten.« Als ich nicke, fährt sie fort. »Nun, heute gab es einen Vorfall zwischen ihr und einigen anderen Schülern.«

Ich höre mit neu erwachtem Interesse zu, weil ich mich frage, ob dieser »Vorfall« etwas damit zu tun hat, dass die Kinder kürzlich beim Abendessen die Augen verdreht haben, als es um die Schule ging.

»Offenbar wird Kiersten öfter von einer Gruppe Jungs geärgert, die unschöne Dinge über sie behaupten. Kel und Caulder haben heute beschlossen, die Sache in die Hand zu nehmen.« Sie wirft einen missbilligenden Blick zu den beiden, die nach wie vor auf der Bank sitzen.

»Und das bedeutet ...?«, frage ich nervös.

»Es geht mir nicht so sehr darum, dass sie sich eingemischt haben, sondern um die Art und Weise, wie sie es getan haben.« Mrs Brill zieht ein gefaltetes Blatt Papier aus der Tasche und hält es mir hin.

Ich falte es auf und sehe ein krakelig gezeichnetes Messer, von dessen Klinge Blut tropft. Darüber steht in Großbuchstaben: »LASST KIERSTEN IN RUHE ODER IHR SEID TOT, IHR ARSCHLÖCHER!!!!!«

»Ist das von Kel und Caulder?«, frage ich unbehaglich.

Mrs Brill nickt. »Die beiden haben es auch schon zugegeben. Ich weiß, dass Sie selbst angehender Pädagoge sind, weshalb Ihnen sicher klar ist, dass so etwas absolut indiskutabel ist. Eine solche Drohung wird eine entsprechende Strafe nach sich ziehen. Sie werden Verständnis dafür haben, dass ich die beiden für eine Woche vom Unterricht ausschließen muss.«

»Eine ganze Woche?«, sage ich erschrocken. »Aber eigentlich haben sie doch nur einer Schülerin helfen wollen, die offensichtlich von anderen gemobbt wird.«

»Mir ist bewusst, dass ihre Absichten ehrenwert waren, und ich kann Ihnen versichern, dass die anderen Jungen ebenfalls bestraft werden. Aber Kel und Caulder müssen lernen, dass Morddrohungen nicht das geeignete Mittel sind.«

Ich werfe noch einen Blick auf den Zettel und seufze. »Gut. Das sehe ich natürlich ein. Ich werde Kels Schwester darüber informieren. Nächsten Montag dürfen die beiden aber wieder zum Unterricht?«

Mrs Brill nickt und wir verabschieden uns. Nachdem ich Kel und Caulder ein Zeichen gegeben habe, in den Wagen zu steigen, fahren wir schweigend nach Hause. Ich bin viel zu wütend, um jetzt mit ihnen über die Sache zu sprechen. Zumindest glaube ich, dass ich wütend bin. Ich sollte es jedenfalls sein … oder?

Lake sitzt an der Küchentheke und blättert in einer Zeitschrift, als wir ins Haus kommen. »Ihr wartet hier«, sage ich streng zu den beiden Jungs und winke Lake zu mir. Sie sieht mich erstaunt an, folgt mir dann aber nach hinten in ihr Zimmer. Ich schließe die Tür, erkläre ihr, was passiert ist, und gebe ihr den Zettel.

Sie betrachtet ihn stumm, dann presst sie sich die Hand auf den Mund und unterdrückt ein Prusten. Plötzlich muss ich auch lachen.

»Okay, aus der Geschwisterperspektive ist es wirklich witzig«, gebe ich zu. »Aber aus der Elternperspektive überhaupt nicht. Wie sollen wir uns jetzt verhalten?«

Sie schüttelt den Kopf. »Tja, wenn ich das wüsste. Ich muss zugeben, dass ich irgendwie stolz bin, dass die beiden sich so für Kiersten eingesetzt haben.« Sie lässt sich aufs Bett fallen und legt den Zettel neben sich. »Die Arme. Ich wusste nicht, dass sie gemobbt wird.«

Ich setze mich neben sie. »Trotzdem sollten wir wenigstens so tun, als wären wir sauer, oder? Die beiden müssen begreifen, dass sie sich andere Methoden ausdenken müssen, als diesen Idioten mit Gewalt zu drohen, wenn sie Kiersten wirklich helfen wollen.«

Lake nickt. »Irgendeine Strafe muss sein, das finde ich auch. Aber welche?«

Ich zucke mit den Achseln. »Das Blöde ist, dass sie es bestimmt eher als Belohnung empfinden, jetzt eine Woche nicht zur Schule zu dürfen. Welches Kind wäre über eine ganze Woche schulfrei nicht begeistert?«

»Stimmt. Hm.« Lake denkt nach. »Wir könnten ihnen die ganze nächste Woche verbieten, Xbox zu spielen.«

»Das ist eher eine Strafe für uns. Wenn wir das machen, langweilen sie sich nur und gehen uns tödlich auf die Nerven«, gebe ich zu bedenken.

Lake stöhnt. »Verdammt. Du hast recht.«

Ich versuche mich zu erinnern, welche klassischen Strafen es sonst noch gibt. »Wie wäre es, wenn wir sie tausendmal *Ich darf andere Menschen nicht mit dem Tod bedrohen* schreiben lassen?«

Lake schüttelt den Kopf. »Für Kel wäre das keine Strafe. Der feilt doch so gerne an seiner Handschrift herum, dass er das als coole Übung betrachten würde.«

Wir grübeln noch eine Weile, aber uns fällt keine geeignete Strafmaßnahme ein.

»Jetzt ist es doch gut, dass wir dieses Semester nicht an denselben Tagen zur Uni müssen«, sagt Lake plötzlich. »Dadurch ist wenigstens immer einer von uns zu Hause, wenn sie einen Schulverweis kriegen.«

»Stimmt, das ist ein echter Vorteil!«, sage ich grinsend. »Obwohl ich hoffe, dass es bei diesem einen Mal bleibt.«

Ich habe es Lake noch nie gesagt, aber ich tue mich in meiner Rolle als Caulders Erziehungsberechtigter viel leichter, seit sie mit Kel in der gleichen Situation ist. Früher habe ich mir ständig den Kopf darüber zerbrochen, ob ich auch alles richtig mache; jetzt habe ich jemanden, mit dem ich mich besprechen kann, und wir treffen viele Entscheidungen gemeinsam. Das macht es wesentlich einfacher. Wir haben sehr ähnliche Vorstellungen davon, worauf es uns in der Erziehung ankommt. Außerdem ist es natürlich toll, dass Lake für Caulder so eine Art Ersatzmutter sein kann. In Momenten wie diesen spüre ich unsere Verbundenheit so stark, dass es mir wahnsinnig schwerfällt, abzuwarten, wie sich alles zwischen uns entwickelt. Am liebsten würde ich sie auf der Stelle heiraten.

Ich ziehe sie zu mir aufs Bett und küsse sie. Unser letzter Kuss ist dank des Höllenwochenendes schon fast vier Tage her. Wie ich mich nach ihren weichen, warmen Lippen gesehnt habe. An ihren hungrigen Küssen kann ich erkennen, dass es ihr genauso ging.

»Hast du wegen übernächstem Wochenende eigentlich schon mit deinen Großeltern gesprochen?«, fragt sie, als wir uns kurz voneinander lösen, um Luft zu holen.

Meine Lippen gleiten von ihrem Mund ihre Wange hinauf. »Ich rufe sie heute Abend an«, flüstere ich, während ich an ihrem Ohrläppchen knabbere. »Hast du dir schon überlegt, wo du gern hinfahren würdest?« Sie bekommt eine Gänsehaut, als ich mich ganz langsam ihren Hals hinunterküsse.

»Das ist mir total egal. Von mir aus können wir auch hierbleiben. Ich freue mich einfach darauf, drei ganze Tage lang ... ungestört mit dir zusammen zu sein ... und drei Nächte ... im selben Bett ...«

Seit wir darüber gesprochen haben, kann ich an nichts anderes mehr denken, aber ich will Lake nicht unter Druck setzen, deswegen habe ich ihr nicht erzählt, dass ich einen inneren Countdown runterzähle: noch zehn Tage und einundzwanzig Stunden.

»Hey, die Idee finde ich gar nicht schlecht.« Ich höre auf, den Ansatz ihrer Brüste zu küssen, und sehe sie an. »Lass uns wirklich einfach hierbleiben. Meine Großeltern können Kel und Caulder zu sich nach Detroit nehmen. Wir erzählen allen, dass wir wegfahren, ziehen die Vorhänge zu, schließen die Tür ab und machen es uns drei Tage und drei Nächte lang in deinem Bett gemütlich. Und natürlich unter der Dusche.«

»Das klingt wunderscholl«, sagt Lake sehnsüchtig.

Ich küsse sie auf die Stirn, weil ich es unwiderstehlich finde, dass sie immer wieder neue Wörter wie *wunderscholl* erfindet – eine Mischung aus wunderschön und toll.

»Aber jetzt müssen wir uns erst mal eine Strafe für die Jungs ausdenken.« Sie wird wieder sachlich. »Okay. Was hätten unsere Eltern gemacht?«

Darauf habe ich leider keine Antwort. Wenn ich eine hätte, würde es mir nicht immer so schwerfallen, die vielen Entscheidungen zu treffen, die man treffen muss, wenn man ein Kind großzieht. »Ich weiß es nicht, aber mir kommt gerade eine Idee«, sage ich nachdenklich. »Wie wäre es, wenn wir ihnen einen solchen Schrecken einjagen, dass sie in Zukunft zweimal nachdenken, bevor sie so einen Blödsinn machen.«

»Klingt gut, aber wie?«, fragt Lake.

»Wir tun so, als wäre ich dermaßen wütend, dass du Mühe hast, mich zu beruhigen. Und dann lassen wir sie da draußen ein bisschen schmoren und schwitzen. Die sollen sich ruhig das Schlimmste ausmalen.«

Sie lacht. »Du bist echt fies.« Im nächsten Moment springt sie vom Bett und läuft zur Tür. »Nein, bitte geh noch nicht zu ihnen raus, Will!«, ruft sie. »Du musst dich erst beruhigen.«

»Beruhigen?« Ich stürme zur Tür und schlage mit der Faust dagegen, um meinen Worten Nachdruck zu verleihen. »Vergiss es! Ich werde mich garantiert nicht beruhigen! Im Gegenteil, ich fange gerade erst an, richtig wütend auf die beiden zu werden!«

Lake wirft sich aufs Bett und muss sich ein Kissen auf den Mund drücken, um ihr Lachen zu ersticken. »Bleib hier, Will!«, fleht sie dann mit lauter Stimme. »Ich hab echt Angst, dass du sie umbringst, wenn du jetzt da rausgehst.«

Ich ziehe die Augenbrauen hoch. »Dass ich sie *umbringe*?«, frage ich leise. »Ist das nicht ein bisschen übertrieben?«

Sie kichert, als ich mich schwungvoll wieder zu ihr aufs Bett fallen lasse.

»Nicht!«, warne ich. »Du darfst nicht lachen, Lake. Sonst durchschauen sie die Nummer sofort.«

»Will, bitte nicht!«, kreischt sie. »Nicht den Gürtel!«

»Hör auf!« Ich lege ihr eine Hand über den Mund und muss mir selbst auf die Unterlippe beißen, um nicht loszuprusten.

Wir lassen uns einen Moment Zeit, bis wir uns halbwegs wieder im Griff haben, bevor wir aus dem Zimmer gehen. Ich gebe mir größte Mühe, Furcht einflößend und wütend auszusehen, und tatsächlich schauen uns Kel und Caulder ziemlich ängstlich entgegen, als wir uns ihnen gegenüber an die Theke setzen.

»Lass mich mit ihnen reden«, sagt Lake und legt ihre Hand auf meine. Zu den Jungs sagt sie: »Will ist noch viel zu sauer, um mit euch zu sprechen.«

Ich presse die Lippen aufeinander und blicke drohend, während ich mich frage, ob sich echte Eltern in so einer Situation auch so fühlen wie wir: wie Jugendliche, die nur so tun, als wären sie strenge Erwachsene.

»Zuallererst möchten wir euch sagen, dass wir es gut finden, dass ihr Kiersten helfen wolltet«, sagt Lake ernst und so mütterlich, dass ich richtig gerührt bin. »Aber die Art, wie ihr es getan habt, war leider total daneben. Ihr hättet mit uns oder mit einem eurer Lehrer über die Sache sprechen sollen, um eine Lösung zu finden. Wer auf Aggression mit Aggression reagiert, erzeugt nur neue Aggression.«

Ich hätte es nicht besser sagen können, wenn ich es aus einem Erziehungsratgeber vorgelesen hätte.

»Macht euch klar, dass ihr deswegen vom Unterricht ausgeschlossen wurdet«, sagt sie. »Das ist keine Ferienwoche. Und damit ihr das spürt, bekommt ihr eine Woche Hausarrest. Ihr dürft euch nicht mit Freunden treffen, und … ihr kriegt jeden Tag Aufgaben von uns, die ihr erledigen müsst. Auch am Wochenende.«

Ich stoße sie verstohlen mit dem Knie an, um ihr meine Zustimmung zu signalisieren.

»Habt ihr etwas dazu zu sagen?«, fragt Lake.

Kel hebt die Hand. »Ja. Was ist mit meinem Geburtstag am Freitag?«

Lake sieht mich fragend an, aber ich tue weiter so, als wäre ich wütend, und zucke nur mit den Achseln. Sie wendet sich wieder an Kel. »An deinem Geburtstag kriegt ihr frei, dafür wird der Hausarrest um einen Tag verlängert. Sonst noch Fragen?«

Beide schweigen.

»Gut. Dann geh jetzt in dein Zimmer, Kel. Caulder, dasselbe gilt für dich. Geh nach Hause in dein Zimmer.«

Die Jungs rutschen gehorsam von ihren Hockern und verschwinden. Sobald sie weg sind, hebe ich die Hand und klatsche Lake ab. »Perfekt«, sage ich anerkennend. »Das war wie aus einem Lehrvideo.«

»Du warst aber auch super!«, meint sie. »Dein wütendes Gesicht war total überzeugend.« Sie steht auf und geht ins Wohnzimmer, um die Wäsche zu falten, die dort in einem Korb steht. »Und jetzt erzähl, wie war dein erster Tag an der Uni?«

Ich zögere kurz. »Ganz gut«, antworte ich vage. »Aber ich hab schon ein Thema für eine Hausarbeit bekommen und muss mich gleich dransetzen. Essen wir nachher zusammen?«

Sie schüttelt den Kopf. »Ich hab Eddie versprochen, dass wir einen Mädelsabend machen, weil Gavin nicht da ist. Er fängt heute doch seinen Job als Pizzabote an. Aber morgen gehöre ich wieder ganz dir.«

»Alles klar.« Ich stehe auf und gebe ihr einen Kuss auf die Stirn. »Dann wünsche ich euch viel Spaß. Schreib mir später noch eine Gute-Nacht-SMS, ja? Falls dein Handy nicht wieder mal verschollen ist.«

»Ich weiß immer, wo mein Handy ist.« Zum Beweis holt sie es aus der Tasche. »Ich liebe dich.«

»Ich dich auch«, sage ich und gehe zur Tür.

Bevor ich sie hinter mir zuziehe, habe ich plötzlich das Gefühl, mich gar nicht richtig verabschiedet zu haben, und drehe mich noch einmal um. Lake steht mit dem Rücken zu mir und faltet ein Handtuch. Ich gehe zu ihr, drehe sie zu mir herum, nehme ihr das Handtuch aus der Hand und küsse sie. Aber diesmal richtig.

»Ich liebe dich auch«, sage ich noch einmal.

Sie schmiegt sich seufzend an mich. »Ich freue mich so auf unser Wochenende, Will. Warum kann es nicht schon jetzt so weit sein? Ich weiß nicht, ob ich es bis dahin noch aushalte.«

Ich lächle. »Geht mir ganz genauso.«

4.

Dienstag, 10. Januar

Wäre ich ein Zimmermann, würde ich dir ein Fenster zu meiner
Seele zimmern.
Wenn du hineinschauen würdest, sähest du dich selbst in der Schei-
be gespiegelt.
Und dann wüsstest du, dass meine Seele
ein Spiegelbild von deiner ist.

Als ich am nächsten Morgen in die Küche tappe, liegt Kel im
Wohnzimmer auf der Couch und schläft tief und fest. Lake
muss ihn rübergeschickt haben, bevor sie zur Uni gefahren
ist. Mir fällt ein, dass heute die Müllabfuhr kommt, deswegen schlüpfe ich schnell in meine Turnschuhe und gehe raus,
um die Tonne an den Straßenrand zu stellen. Allerdings muss
ich sie, bevor ich sie überhaupt von der Stelle wuchten kann,
erst mal von einer etwa dreißig Zentimeter dicken Schneeschicht befreien. Als ich bemerke, dass Lake vergessen hat,
ihre Tonne rauszustellen, erledige ich das für sie.

»Hallo, Will«, begrüßt mich Sherry, die in diesem Moment mit Kiersten nebenan aus dem Haus kommt.

»Guten Morgen«, gebe ich lächelnd zurück.

»Haben Kel und Caulder schlimmen Ärger mit Mrs Brill bekommen?«, will Kiersten wissen.

»Sie sind für eine Woche vom Unterricht ausgeschlossen.«

»Wie bitte? Wieso das denn?«, fragt Sherry erstaunt. Anscheinend hat Kiersten ihr nicht gesagt, was passiert ist.

»Ich hab dir doch von den Idioten erzählt, die immer blöde Sprüche über mich reißen«, sagt sie jetzt. »Kel und Caulder haben ihnen einen Brief geschrieben und ihnen gedroht, sie umzubringen, wenn sie so weitermachen.«

»Ach, wie süß!«, sagt Sherry. »Sie haben dich verteidigt.« Bevor sie in den Wagen steigt, ruft sie mir zu: »Richte den beiden bitte aus, wie toll ich es finde, dass sie sich so für mein Mädchen eingesetzt haben.«

Ich schüttle lachend den Kopf und sehe ihnen nach, wie sie davonfahren. Als ich wieder ins Haus komme, sind Kel und Caulder wach und schauen fern. »Guten Morgen«, sage ich zu ihnen.

»Dürfen wir überhaupt fernsehen?«, fragt Caulder schüchtern.

Ich zucke mit den Schultern. »Meinetwegen. Hauptsache, ihr schickt niemandem Morddrohungen.« Wahrscheinlich sollte ich strenger sein, aber so früh am Morgen fehlt mir einfach die Energie.

»Diese Jungs sind echt voll fies zu ihr, Will«, sagt Kel.

»Schon seit Kiersten an die Schule gekommen ist. Dabei hat sie ihnen gar nichts getan.«

Ich setze mich auf die gegenüberliegende Couch und ziehe die Schuhe aus. »Es gibt leider eine Menge fieser Menschen auf der Welt, Kel«, sage ich. »Was ist denn genau passiert?«

»Als Kiersten gerade mal eine Woche an der Schule war, hat einer aus der Sechsten sie die ganze Zeit genervt und ihr gesagt, wie heiß er sie findet«, erzählt Caulder. »Der Typ ist echt der volle Brecher, vor dem haben alle an der Schule Angst. Als er gesagt hat, dass er will, dass sie seine Freundin wird, hat sie geantwortet, dass sie als Vegetarierin auf keinen Fall mit einem Schwein wie ihm zusammen sein könnte. Der war voll sauer, weil so noch nie jemand mit ihm geredet hat, und seitdem versucht dieses Arschloch, sie fertigzumachen.« Er seufzt. »Und seine Kumpels genauso.«

»Du sollst niemanden als Arschloch bezeichnen, Caulder«, sage ich streng. »Und dass ihr Kiersten helfen wolltet, ist auch nicht der Grund, warum Lake und ich euch bestrafen – im Gegenteil, wir sind sogar ein bisschen stolz auf euch. Aber wir möchten, dass ihr euren Kopf einschaltet, bevor ihr irgendwelche Aktionen startet. Das ist jetzt das zweite Mal kurz hintereinander, dass ihr in der Schule Ärger bekommen habt. Diesmal seid ihr sogar vom Unterricht ausgeschlossen worden, und das ist nicht mehr witzig. Wir haben es alle schon schwer genug, da können wir auf zusätzlichen Stress echt verzichten, okay?«

»Tut mir leid«, sagt Kel kleinlaut.

»Ja, mir auch«, schließt sich Caulder an.

»Und noch mal: Wir finden es super, dass ihr so zu Kiersten haltet. Sie ist echt ein cooles Mädchen. Wie läuft es denn sonst so für sie an der Schule? Hat sie außer euch noch irgendwelche Freunde?«

»Sie mag Abby ganz gern«, sagt Caulder.

Kel grinst. »Und da ist sie nicht die Einzige.«

»Halt die Klappe!« Caulder boxt ihn auf den Arm.

»Was höre ich da? Wer ist diese Abby?«, frage ich Caulder lachend. »Sag bloß, du hast eine Freundin?«

»Sie ist nicht meine Freundin«, sagt Caulder trotzig.

»Aber nur, weil er sich nicht traut, sie zu fragen«, ruft Kel.

»Jetzt mach hier mal nicht einen auf dicke Hose«, necke ich ihn. »Du bist doch seit dem Tag, an dem Kiersten in die Straße gezogen ist, in sie verliebt. Warum fragst du sie denn nicht, ob sie deine Freundin sein will?«

Kel wird rot und verbeißt sich ein stolzes Lächeln. In diesem Moment erinnert er mich plötzlich unglaublich an Lake. »Hab ich schon«, sagt er. »Und jetzt ist sie meine Freundin.«

Ich bin beeindruckt. Er ist ein größerer Draufgänger, als ich gedacht hätte.

»Verrat das bloß nicht Layken«, bittet er mich. »Sonst macht sie die ganze Zeit nur doofe Sprüche.«

»Von mir erfährt sie kein Sterbenswörtchen«, verspreche ich. »Aber wenn Lake es nicht mitkriegen soll, würde ich Kiersten an deiner Stelle rechtzeitig vorwarnen, dass sie dir am Freitag auf gar keinen Fall einen Kuss zum Geburtstag geben darf.«

»Spinnst du? Wir küssen uns doch nicht!« Kel verzieht angewidert das Gesicht.

»Hey. Wie wäre es, wenn du Abby zu Kels Party einlädst«, sage ich zu Caulder.

Mein Bruder läuft knallrot an.

»Hat er doch längst«, sagt Kel, worauf Caulder ihn wieder auf den Arm boxt.

Ich stehe auf. Es ist offensichtlich, dass mein Rat hier nicht gefragt ist.

»Wozu braucht ihr mich überhaupt noch, wenn ihr alles schon so gut im Griff habt?«

Caulder grinst. »Na ja, irgendjemand muss ja die Pizza bezahlen.«

Ich gehe zur Tür, nehme ihre Jacken vom Haken und werfe sie ihnen zu. »Ihr arbeitet jetzt erst mal eure Strafe ab.«

Die Jungs verdrehen stöhnend die Augen.

»Heute ist Schneeschippen angesagt. Ihr räumt die Einfahrten frei.«

»Einfahrt-*en*? Sprichst du von mehr als einer?«, fragt Caulder.

»Gut erkannt«, lobe ich ihn. »Erst unsere, dann die von Lake, danach die von Sherry und wenn ihr schon mal dabei seid, auch noch die von Bob und Melinda nebenan.«

Die beiden bleiben wie erstarrt auf der Couch sitzen.

»Na los, worauf wartet ihr noch?«

Am Mittwochmorgen mache ich mich widerwillig für die Uni fertig. Ich habe überhaupt keine Lust, Vaughn wiederzusehen. Mir kommt die grandiose Idee, früher loszufahren als sonst und mich zwischen irgendwelche Kommilitonen zu setzen, sodass sie sich einen anderen Platz suchen muss. Dummerweise bin ich dadurch aber so früh an der Uni, dass außer mir noch niemand da ist. Schließlich setze ich mich doch wieder in die letzte Reihe und hoffe einfach darauf, dass sie lieber vorn bleibt.

Die Hoffnung erfüllt sich nicht. Als sie kurz nach mir in den Hörsaal kommt und mich hinten sitzen sieht, strahlt sie und kommt mit zwei dampfenden Pappbechern in den Händen die Stufen heraufgelaufen.

»Guten Morgen!«, ruft sie fröhlich. »Ich hab dir Kaffee mitgebracht. Schwarz mit zwei Zucker, genau wie du ihn magst.« Sie stellt den Becher vor mich auf den Tisch.

»Danke«, sage ich und lächle schief. Vaughn hat sich die Haare zu einem Ballerinaknoten hochgesteckt. Zufall? Nein, dazu kenne ich sie zu gut. Ich wette, das hat sie gemacht, weil ich immer gesagt habe, wie sehr ich diese Frisur an ihr liebe.

Sie trinkt einen Schluck Kaffee und streicht sich eine verirrte Haarsträhne hinters Ohr. »Ich fände es schön, wenn wir uns irgendwann treffen und über alles reden könnten«, sagt sie. »Was hältst du davon, wenn ich einfach mal bei euch vorbeikomme? Ich würde auch Caulder wahnsinnig gern mal wiedersehen.«

Niemals! Das kannst du absolut vergessen!, würde ich am liebsten brüllen, stattdessen räuspere ich mich und sage: »Tut mir leid, Vaughn, aber das ist keine gute Idee.«

»Oh.« Sie sieht enttäuscht aus. »Okay.«

Plötzlich bekomme ich ein schlechtes Gewissen. »Hör zu, ich will nicht unhöflich sein. Es ist nur … du bist nun mal nicht irgendjemand, sondern meine Ex-Freundin, und zwischen uns ist eine Menge passiert. Ich fände es Lake gegenüber nicht okay, wenn du zu uns nach Hause kommen würdest.«

»Lake?« Vaughn legt den Kopf schräg. »Deine Freundin heißt *Lake*?«

Ihr Tonfall gefällt mir nicht. »Sie heißt Layken. Ich nenne sie Lake.«

Vaughn legt mir eine Hand auf den Arm. »Natürlich will ich nicht, dass du meinetwegen Schwierigkeiten bekommst, Will. Wenn Layken eine von der eifersüchtigen Sorte ist, kannst du mir das ruhig sagen. Kein Problem.«

Sie streichelt mit dem Daumen langsam über meinen Unterarm. Ich sehe auf ihre Hand hinunter und presse die Lippen aufeinander. Sie hat sich kein bisschen geändert. Ihre abfällige Bemerkung über Lake, die einschmeichelnde Art, mit der sie versucht, mich um den Finger zu wickeln. Das alles kenne ich nur zu gut. Ich ziehe den Arm weg und schaue nach vorn.

»Lass es, Vaughn, okay? Ich weiß genau, worauf du es anlegst, aber daraus wird nichts.«

Sie schnaubt und bückt sich dann nach ihrer Tasche, um ihren Ordner herauszuziehen. Jetzt ist sie beleidigt. Umso besser, vielleicht gibt sie es dann auf.

Ich habe nicht die geringste Ahnung, wie sie auf den Gedanken kommen kann, ich würde mich mit ihr treffen wollen. Ehrlich gesagt hätte ich nicht damit gerechnet, sie jemals wiederzusehen, und schon gar nicht, dass sie sich eines Tages noch mal so an mich ranschmeißt. Irgendwie erstaunlich, dass ich für einen Menschen, den ich einmal geliebt habe, so überhaupt gar nichts mehr empfinde. Nicht dass ich die Zeit mit ihr bereue. Wir waren lange ziemlich glücklich miteinander, und vielleicht wäre ich mit ihr zusammengeblieben und hätte sie am Ende sogar geheiratet, wenn meine Eltern nicht verunglückt wären. Aber mittlerweile weiß ich, dass ich damals naiv war und überhaupt keine Vorstellung davon hatte, was eine wirklich gute Beziehung ausmacht. Oder wie sich echte Liebe anfühlt.

Wir kannten uns seit der Neunten, wurden aber erst in der elften Klasse ein Paar. Das erste Mal haben wir uns auf einer Party geküsst, auf der ich mit meinem damaligen besten Freund Reece war. Danach haben wir uns ein paarmal getroffen und dann ziemlich bald beschlossen, dass wir zusammenbleiben wollen. Nach ungefähr einem halben Jahr haben wir das erste Mal miteinander geschlafen. Weil wir beide noch zu Hause gewohnt haben, passierte es mehr oder weniger ungeplant beim Knutschen auf der Rückbank ihres Wagens. Zu sagen, dass die Umstände nicht gerade ideal waren, wäre krass untertrieben. Es war unbequem, kalt und überhaupt nicht so, wie man es sich wünscht. Im Laufe der Zeit wurde der Sex natürlich schöner, aber ich fand es immer unheimlich schade, dass unser erstes Mal so unromantisch abgelaufen war. Deswegen liegt mir auch so viel daran, dass alles möglichst perfekt wird, wenn Layken und ich das erste Mal miteinander schlafen.

Als Vaughn eineinhalb Jahre später gerade mal zwei Wochen nach dem Tod meiner Eltern mit mir Schluss machte, hatte ich emotional so viel zu verdauen, dass ich nicht in der

Lage war, mich auf andere Menschen einzulassen, geschweige denn, mich mit Mädchen zu treffen. Abgesehen davon hatte ich dadurch, dass ich mich um Caulder kümmern und mein Studium im Schnelldurchlauf durchziehen musste, auch gar keine Zeit dafür. Vaughn war also meine letzte Freundin vor Lake. Und schon nach einem einzigen Abend mit Lake wusste ich, dass mich mit ihr viel mehr verband, als je zwischen Vaughn und mir gewesen war – mehr, als ich es zwischen zwei Menschen überhaupt für möglich gehalten hätte.

Als Vaughn mir damals sagte, sie fühle sich noch nicht bereit dazu, die Mutterrolle für Caulder zu übernehmen, war ich wahnsinnig enttäuscht. Aber darüber bin ich längst hinweg. Mittlerweile bin ich überzeugt davon, dass alles gut so ist, wie es ist. Mehr noch: Ich werde Vaughn für den Rest meines Lebens dankbar dafür sein, dass sie unsere Beziehung beendet hat.

Am Freitag kommt Vaughn nicht zur Vorlesung, sodass ich den Tag wesentlich entspannter angehen kann. Nach der Uni besorge ich noch schnell Kels Geburtstagsgeschenk, bevor ich nach Hause fahre, um zusammen mit den anderen die letzten Vorbereitungen für seine Party zu treffen. Wobei »Party« eigentlich nicht das richtige Wort dafür ist, weil er nur Caulder, Kiersten und Abby eingeladen hat.

Ich bin gerade in die Einfahrt gebogen, da hält auch schon Gavin vor dem Haus. Er hat heute frei, aber weil er im Getty's Rabatt bekommt, habe ich ihn gebeten, die Pizza zu besorgen. Lake und Eddie sind für die vorbestellte Torte zuständig, während Sherry und Kiersten zu Abby gefahren sind, um sie abzuholen.

»Und, bist du nervös, weil Abby gleich kommt?«, sage ich zu Caulder, als ich Kels Geschenk zu den anderen Päckchen auf den Tisch lege. Ich kann mich noch gut daran erinnern, wie ich mich gefühlt habe, als ich das erste Mal verliebt war.

»Mach bloß keine blöden Bemerkungen, wenn sie da ist«, brummt er. »Sonst wirst du heute mein Säurebad des Tages.«

»Tut mir leid. Du hast ja recht. Ich lass dich in Ruhe. Trotzdem will ich, dass du dich an ein paar Grundregeln hältst. Händchenhalten erst mit elfeinhalb, okay? Küssen ab dreizehn und mit Zunge erst ab vierzehn. Oder warte, lieber erst ab fünfzehn. Und dann kommen ein paar neue Regeln dazu. Bis dahin hältst du dich an die, die ich dir gerade gesagt habe.«

»Ha. Ha.« Caulder verdreht die Augen und lässt mich stehen.

Ich bin zufrieden. Dafür, dass das unser erstes Gespräch über Sex war, lief es doch ganz gut. Wobei ich den Verdacht habe, dass Kel eher derjenige ist, der eine kleine Einführung gebrauchen kann. Er scheint mir in der Beziehung etwas weiter zu sein als Caulder.

»Wer hat die Torte bestellt?«, fragt Lake, als sie kurz darauf mit dem Karton zur Tür hereinkommt. Sie sieht nicht gerade begeistert aus.

»Ich hab Kel und Caulder zur Konditorei rübergeschickt

und sie eine aussuchen lassen, als wir neulich im Supermarkt waren. Warum?«

Sie geht zur Theke, stellt den Karton ab und klappt ihn auf. Dann tritt sie einen Schritt zurück und zeigt darauf. »Darum.«

»Oh«, sage ich.

Auf der weißen Buttercreme steht in blauer Zuckergussschrift: »Happy Birthday, Schmetterling!«

»Na ja«, sage ich. »An dem Wort an sich ist ja nichts auszusetzen.«

»Echt schlimm, dass die beiden solche Witzbolde sind«, seufzt Lake. »Und je älter sie werden, desto übler wird es. Eigentlich müssten wir jetzt schon anfangen, sie körperlich zu züchtigen, bevor es zu spät ist und wir sie gar nicht mehr gebändigt bekommen.« Sie macht den Karton wieder zu und stellt ihn in den Kühlschrank.

»Okay, ab morgen fangen wir damit an.« Ich schlinge von hinten die Arme um sie und ziehe sie an mich. »Wir können Kel doch nicht an seinem Geburtstag schlagen.« Ich knabbere an ihrem Ohrläppchen.

»Na gut.« Sie beugt den Kopf zur Seite, damit ich sie besser auf den Hals küssen kann. »Aber ich darf ihm den ersten Schlag verpassen.«

»Hört sofort auf damit!«, ruft Kel angewidert. »Ich hab heute Geburtstag und will nicht die ganze Zeit zusehen müssen, wie ihr euch die Zunge in den Mund steckt.«

Ich lasse Lake los, packe Kel und werfe ihn mir über die Schulter. »Ich hab meine Meinung geändert. Die Züchtigung beginnt schon heute. Das ist die Strafe für die verschmetterlingte Torte«, sage ich und drehe mich so, dass sein Hintern Lake zugekehrt ist. »Zuchtmeisterin Layken, ich lasse Euch den Vortritt.«

»Er wird elf Jahre alt, also bekommt er elf Schläge!« Lake klatscht ihm auf den Hintern, während Kel sich zappelnd zu befreien versucht.

»Lass mich runter, Will! Wiiiill!« Er trommelt auf meinen Rücken und windet sich, aber ich gebe ihn erst wieder frei, als Lake fertig ist. Kel schubst mich lachend weg. Er wird immer kräftiger, aber noch bin ich stärker als er.

»Ich freu mich schon darauf, wenn ich größer bin als du, Will. Und weißt du auch, warum? Weil ich dich dann endlich in deinen verschmetterlingten Schmetterling treten kann!« Er flüchtet den Flur entlang in Caulders Zimmer.

Lake sieht ihm stirnrunzelnd hinterher. »Sollten wir ihnen erlauben, das weiterhin zu sagen?«

Ich lache. »*Was* zu sagen? Schmetterling?«

Sie nickt. »Mir kommt es jetzt schon vor wie das allerschlimmste Schimpfwort.«

»Wäre es dir lieber, wenn er Arsch sagen würde?«, fragt Kiersten, die plötzlich zusammen mit einem anderen Mädchen im Haus steht. Ich habe nicht gehört, dass sie geklopft hätten.

»Hallo«, begrüßt Lake die beiden und streckt Kierstens Freundin die Hand hin. »Du musst Abby sein. Ich bin Layken und das hier ist Will, Caulders Bruder.« Sie zeigt auf mich.

Abby hebt die Hand zu einem angedeuteten Winken und lächelt, sagt aber nichts.

»Abby ist ein bisschen schüchtern. Gebt ihr ein wenig Zeit, dann taut sie auf«, erklärt Kiersten. Die beiden drehen sich um und gehen zum Tisch, um Kels Geschenke zu inspizieren.

»Kommt deine Mutter auch noch?«, erkundigt sich Lake bei Kiersten.

»Nein, die hat keine Zeit. Aber ich soll ihr ein Stück Torte mitbringen.«

Sobald Kel und Caulder die Stimmen der Mädchen hören, kommen sie angerannt.

»Hallo, lang nicht mehr gesehen«, sagt Kiersten. »Wie war eure Ferienwoche, ihr Glücksschweine?«

»Gut«, sagt Caulder und wendet sich dann sofort an Abby. »Willst du dir mein Zimmer anschauen?«

Ich sehe ihnen besorgt nach, als sie im Flur verschwinden.

Lake lacht. »Entspann dich, Will. Die beiden sind erst zehn. Ich bin mir sicher, dass er ihr nur seine Spielsachen zeigen will.«

Ich tue so, als müsste ich etwas aus dem Bad holen, und werfe im Vorbeigehen einen beiläufigen Blick in Caulders Zimmer, wo die beiden mit den Gamepads vor dem Fernseher sitzen.

»Hey, das finde ich voll egoistisch von dir. Ich bin hier zu Besuch, also darf ich ja wohl als Erste spielen.«

Okay, sie sind wirklich noch Kinder. Erleichtert gehe ich in die Küche zurück und zwinkere Lake zu.

Nachdem alle genug gespielt und sich mit Pizza und Torte vollgefuttert haben, erklären wir die Party gegen acht Uhr für beendet. Eddie und Gavin bringen auf dem Heimweg

Abby nach Hause, Kel und Caulder verziehen sich in Caulders Zimmer, um neue Levels des Spiels zu knacken, das ich Kel geschenkt habe, und Lake und ich brechen im Wohnzimmer erschöpft auf der Couch zusammen.

»Geschafft!« Lake kuschelt sich in die Sofaecke und legt ihre Füße in meinen Schoß.

Als Ausgleich dafür, dass sie den ganzen Tag auf den Beinen war und alles für die Party vorbereitet hat, gönne ich ihr eine kleine Fußmassage. Lake liegt vollkommen entspannt mit geschlossenen Augen da und stöhnt wohlig.

»Lake? Ich hoffe, du verlierst nicht allen Respekt vor mir, wenn ich dir was gestehe«, sage ich vorsichtig, während ich nacheinander ihre Zehen knete.

Widerwillig öffnet sie die Augen. »Was denn?«

»Ich zähle die Stunden bis zu unserem Wochenende. Und das sage ich nicht nur so. Ich zähle sie wirklich.«

Lake lächelt, als wäre sie erleichtert, dass es nichts Schlimmeres ist. »Ich auch. Es sind noch einhundertdreiundsechzig.«

Ich lege den Kopf aufs Polster und grinse sie an. »Gut. Jetzt komme ich mir nicht mehr so bescheuert vor.«

»Das bedeutet aber nicht, dass du nicht bescheuert bist«, sagt sie. »Sondern dass wir beide gleich bescheuert sind.«

Sie setzt sich auf und zieht mich am Kragen meines T-Shirts zu sich heran. Die Lippen an meine geschmiegt, flüstert sie: »Hast du in der nächsten Stunde irgendetwas vor?«

Mein Herzschlag beschleunigt sich, und ich spüre, wie sich die Härchen in meinem Nacken aufstellen. Sie reibt ihre Wange an meiner. »Wenn du Lust hast, mit mir rüberzugehen, könnte ich dir schon mal einen kleinen Vorgeschmack auf nächstes Wochenende geben.«

Das muss sie mir nicht zweimal sagen. Ich springe sofort auf. »Wir gehen kurz rüber, um was zu holen, und sind gleich wieder da!«, rufe ich, während ich zur Haustür stürze. »Stellt nichts an, Jungs!« Als ich mich zu Lake umdrehe, sitzt sie immer noch auf der Couch, also laufe ich zu ihr zurück, greife nach ihrer Hand und ziehe sie hoch. »Schnell, wir haben nicht viel Zeit!«

Lachend hasten wir durch den Schnee über die Straße und stürmen ins Haus. Kaum sind wir drinnen, drücke ich Lake gegen die Tür und presse meine Lippen auf ihre. »Noch hundertzweiundsechzig«, keuche ich zwischen zwei Küssen.

»Lass uns in mein Zimmer gehen«, flüstert sie heiser. »Ich schließe zur Sicherheit die Tür ab. Nicht dass die Jungs plötzlich reinplatzen.« Sie dreht sich um und schiebt den Riegel vor. »So. Jetzt müssen sie klingeln.«

»Du bist so schlau!« Mund an Mund und mit geschlossenen Augen bewegen wir uns durch den Flur und legen immer wieder Zwischenstopps ein, um uns an die Wand gelehnt zu küssen. Als wir in Lakes Zimmer angekommen sind, habe ich kein T-Shirt mehr an.

»Wer als Erstes das Rückzugssignal gibt, hat verloren!«, ruft Lake und schleudert ihre Schuhe von den Füßen.

»Dann hast du jetzt schon verloren, weil ich das Signal diesmal bestimmt nicht geben werde«, sage ich, obwohl ich weiß, dass ich verlieren werde. Ich verliere immer.

»Falls du denkst, dass ich es gebe, irrst du dich gewaltig«, lacht sie, lässt sich aufs Bett fallen und rutscht nach hinten.

Ich stehe vor ihr und betrachte sie hingerissen. Wenn ich sie so ansehe, kann ich manchmal gar nicht glauben, dass sie wirklich mir gehört. Dass dieses Mädchen mich genauso liebt wie ich sie.

Lake pustet sich eine Haarsträhne aus dem Gesicht, streicht sie hinters Ohr, kuschelt sich in die Kissen und winkt mich mit dem Zeigefinger zu sich. Ich gleite langsam neben sie, lege eine Hand in ihren Nacken und ziehe ihr Gesicht sanft an meines. Ganz langsam berühren meine Lippen ihre und ich versuche, jede Sekunde auszukosten. Wir haben so selten Gelegenheit für diese zärtlichen Momente und ich will nichts überstürzen.

»Ich liebe dich so sehr«, flüstere ich.

Lake schlingt ihre Beine um meine Hüfte und zieht mich enger an sich. »Schlaf heute hier bei mir, Will, bitte! Du kannst nachher noch mal wiederkommen, wenn die Jungs im Bett sind. Sie werden nichts davon merken.«

»Lake, wir müssen nur noch eine Woche warten. Das halten wir auch noch durch.«

»Es geht mir nicht *darum*. Ich will gar nichts machen, sondern dich nur neben mir spüren. Ich sehne mich so nach dir. Bitte, Will! Bitte?«

Ich kann ihr nichts abschlagen, also küsse ich sie stattdessen auf den Hals.

»Zwing mich nicht, dich anzubetteln, Will. Du bist manchmal so verdammt vernünftig, dass ich mir neben dir total schwach vorkomme.«

Der Gedanke, dass *sie* sich schwach vorkommen könnte, bringt mich zum Lachen. Meine Lippen gleiten zum Ausschnitt ihrer Bluse hinunter. »Was würdest du denn anhaben, wenn ich bei dir schlafen würde?«, frage ich, während ich den obersten Knopf öffne und meine Zungenspitze über ihre Haut tanzen lasse.

»Oh Gott«, stöhnt sie. »Alles, was du willst …«

Ich mache den nächsten Knopf der Bluse auf und küsse mich ein wenig tiefer. »Hauptsache, du hast nicht diese Bluse an. Die mag ich nämlich überhaupt nicht«, sage ich und öffne den nächsten Knopf. »Das ist wirklich eine unglaublich hässliche Bluse. Ich finde, du solltest sie so schnell wie möglich ausziehen. Am besten jetzt gleich.« Während ich den vierten Knopf aufmache, warte ich darauf, dass sie das Signal zum Rückzug gibt. Diesmal bin ich ganz dicht davor, zu gewinnen, das spüre ich.

Als sie nur leise seufzt und nichts sagt, lasse ich meine Lippen tiefer über ihre Haut wandern, öffne den fünften Knopf und dann – nach kurzem Abwarten – den sechsten und letzten. Lakes Lippen beben, sie zittert am ganzen Körper und biegt sich mir entgegen, aber sie schweigt. Sie stellt mich auf die Probe. Unerträglich langsam küsse ich mich wieder zu ihrem Mund hinauf, als sie mich plötzlich auf den Rücken dreht und sich rittlings auf mich setzt. Mit einer einzigen schnellen Bewegung streift sie sich die Bluse vom Körper und wirft sie zu Boden.

Ich streichle über ihre Arme, die mit einer feinen Gänsehaut überzogen sind, fahre den Rundungen ihres Körpers nach und spüre die Hitze ihrer Haut unter meinen Fingerspitzen. Ihre langen Haare fallen mir auf die Brust und kitzeln mich, als sie sich vorbeugt. Ich streiche sie hinter ihre

Ohren, damit ich ihr Gesicht besser betrachten kann. Es ist dunkel im Zimmer, aber ich sehe ihr Lächeln aufblitzen und das unglaubliche Smaragdgrün ihrer Augen. Ich lege beide Hände auf ihre Schultern und folge den Konturen ihres BHs mit den Fingerspitzen.

»Ich will, dass du heute Nacht diesen BH trägst.« Ich schiebe die Finger unter die Träger, streife sie erst langsam über ihre Schultern herunter und dann wieder nach oben.

»Er ist sehr schön.«

»Heißt das, du tust es?«, fragt sie. Ihr Ton ist jetzt ernst, nicht mehr spielerisch.

»Wenn du den BH anbehältst, schlafe ich bei dir«, antworte ich ebenso ernst.

Sie legt sich auf mich und zum ersten Mal seit Monaten spüre ich ihre nackte Haut an meiner. Ich werde jetzt definitiv nicht das Signal zum Rückzug geben – das schaffe ich nicht. Normalerweise habe ich mich besser im Griff, aber heute lässt mich Lake so schwach werden, dass es kein Zurück mehr gibt.

»Lake?« Ich löse meine Lippen von ihren, was mir unendlich schwerfällt, weil sie mir weitere Küsse auf die Mundwinkel haucht, während ich nach Worten ringe. »Wir haben so lange gewartet und jetzt ist es nur noch eine Frage von Stunden bis zum Wochenende. Eigentlich könnte man … dieses Wochenende schon als Teil der kommenden Woche bezeichnen, oder? Und die kommende Woche ist Teil des nächsten Wochenendes. Also könnte man sagen, dass das nächste Wochenende praktisch schon angefangen hat … und zwar … genau … jetzt.«

Lake legt beide Hände an meine Wangen und dreht mein Gesicht so, dass sie mir direkt in die Augen sieht. »Will«, sagt sie mit bebender Stimme, »vertrau nicht darauf, dass du solche Sachen sagen kannst, weil ich gleich das Rückzugssignal geben werde. Das werde ich nämlich nicht, verstehst du? Diesmal nicht.«

Sie meint es ernst. Ich ziehe sie an mich, rolle sie auf den Rücken und lege mich auf sie. Während ich mit den Daumen sanft über ihre Schläfen streiche, sehe ich sie forschend an und versuche, in ihren Augen zu lesen.

»Bist du dir sicher?« Ich senke meine Lippen auf ihre, locke sie mit der Zungenspitze. »Bist du dir ganz sicher, dass du nicht das Rückzugssignal geben wirst? Zum Beispiel … jetzt?«

»Ganz sicher«, flüstert sie, schlingt ihre Beine um meine Hüfte und drängt sich mir mit aller Macht entgegen. Ich greife in ihre Haare und ziehe sie an mich. Ich spüre das Blut durch meinen Körper rauschen, und wir unterbrechen unseren Kuss nur, um nach Luft zu ringen, weil die Leidenschaft uns fast vergessen lässt, dass wir ab und zu auch noch atmen müssen. Wir wissen beide, dass wir uns so in unserer Lust verlieren, dass wir bald keinerlei Kontrolle mehr über uns haben.

Und tatsächlich kommt dieser Moment sehr schnell und ist auch schon vorüber, ohne dass das Wort gefallen wäre, das uns aus unserem Rausch gerissen hätte. Ich taste mich zu ihrem Rücken und nestle am Verschluss ihres BHs, während sie hektisch an den Knöpfen meiner Jeans zerrt. Als ich ihr gerade die Träger des BHs über die Schultern streife, passiert es. Es klingelt an der verdammten Tür.

»Oh nein!«, stöhne ich und brauche einen kurzen Augenblick, um wieder zu mir zu kommen. Ich drücke frustriert mein Gesicht ins Kissen, dann hebe ich den Kopf und atme tief durch.

Schließlich rutscht Lake unter mir hervor und steht auf. »Wo ist meine Bluse, Will?«, ruft sie panisch. Ich wälze mich auf den Rücken, ziehe ihre Bluse, auf der ich lag, unter mir hervor und werfe sie ihr zu.

»Da hast du das hässliche Ding«, sage ich grinsend.

Die Jungs hämmern mittlerweile gegen die Haustür, also springe ich aus dem Bett, suche im Flur nach meinem T-Shirt und streife es mir eilig über, während ich zur Tür laufe.

»Wieso habt ihr denn so lang gebraucht?«, fragt Kel misstrauisch, als sie sich an mir vorbeischieben.

»Wir haben in Lakes Zimmer einen Film geschaut«, lüge ich. »Es war gerade spannend und wir wollten die Szene nicht unterbrechen.«

»Ja, genau«, stimmt Lake zu und taucht aus dem Flur auf. »*Unglaublich* spannend.«

Kel macht das Licht in der Küche an. »Kann Caulder heute hier schlafen?«

»Ich weiß nicht, warum ihr überhaupt noch fragt«, sagt Lake. »Normalerweise macht ihr doch auch, was ihr wollt.«

»Ihr habt uns Hausarrest verpasst, schon vergessen«, sagt Caulder.

Lake sieht mich Hilfe suchend an.

»Weil du Geburtstag hast, machen wir heute eine Ausnahme, Kel. Ab morgen geht der Hausarrest weiter«, entscheide ich.

Die beiden schlendern mit zufriedenen Mienen ins Wohnzimmer und schalten den Fernseher an.

Ich greife nach Lakes Hand. »Bringst du mich nach Hause?«

»Kommst du nachher rüber?«, fragt sie, sobald wir draußen sind.

Ich weiß nicht, ob es die Winterkälte ist, die mich abkühlt und klarer denken lässt, jedenfalls erkenne ich jetzt deutlich, dass das keine gute Idee wäre. »Vielleicht sollten wir das lieber doch lassen. Glaubst du ernsthaft, dass ich es nach all dem, was eben passiert ist, schaffe, nachher neben dir im selben Bett zu liegen und tatsächlich zu schlafen?«

Ich rechne mit Protest, aber er kommt nicht.

»Du hast wie immer recht«, seufzt sie. »Und ich könnte mich wahrscheinlich auch gar nicht entspannen, solange ich weiß, dass die Jungs im Nebenzimmer schlafen.«

Als wir vor meiner Haustür angekommen sind, bleibt sie stehen und umarmt mich. Es ist wirklich unglaublich kalt und sie trägt keine Jacke, aber das scheint ihr egal zu sein.

»Obwohl ... wenn ich so darüber nachdenke ... vielleicht hast du doch nicht recht. Ich fände es total schön, wenn du nachher rüberkommen würdest«, sagt sie plötzlich. »Ich verspreche dir auch, dass ich meinen allerhässlichsten Schlafanzug anziehe und mir noch nicht mal die Zähne putze. Du wirst mich so eklig finden, dass du mich gar nicht anfassen willst.«

95

Ich lache über ihre absurde Idee. »Selbst wenn du dir eine ganze Woche lang nicht die Zähne putzen und in deinen Klamotten schlafen würdest, könnte ich die Hände nicht von dir lassen.«

»Ich meine es ernst, Will. Bitte komm rüber. Ich schwöre, ich will nur mit dir kuscheln. Ich schicke die Jungs gleich ins Bett, und dann kannst du dich nachher reinschleichen, wenn sie schlafen.«

Es ist beschämend, wie wenig es braucht, mich zu überreden. »Na gut. Dann komme ich ungefähr in einer Stunde. Aber wir schlafen wirklich, okay? Führe mich nicht in Versuchung!«

»Heiliges Ehrenwort«, sagt sie grinsend.

Ich lege den Zeigefinger unter ihr Kinn und ziehe ihr Gesicht zu mir heran. »Ich meine es ernst, Lake«, flüstere ich. »Es ist mir total wichtig, dass unser erstes Mal für dich perfekt wird, aber sobald du neben mir liegst, fällt es mir unglaublich schwer, mich zusammenzureißen. Wir müssen nur noch eine Woche warten. Ich möchte wahnsinnig gerne neben dir einschlafen, aber du musst mir versprechen, dass du mich in den nächsten hundertzweiundsechzig Stunden nicht mehr in so eine Situation bringst wie gerade eben, sonst kann ich für nichts garantieren.«

»Hunderteinundsechzig Stunden und dreißig Minuten«, wispert sie.

Ich schüttle lachend den Kopf. »Geh und bring die Jungs ins Bett. Bis gleich.«

Sie küsst mich zum Abschied und ich gehe schnurstracks ins Bad und dusche. Eiskalt.

Als ich mich etwa eine Stunde später zu ihr hinüberschleiche, ist das Haus dunkel.

Ich drücke leise die Tür hinter mir ins Schloss und gehe auf Zehenspitzen durch den Flur in ihr Zimmer. Lake hat die Nachttischlampe für mich angelassen und liegt mit dem Rücken zu mir im Bett. Ich schlüpfe unter die Decke, schiebe vorsichtig einen Arm unter ihren Kopf und erwarte, dass sie sich umdreht, aber sie schläft anscheinend tief und fest. Sie schnarcht sogar leise. Ich küsse sie auf die Schläfe, dann ziehe ich die Decke über uns beide und schließe die Augen.

5.

Samstag, 14. Januar

Schlimm, wie gern ich mit dir zusammen bin.
Schlimmer, wie ich dich vermisse,
wenn wir nicht zusammen sind.
Am allerschlimmsten die Zeit, die ich noch warten muss,
bis du ganz mir gehörst ... eines Tages.
Aber dann.
Schön.
Immer schöner.
Am allerschönsten!

Lake war enttäuscht und fast sauer, als sie am nächsten Morgen aufwachte und ich schon weg war. Unsere erste gemeinsame Nacht – und sie hat sie einfach verschlafen. Ich fand es trotzdem toll. Bevor ich zu mir rübergegangen bin, habe ich ihr noch eine ganze Weile beim Schlafen zugesehen.

Eine Situation wie die am Freitag hat sich seitdem nicht mehr ergeben. Ich glaube, wir waren beide ziemlich überrascht darüber, wie sehr uns die Leidenschaft mit sich gerissen hatte, weshalb wir es lieber nicht noch mal drauf ankommen lassen wollen … nicht vor dem kommenden Wochenende. Am Samstag waren wir mit Eddie und Gavin bei Eddies Pflegevater Joel, der uns ein köstliches mexikanisches Abendessen gekocht hat, und Sonntag haben Lake und ich ganz brav zusammen für die Uni gelernt.

Heute ist Montag, und ich sitze im Hörsaal und tue so, als würde ich die penetranten Blicke des einzigen Mädchens, mit dem ich in meinem Leben je geschlafen habe, nicht bemerken. Vaughn nervt mich echt. Allein dadurch, dass sie sich so an mich ranmacht, habe ich Lake gegenüber ein schlechtes Gewissen, obwohl es dafür nicht den geringsten Grund gibt. Okay, außer vielleicht, dass ich ihr nichts von Vaughn erzählt habe. Aber dafür ist es jetzt sowieso zu spät. Lake würde mir vorwerfen, dass ich es ihr in der ersten Woche verschwiegen habe, und vor unserem Wochenende will ich auf gar keinen Fall Krach mit ihr bekommen. Wenn ich es ihr nächste Woche erzähle, reicht das auch noch.

»Äh, Vaughn?« Ich deute nach vorn. »Falls du den Dozenten suchst, musst du dahin schauen.«

Sie wendet den Blick nicht von mir ab. »Ich verstehe nicht, warum du mir so ausweichst«, flüstert sie. »Das ist doch albern. Wenn du wirklich über mich hinweg wärst, hättest du nicht solche Angst davor, mit mir zu reden. Wenn ich dir egal wäre, wäre es kein Problem für dich.«

Ich kann nicht glauben, dass sie das ernst meint. Ich bin seit dem Tag über sie hinweg, an dem ich Lake zum allerersten Mal gesehen habe.

»Keine Sorge, Vaughn, ich bin über dich hinweg. Das Ganze ist drei Jahre her, länger, als wir überhaupt zusammen waren. Und du bist auch über mich hinweg. Dein Problem ist, dass du immer genau das willst, was du nicht bekommen kannst. Mit mir hat das überhaupt nichts zu tun.«

Sie verschränkt die Arme vor der Brust und lehnt sich zurück. »Du denkst also, ich würde etwas von dir wollen?« Einen Moment lang funkelt sie mich böse an, dann richtet sie ihre Aufmerksamkeit tatsächlich nach vorn. »Hat dir schon mal jemand gesagt, dass du ein Arschloch bist?«, zischt sie, ohne mich anzusehen.

Ich muss lachen. »Das hat man mir tatsächlich schon mal gesagt. Sogar mehr als nur einmal.«

Heute war Kels und Caulders erster Schultag nach ihren Zwangsferien. Als ich sie nachmittags abhole, steigen die beiden mit Leidensmienen in den Wagen.

»Was ist denn jetzt schon wieder los?«, frage ich, dann sehe ich die Schulbücher und Hefte, die sie mitschleppen, und begreife. Die beiden werden den Abend wohl damit verbringen, verpassten Stoff nachzuholen. »Ich schätze, ihr habt eure Lektion gelernt«, sage ich mitleidlos und fahre aus der Parklücke.

In dem Moment, in dem wir in unsere Einfahrt biegen, kommt Lake aus dem Haus. Es ist völlig in Ordnung für mich, dass sie in meiner Abwesenheit bei mir war, aber ich bin doch neugierig, was sie gemacht hat. Als sie meinen fragenden Blick sieht, streckt sie mir zur Erklärung die Hand hin.

»Ich weiß, es gibt keinen richtigen Grund«, sagt sie ein bisschen schuldbewusst und betrachtet den gefalteten Papierstern, der in ihrer Handfläche liegt. »Ich vermisse sie heute einfach nur besonders schlimm.«

Der Ausdruck auf ihrem Gesicht zerreißt mir fast das Herz und ich umarme sie stumm. Nachdenklich sehe ich ihr hinterher, während sie langsam über die Straße nach Hause geht. Ich spüre, dass sie ein bisschen Zeit für sich braucht.

»Wie wäre es, wenn du gleich bei uns bleibst?«, sage ich zu Kel. »Ich könnte euch bei den Hausaufgaben helfen.«

Nach zwei Stunden haben wir es geschafft und die Jungs verschwinden erleichtert in Caulders Zimmer. Weil Gavin und Eddie nachher zum Abendessen kommen, gehe ich in die Küche und sehe im Kühlschrank nach, was wir alles dahaben.

Hamburger scheiden schon mal definitiv aus, allein beim Gedanken daran wird mir schlecht. Ich überlege, ob ich Basagne machen soll, aber dann entscheide ich mich dagegen. Eigentlich habe ich heute überhaupt keine Lust, irgendetwas zu kochen. Kurz entschlossen schnappe ich mir den Flyer vom Chinesen, der mit einem Magneten an der Kühlschranktür befestigt ist, und greife zum Telefon.

Eine halbe Stunde später kommen Gavin und Eddie zur Tür herein, eine Minute später folgt Lake und gleich darauf der Bote mit dem Essen. Ich stelle die Styroporbehälter auf den gedeckten Tisch und rufe die Jungs.

»Wir sind gerade mitten im Spiel, können wir in meinem Zimmer essen?«, fragt Caulder.

»Macht, was ihr wollt«, brumme ich.

»Ich dachte, nach der Sache mit der Morddrohung würden für die beiden erst mal Straflagerbedingungen herrschen«, sagt Gavin.

»Ist auch so«, antwortet Lake.

Gavin tunkt eine Frühlingsrolle in Sojasoße und beißt hinein. »Na ja, ich meine nur«, sagt er kauend, »weil sie ja anscheinend noch Videospiele spielen dürfen und so was ...«

Lake sieht Hilfe suchend zu mir, aber ich weiß auch nicht, was ich darauf sagen soll.

»Willst du etwa unsere erzieherischen Fähigkeiten anzweifeln?«, frage ich.

»Nein«, wehrt Gavin ab. »Überhaupt nicht.«

Irgendwie ist die Stimmung heute komisch. Eddie ist extrem schweigsam und stochert lustlos in ihrem Essen herum. Gavin geht auf keines der Gesprächsthemen richtig ein, die ich anschneide, und Lake scheint so in ihren eigenen Gedanken verloren, dass sie gar nicht darauf achtet, was um sie herum vorgeht.

»Okay«, sage ich irgendwann, als die Stille am Tisch unerträglich wird. »Wie wär's mit Zuckerstück und Säurebad?«

Alle drei stöhnen auf.

»Was ist denn heute mit euch los?«, frage ich verwundert.

Niemand antwortet. Eddie und Gavin schauen sich an. Eddie sieht aus, als würde sie gleich in Tränen ausbrechen. Gavin legt kurz seine Hand auf ihre, drückt sie und sie essen weiter. Lake starrt auf ihren Teller und wickelt mit der Gabel stumm gebratene Nudeln auf.

»Was hast du, Baby? Was ist los?«, frage ich noch einmal.

»Nichts. Es ist wirklich nichts«, sagt sie mit verkrampftem Lächeln und greift nach der Kanne mit dem Eistee, um die Gläser nachzufüllen.

»Tut mir leid, Will«, sagt Gavin schließlich. »Eddie und ich wollen euch auf keinen Fall den Abend verderben, wir … wir haben gerade einfach ziemlich viel um die Ohren.«

»Hey, kein Problem«, sage ich. »Kann ich euch irgendwie helfen?«

Beide schütteln den Kopf. »Geht ihr am Donnerstag zum Poetry Slam?«, wechselt Gavin das Thema.

Wir waren seit Wochen nicht mehr im Club N9NE, seit Weihnachten nicht. »Eigentlich könnten wir mal wieder hin.« Ich drehe mich zu Lake. »Hättest du denn Lust?«

Sie zuckt mit den Schultern. »Klar, warum nicht? Aber dann müssen wir einen Babysitter für Kel und Caulder organisieren.«

Eddie steht auf und bringt die Teller in die Küche, während Gavin ihre Jacken aus der Garderobe holt. »Dann sehen wir euch am Donnerstag im Club. Danke fürs Abendessen, Will. Nächstes Mal sind wir wieder besser drauf, versprochen.«

»Ist schon okay«, sage ich. »Jeder hat mal einen schlechten Tag.«

Nachdem die beiden gegangen sind, stelle ich die Behälter mit den Resten in den Kühlschrank und Lake räumt die Teller und Gläser in die Spülmaschine. Als sie sich wieder aufrichtet, umarme ich sie von hinten.

»Alles klar?«, frage ich leise.

Sie dreht sich um, schlingt ihre Arme um mich und legt

die Wange an meine Brust. »Mir geht es gut, Will. Es ist nur …« Ihre Stimme bricht.

Als ich mich ein Stück hinabbeuge, um ihr ins Gesicht zu schauen, sehe ich, dass sie versucht, die Tränen zurückzublinzeln. »Hey«, flüstere ich und ziehe sie an mich. »Was ist denn?«

Sie drückt ihr Gesicht in mein T-Shirt, ihre Schultern beben. Es ist offensichtlich, dass sie versucht, sich zusammenzureißen. Ich wünschte mir, sie wäre nicht immer so streng mit sich selbst, wenn sie traurig ist.

»Es ist nur, weil heute …« Sie holt tief Luft. »Heute ist ihr Hochzeitstag.«

Mir ist sofort klar, dass sie von ihren Eltern spricht. Ohne etwas zu sagen, drücke ich sie noch ein bisschen fester an mich und küsse sie auf den Scheitel.

»Ich weiß, es ist kindisch, dass mich das so fertigmacht. Am meisten macht mich, glaub ich, fertig, dass es mich so fertigmacht.« Sie lacht erstickt.

Ich lege meine Hände auf ihre Schultern und schiebe sie ein Stück von mir weg, um ihr in die Augen sehen zu können. »Das ist kein bisschen kindisch, Lake. Im Gegenteil. Und es ist völlig okay, zu weinen.«

Sie lächelt zittrig und gibt mir einen Kuss. Dann wischt sie sich die Tränen weg und drückt den Rücken durch. »Morgen Abend gehe ich übrigens mit Eddie essen und Mittwoch habe ich Lerngruppe, das heißt, dass wir uns erst am Donnerstag richtig sehen. Organisierst du den Babysitter oder soll ich das übernehmen?«

»Glaubst du wirklich, dass sie noch einen brauchen? Kel

ist schon elf und bei Caulder ist es in zwei Monaten auch so weit. Meinst du nicht, wir können die beiden mittlerweile ein paar Stunden allein lassen?«

Lake überlegt kurz und nickt dann. »Eigentlich hast du recht. Vielleicht bitte ich Sherry, nach ihnen zu sehen und dafür zu sorgen, dass sie nicht bloß vor der Kiste sitzen, sondern auch etwas Vernünftiges essen.«

»Das ist doch eine gute Idee.«

Sie schlüpft in ihre Schuhe, zieht ihre Jacke an und ruft nach Kel, bevor sie noch einmal zu mir in die Küche kommt und mich umarmt. »Noch dreiundneunzig Stunden«, haucht sie mir ins Ohr und küsst mich auf den Hals. »Ich liebe dich.«

»Lake?« Ich sehe ihr in die Augen. »Es ist okay, traurig zu sein. Es ist okay, keine Kürbisse zu schnitzen. Und ich liebe dich auch.« Ich küsse sie auf den Mund und sehe ihr nachdenklich hinterher, bis sie die Tür hinter sich und Kel zuzieht.

Der Abend war seltsam. Als hätte irgendetwas die Atmosphäre gestört. Auf einmal überkommt mich das Bedürfnis, meine Gedanken zu Papier zu bringen. Vielleicht schaffe ich es, ein Gedicht für Lake zu schreiben, mit dem ich sie am Donnerstag überraschen kann.

Aus Gründen, die jenseits meiner Vorstellungskraft liegen, setzt sich Vaughn am Mittwoch wieder neben mich. Eigentlich hätte ich gedacht, dass sie nach unserem kleinen Gespräch am Montag endlich aufgeben würde, was auch immer sie vorgehabt hat.

Statt mit mir zu reden, holt sie wortlos ihre Unterlagen aus der Tasche, zückt ihren Stift und konzentriert sich auf die Vorlesung. Bis auf ein, zwei kurze Bemerkungen lässt sie mich vollkommen in Ruhe und beobachtet mich auch nicht ständig aus den Augenwinkeln wie die letzten Male. Ich bin erleichtert, dass sie es anscheinend kapiert hat, habe gleichzeitig aber auch ein schlechtes Gewissen, weil ich es ihr vielleicht etwas diplomatischer hätte beibringen können. Allerdings gehen meine Schuldgefühle nicht so weit, dass ich mich deswegen bei ihr entschuldigen würde. Alles, was ich gesagt habe, habe ich auch genau so gemeint.

Am Ende der Vorlesung packt sie ihre Sachen zusammen, schiebt mir stumm einen zusammengefalteten Zettel zu und geht, ohne sich zu verabschieden. Ich bin kurz versucht, ihren Brief ungelesen wegzuwerfen, stecke ihn dann aber doch ein. Als ich in meinem nächsten Kurs sitze und ihn hervorhole, spüre ich leichte Magenschmerzen. Was will sie noch von mir?

Lieber Will,

da du mir ausweichst, bleibt mir keine andere Möglichkeit, als aufzuschreiben, was ich dir sagen möchte – auch wenn du es nicht hören willst. Was zwischen uns passiert ist, tut mir wahnsinnig leid. Dass ich damals mit dir Schluss gemacht habe, war der größte Fehler meines Lebens – vor allem bereue ich den Zeitpunkt und die Art, wie ich es gemacht habe. Das hattest du nicht verdient. Ich kann zu meiner Entschuldigung nur sagen, dass ich unreif war und Angst hatte.

Aber du kannst trotzdem nicht so tun, als hätte unsere Beziehung nichts bedeutet. Ich habe dich geliebt, und ich weiß, dass du mich geliebt hast. Meinst du nicht, dass du es mir trotz allem schuldig bist, mir wenigstens die Gelegenheit zu geben, ein paar Dinge zu klären? Ich komme nicht darüber hinweg, dass das, was wir miteinander hatten, so enden musste. Bitte erlaube mir, mich bei dir persönlich zu entschuldigen.
Vaughn

Ich stöhne innerlich. Dann falte ich den Zettel wieder zusammen, stecke ihn in die Tasche und lege den Kopf auf den Tisch. Vaughn wird erst lockerlassen, wenn sie ihren Willen bekommen hat – so viel ist klar. Aber im Moment habe ich weder die Zeit noch die Kraft, mich damit auseinanderzusetzen, also verdränge ich die ganze Sache erst einmal.

Den Donnerstag verbringe ich damit, ein Referat vorzubereiten. Vaughn spielt in meinen Gedanken keine Rolle. Ich freue mich viel zu sehr darauf, endlich mal wieder einen Abend mit Lake zu verbringen. Als ich ins Bad gehe, um zu duschen, bevor ich Lake abhole, komme ich an Caulders Zimmer vorbei und werfe einen Blick hinein. Die beiden Jungs sitzen natürlich wieder mal vor der Kiste und zocken.

»Na, alles klar?«

»Warum dürfen wir eigentlich nie mit zum Slam?«, fragt Kel. »Du hast selbst mal gesagt, dass es egal ist, wie alt man ist.«

»Ihr wollt mit?«, frage ich erstaunt. »Euch ist aber schon klar, dass da Leute selbst geschriebene Texte und Gedichte vortragen, oder?«

»Ich mag Gedichte«, behauptet Caulder.

»Ich nicht«, sagt Kel. »Ich will bloß mit, weil ihr uns sonst nie irgendwohin mitnehmt.«

»Na gut, aber ich muss erst Lake fragen, ob sie einverstanden ist.« Ich ziehe meine Schuhe an und laufe schnell über die Straße zu ihr rüber. Als ich die Haustür aufreiße, steht sie splitternackt im Wohnzimmer, bloß ein Handtuch um den Kopf gewickelt.

»Oh ...«

»Will! Dreh dich sofort um!«, kreischt sie. »Hast du schon mal was davon gehört, dass man anklopft, bevor man irgendwo reinkommt?«

»Ich dachte, das sei heutzutage nicht mehr üblich«, sage ich lachend, wende ihr aber gehorsam den Rücken zu.

Als sie mir erlaubt, mich wieder umzudrehen, hat sie sich das Handtuch um den Körper gewickelt und sieht aus wie eine griechische Göttin. Ich umfasse ihre Taille, hebe sie hoch und drehe mich mit ihr im Kreis.

»Nur noch vierundzwanzig Stunden!«, rufe ich und setze sie wieder ab. »Bist du nervös?«

»Kein bisschen«, lacht sie. »Ich hab dir doch schon gesagt, dass ich weiß, dass ich in den besten Händen bin.«

Gott, wie gern würde ich sie jetzt küssen, aber ich traue mir nicht. Mit nichts als diesem dünnen Handtuch zwischen mir und ihrer Nacktheit ist das viel zu riskant. »Kel und Caulder wollen heute Abend mitkommen«, sage ich, während ich rückwärts zur Tür gehe. »Sie möchten mal mit eigenen Augen sehen, wie so ein Poetry Slam abläuft.«

»Im Ernst? Ich hätte nicht gedacht, dass sie das interessiert, aber von mir aus können sie gern mitkommen«, sagt Lake.

»Gut, dann sage ich ihnen, dass sie sich fertig machen sollen.« Ich taste hinter meinem Rücken blind nach dem Türknauf. »Und ... Lake? Vielen Dank für die kleine Vorschau.«

»Idiot!« Sie schüttelt lachend den Kopf, als ich die Tür hinter mir zumache.

Verdammt. Das werden die längsten vierundzwanzig Stunden meines Lebens.

Im Club N9NE setzen wir uns in eine der Nischen, auch wenn wir dort kaum Platz haben, weil wir mit Eddie, Gavin und den Kindern doch eine ziemlich große Gruppe sind. Aber hier hinten stören wir wenigstens niemanden. Während ich bei Lake drüben war, haben die Jungs Kiersten angerufen und gefragt, ob sie auch mitkommen möchte. Sherry hat erst skeptisch reagiert, als sie hörte, dass wir mit den Kindern in einen Club gehen wollen. Aber nachdem ich ihr erklärt habe, was ein Poetry Slam ist, war sie Feuer und Flamme. »Das wird eine tolle Erfahrung für Kiersten!«

Kiersten hat spontan beschlossen, eine Hausarbeit für die Schule über Poetry Slams zu schreiben, und packt Stift und Papier aus, um sich Notizen zu machen.

»Okay, wer möchte was zu trinken?« Ich nehme die Ge-

109

tränkebestellung auf und gehe zur Theke. Auf der Fahrt hierher habe ich den Kindern die Regeln erklärt, ihnen aber nicht gesagt, dass ich selbst mit einem Text am Slam teilnehmen werde. Lake weiß auch nichts davon. Ich will sie überraschen. Während der Barkeeper sich um die Getränke kümmert, stehle ich mich schnell zum Jurorentisch und bezahle meinen Beitrag.

»Das ist echt so cool, dass wir heute hier sind«, schwärmt Kiersten, als ich mit dem Tablett voller Gläser wieder an den Tisch komme. »Ihr seid die coolsten Eltern, die man sich vorstellen kann.«

»Sind sie nicht«, sagt Kel. »Zum Beispiel erlauben sie uns nicht, ›Arschloch‹ zu sagen oder ›Bullshit‹.«

»Schsch!« Lake legt den Finger an die Lippen, als der erste Slammer auf die Bühne kommt. Ich kenne ihn. Er ist schon öfter hier aufgetreten und ich fand seine Sachen immer ziemlich gut. Als er sich zum Mikro vorbeugt, lege ich einen Arm um Lake und ziehe sie an mich.

»Hallo«, begrüßt er das Publikum. »Ich heiße Edmund Davis-Quinn und mein heutiger Text heißt: *Schreibt einfach drauflos.*

Schreibt einfach drauflos,
selbst wenn's mies ist.
Unterirdisch.
Grottig.
Gruslig.
Scheißegal.
Lasst es euch am Arsch vorbeigehen.

Schreibt einfach.

Lasst es fließen.

Erlaubt euch zu scheitern.

Traut euch was.

Nehmt euch vor, im November fünfzigtausend Wörter zu schreiben.

Ich hab's gemacht.

Das war ziemlich irre. Das waren tausendsechshundertsiebenundsechzig Wörter pro Tag.

Das geht.

Und Spaß macht es auch.

Aber dazu müsst ihr den inneren Kritiker ausschalten.

Schickt ihn vor die Tür.

Schreibt einfach drauflos.

Schreibt schnell.

Wie im Rausch.

Voller Lust.

Und wenn nichts kommt,
legt 'ne kurze Pause ein.

Setzt euch später noch mal dran.

Versucht es wieder.

Meister fallen nicht vom Himmel.

Auch nicht, wenn's ums Schreiben geht.

Das ist ein Handwerk wie jedes andere.

Auf die Juilliard School kommt auch nicht jeder.

Und wer in der Carnegie Hall auftreten will, muss üben, üben und noch mal üben

… oder jemandem 'ne Menge Geld zahlen.

Mit dem Schreiben ist es genauso.

Malcolm Gladwell hatte schon recht:
Zu wahrer Meisterschaft bringt es nur, wer sich zehntausend Stunden und mehr mit einer Sache beschäftigt.
Also worauf wartet ihr?
Schreibt drauflos.
Scheitert.
Bringt eure Gedanken zu Papier.
Lasst sie ruhen.
Lasst sie einweichen.
Und überarbeitet sie danach,
aber nicht währenddessen,
das bremst nur euer Gehirn.
Trainiert. Sucht euch eine Form.
Ich blogge jeden Tag,
das ist mein Training.
Und es macht Spaß.
Je mehr ihr schreibt, desto leichter wird es. Je mehr es fließt, desto weniger zweifelt ihr. Ihr schreibt nicht für die Schule, nicht um irgendwelche Noten zu bekommen, sondern um eure Gedanken rauszulassen.
Denn die wollen raus.
Also bleibt dran. Übt. Schreibt schlecht, schreibt mies, schreibt einfach drauflos,
und am Ende
kommt dann vielleicht
etwas dabei raus,
das so richtig,
richtig
gut ist.«

Die Leute im Saal klatschen begeistert Beifall, und ich sehe, dass die Kinder mit leuchtenden Augen zur Bühne schauen.

»Hammer!«, ruft Kiersten. »Das ist echt krass. Das war genial!«

»Warum hast du uns vorher noch nie hierher mitgenommen, Will?«, fragt Caulder fast vorwurfsvoll und Kel nickt bestätigend. »Poetry Slams sind voll cool!«

Ich bin überrascht, dass es ihnen so gut gefällt. Als der nächste Teilnehmer seinen Text vorträgt, hören alle drei gebannt zu und Kiersten macht sich fieberhaft Notizen. Ich habe keine Ahnung, was sie da aufschreibt, aber es ist nicht zu übersehen, dass sie Feuer gefangen hat.

»Okay, und jetzt darf ich den nächsten Kandidaten auf die Bühne bitten«, verkündet der Moderator gegen Ende der ersten Runde. »Will Cooper!«

Alle am Tisch sehen mich erstaunt an. »Wieso hast du nicht gesagt, dass du mitmachst?«, fragt Lake.

Ich lächle bloß geheimnisvoll, stehe auf und gehe zur Bühne.

Früher war ich vor meinen Auftritten viel nervöser, inzwischen habe ich Routine. Mein Herz klopft zwar immer noch ein bisschen schneller, wenn ich auf der Bühne stehe, aber ich glaube, das hat mehr etwas mit Adrenalin zu tun als mit Lampenfieber. Zu meinem allerersten Poetry Slam hat mich mein Vater mitgenommen, als ich fünfzehn war. Er hat sich für jede Form von Kunst interessiert – Musik, Malerei, Literatur und Lyrik – und auch selbst gemalt und Texte geschrieben, die er beim Slam vorgetragen hat. Seit ich ihn hier im Club das erste Mal gesehen habe, bin ich süchtig. Schade, dass Caulder diese Seite unseres Vaters nie richtig kennenlernen konnte. Aber ich habe Dads Bilder und Texte aufgehoben, um sie ihm eines Tages geben zu können.

Ich springe die Stufen zur Bühne hinauf, gehe zum Mikro und schiebe es etwas höher. Den Text, den ich vortragen werde, habe ich nur für Lake geschrieben. Außer ihr wird niemand etwas damit anfangen können.

»Mein Stück heißt *Rückzugssignal*«, sage ich ins Mikro. Die Scheinwerfer strahlen so hell, dass ich nicht in den Zuschauerraum sehen kann, aber ich bin mir ziemlich sicher, dass Lake lächelt. Häufig trage ich meine Stücke in einem sehr schnellen Rhythmus vor und schreie sie fast heraus, aber diesmal lasse ich mir Zeit und spreche bewusst langsam, damit sie jedes einzelne Wort in sich aufnehmen kann.

»In zweiundzwanzig Stunden endet er,
der Kampf, den wir
geführt haben,
mit vollem Körpereinsatz,
mit Lippen
und
Händen …
Das Rückzugssignal
hat keine Bedeutung mehr,
wenn beide Seiten
sich einander ergeben.
Ich kann nicht mehr zählen,
wie oft ich verloren habe …
oder du gewonnen?

Ich würde sagen, bei diesem Spiel,
das neunundfünfzig Wochen gedauert hat,
steht es trotzdem unentschieden.

In zweiundzwanzig Stunden endet er,
der Kampf, den wir
geführt haben,
mit vollem Körpereinsatz,
mit Lippen
und
Händen …
Ich kann es kaum erwarten,
dass satte Tropfen
auf uns prasseln,
die zu unseren Füßen
platzen,
bevor dann das Feuerwerk explodiert,
Fanfaren erklingen
und wir beide
übereinanderher,
aufeinander,
ineinander
fallen.

Aber eins sollst du wissen:
Auf dich
würde ich jederzeit
noch einmal neunundfünfzig Wochen warten.
Ich würde das Rückzugssignal geben,

immer

und

immer

wieder.«

Ich trete aus dem Scheinwerferlicht in die Dunkelheit hinein und gehe die Stufen hinunter. Lake kommt mir auf halbem Weg entgegengelaufen, schlingt mir die Arme um den Hals und küsst mich.

»Danke! Du bist so süß«, flüstert sie mir ins Ohr.

Als wir zum Tisch zurückkehren und ich auf die Bank rutsche, verdreht Caulder die Augen. »Du hättest uns echt vorwarnen können, Will«, sagt er vorwurfsvoll. »Dann hätten wir uns auf dem Klo versteckt. Das war echt voll peinlich.«

»Ich fand es total schön«, sagt Kiersten.

Es ist schon nach neun, als die zweite Runde des Slams beginnt. »So. Schluss jetzt, Leute. Wir fahren nach Hause. Ihr habt morgen Schule«, bestimme ich. Sie murren zwar, aber dann fügen sie sich und stehen auf.

Als alle Kinder in ihren jeweiligen Häusern verschwunden sind, bleiben Lake und ich noch umarmt in der Einfahrt stehen. Es fällt mir mit jedem Abend schwerer, mich von ihr zu verabschieden und zu wissen, dass sie mir so nah ist und gleichzeitig so fern. Ich musste mich schon ein paarmal im letzten Moment zurückhalten, ihr eine SMS zu schicken und sie anzuflehen, zu mir rüberzukommen. Aber jetzt haben wir unser Versprechen Julia gegenüber erfüllt und sind endlich frei, alles zu tun, von dem wir bisher immer nur geträumt haben. Ab morgen hält uns nichts mehr zurück – außer der Tatsache, dass wir Kel und Caulder nicht verunsichern wollen. Aber die beiden müssen ja nichts mitbekommen.

Ich seufze und schiebe meine Hände von hinten unter ihr T-Shirt.

Lake kreischt auf. »Deine Hände sind eiskalt.« Lachend versucht sie, sich aus meiner Umarmung zu befreien.

»Ich weiß, deswegen musst du ja stillhalten, damit ich sie wärmen kann«, murmle ich und ziehe sie noch enger an mich. Während ich über ihren warmen, seidenzarten Rücken streichle, versuche ich, die Gedanken an morgen Nacht zurückzudrängen. Aber das ist unmöglich, also ziehe ich meine Hände schweren Herzens wieder hervor und umarme Lake stattdessen über ihrer Jacke. Das ist ungefährlicher.

»Ach so, wegen morgen«, sage ich. »Da gibt es noch zwei Sachen. Willst du erst die weniger gute oder erst die schlechte Nachricht hören?«

»Was ist das für eine Frage?«, sagt Lake. »Willst du, dass ich dich erst ins Gesicht schlage oder dir erst mein Knie in den Schritt ramme?«

Ich lache, halte mir aber für alle Fälle schützend die Hände vor meine Weichteile. »Na gut, dann erst die schlechte. Meine Großeltern machen sich ein bisschen Sorgen, dass die Jungs sich bei ihnen ohne Spielkonsole und ihren übrigen Kram langweilen könnten ...«

Lake sieht mich erschrocken an.

»... und haben deswegen vorgeschlagen, lieber zu uns zu kommen und dort auf sie aufzupassen. Die weniger gute Nachricht ist, dass wir das Wochenende deswegen leider doch nicht wie geplant bei dir verbringen können – weshalb ich uns ein Zimmer in einem Hotel in Detroit reserviert habe.«

»Das sind doch beides keine schlechten Nachrichten. Mach mir nicht solche Angst«, sagt sie.

»Na ja, ich dachte, es verdirbt dir die Laune, weil du dann morgen Abend meine Großmutter sehen musst, bevor wir losfahren. Ich weiß doch, dass ihr nicht so gut miteinander klarkommt.«

Lake verschränkt die Arme vor der Brust und tritt einen Schritt zurück. »Ich habe kein Problem mit ihr, Will. Du weißt genau, dass das von ihr ausgeht. Sie hasst mich.«

»Blödsinn, sie hasst dich ganz bestimmt nicht«, widerspreche ich. »Warum sollte sie? Das ist bloß ihr übertriebener Beschützerinstinkt mir gegenüber.« Um Lake wieder ein bisschen gnädiger zu stimmen, ziehe ich sie an mich und küsse sie aufs Ohrläppchen.

»Wenn man es genau nimmt, bist du sogar daran schuld, dass sie mich hasst«, behauptet Lake.

Ich lasse sie los und sehe sie erstaunt an. »Ich? Wieso das denn?«

Lake verdreht die Augen. »Hast du etwa vergessen, was auf deiner Examensfeier passiert ist? Was du zu ihr gesagt hast?«

Ich versuche mich zu erinnern, was ich Schlimmes gesagt haben könnte, aber mir fällt wirklich nichts ein.

»Will! Du hast den ganzen Tag die Hände nicht von mir gelassen und mich ständig geküsst und umarmt. Selbst später im Restaurant hast du dich kaum um deine Großeltern gekümmert. Ich fand es toll, dass du nur Augen für mich hattest, aber ich hab gemerkt, dass deine Großmutter total irritiert war. Sie kannte mich ja überhaupt nicht. Und als sie dann gefragt hat, wie lange wir schon zusammen sind, hast du gesagt: ›Seit achtzehn Stunden‹! Was glaubst du, was sie da für einen Eindruck von mir hatte?«

Jetzt fällt es mir wieder ein. Ich wäre an dem Tag vor Glück fast geplatzt und hatte das Gefühl gehabt, dass endlich einmal alles gut war. Ich hatte mein Examen in der Tasche, Lake liebte mich und wir konnten zusammen sein, ohne unsere Liebe verstecken zu müssen. Es stimmt, dass ich sie am liebsten gar nicht mehr losgelassen hätte.

»Aber das war die Wahrheit«, verteidige ich mich. »Offiziell waren wir wirklich erst seit achtzehn Stunden zusammen.«

Lake boxt mich in den Arm. »Du hast mich dastehen lassen wie ein Mädchen, das sich einem Typen, den es gerade erst kennengelernt hat, sofort an den Hals wirft. Deine Großmutter hält mich für eine Schlampe, und dabei bin ich noch *Jungfrau*!«

Ich beuge mich zu ihr herunter und hauche ihr einen Kuss unters Ohr. »Aber nicht mehr lange …«

Lake schiebt mich weg und drückt mir den Zeigefinger in die Brust. »Du! Halt dich bloß von mir fern. Für die nächsten vierundzwanzig Stunden bin ich tabu für dich.« Sie geht rückwärts Richtung Haustür.

»Einundzwanzig«, korrigiere ich.

Sie tastet hinter ihrem Rücken nach dem Türknauf, dreht sich um und verschwindet im Haus. Ohne mir einen Gutenachtkuss gegeben zu haben! Das kann ich nicht zulassen. Entschlossen gehe ich ihr hinterher, reiße die Tür auf, packe sie an der Hand und ziehe sie noch einmal zu mir nach draußen.

»Nicht so schnell!«, sage ich. Lake wehrt sich und ihre Augen blitzen wütend, aber mir entgeht nicht das verräterische Zucken um ihre Mundwinkel. Ich weiß genau, dass sie es insgeheim liebt, wenn ich den Macho spiele. Ich verschränke meine Finger mit ihren, ziehe ihre Hände über den Kopf und presse sie mit meinem Körper gegen die Hauswand. »Hör mir jetzt ganz genau zu«, sage ich heiser und sehe sie eindringlich an. »Du wirst morgen Abend nichts mitnehmen, verstanden? Ich will, dass du genau dieselben Sachen anziehst, die du letzten Freitag anhattest, als du mich so verrückt gemacht hast. Hast du die hässliche Bluse noch?«

Lake sieht mich mit großen Augen an und nickt nur stumm.

»Gut. Mehr als das, was du am Körper trägst, brauchst du nicht. Keinen Schlafanzug, kein Nachthemd und auch keine Sachen zum Wechseln. Ich will, dass du um Punkt sieben Uhr zu mir rüberkommst und dann fahren wir los. Verstanden?«

Sie nickt wieder. Ich spüre ihren Herzschlag an meinen Rippen und sehe ihren geweiteten Augen an, dass sie sich nichts sehnlicher wünscht, als geküsst zu werden. Meine Hände umklammern ihre, und ich drücke sie weiter gegen die Wand, während ich mich wie in Zeitlupe vorbeuge und meinen Mund ihrem nähere. Im allerletzten Moment entscheide ich, dass ich sie nicht küssen werde. Sehr, sehr langsam lasse ich ihre Hände sinken und bewege mich ein paar Schritte rückwärts, während sie immer noch atemlos dasteht. Dann drehe ich mich um und gehe über die Straße. Erst als ich die Tür öffne, werfe ich einen Blick zurück und sehe, dass sie sich nicht vom Fleck gerührt hat. Gut so. Dieses Mal habe ich gewonnen.

6.

Freitag, 20. Januar

Ich vertraue darauf, dass Lake mein Tagebuch niemals lesen würde, weshalb ich ganz offen schreiben kann, was mir durch den Kopf geht. Da fällt mir ein – falls ich sterbe und sie meine Sachen ordnet, liest sie es vielleicht doch. Aber okay, dann bin ich tot und es spielt keine Rolle mehr.

Also, liebe Lake, falls du das hier liest … tut es mir sehr leid, dass ich gestorben bin.

Aber im Moment fühle ich mich noch sehr lebendig. Unglaublich lebendig sogar. Heute Nacht ist die Nacht der Nächte. Ich bereue es kein bisschen, dass wir so lange warten mussten. Ganze neunundfünfzig Wochen. Sogar über siebzig, wenn man von unserem ersten Date an zählt. Ich habe gern gewartet, weil es jede Minute wert war. Aber jetzt muss ich nicht mehr gegen meine Sehnsucht ankämpfen und kann einfach aussprechen, was ich denke, okay?

Sex.

Ja, genau: Sex.

Sex, Sex, Sex.

Sex mit Lake. Heute Nacht werden wir zum allerersten Mal Sex haben. Wir werden miteinander schlafen. Liebe machen. Schmetterlingen. Welches Wort auch immer man dafür verwenden will – wir werden es tun.

Und verdammt, ich würde am liebsten gleich loslegen.

Weil ich möchte, dass der Tag heute in jeder Beziehung perfekt wird, gehe ich nicht zur Uni, sondern bleibe zu Hause, um aufzuräumen und alles vorzubereiten, bevor meine Großeltern kommen. Ich bin selbst ein bisschen überrascht darüber, *wie* nervös ich bin. Oder ist es vielleicht die Vorfreude? Keine Ahnung. Ich weiß nur, dass ich mir wünschte, die Uhr würde schneller laufen.

Nachdem ich die Jungs am späten Nachmittag von der Schule abgeholt habe, schicke ich meinem Großvater eine SMS und kündige an, dass ich mich ums Abendessen kümmere. Danach fahre ich zum Supermarkt, um noch ein paar Dinge zu besorgen. Lake kommt erst um sieben, bis dahin bleibt mir noch genug Zeit. Ich habe mir überlegt, endlich mal wieder eine Basagne zu machen. Ich finde, das ist dem Anlass angemessen. Julia hat in ihrem Weihnachtsbrief geschrieben, dass wir auf einen guten Tag warten sollen … und heute ist definitiv ein guter Tag.

Irgendwie gerate ich dann doch in Stress und bin noch nicht fertig, als ich durch die Vorhänge die Scheinwerfer des Wagens meiner Großeltern sehe. Ich habe noch nicht geduscht und muss auch noch die Grissini backen.

»Caulder?«, rufe ich, während ich mir das Mehl von den

Händen wasche. »Grandma und Grandpa sind da. Kannst du ihnen aufmachen?«

Das muss er gar nicht, denn im nächsten Moment sind sie auch schon im Haus – natürlich ohne anzuklopfen. Ich wische mir die Hände an der Jeans ab, gehe meiner Großmutter entgegen und küsse sie auf die Wange.

»Hallo, mein Schatz«, begrüßt sie mich. »Was duftet hier so köstlich?«

»Basagne«, antworte ich und umarme meinen Großvater. »Hi, Grandpa.«

»*Basagne?*«

Ich schüttle lachend den Kopf. »Lasagne, meine ich natürlich.«

Sie lächelt und ich muss unwillkürlich an Mom denken. Die beiden sehen sich unglaublich ähnlich, beide groß und schlank, nur dass Grandmas Haare inzwischen weiß sind und nicht mehr blond wie die meiner Mutter. Ich weiß, dass es viele Leute gibt, auf die meine Großmutter einschüchternd wirkt, aber dieser Eindruck täuscht. Es gibt überhaupt keinen Grund, vor ihr Angst zu haben. Sie ist eine tolle Frau, die immer für mich da war und mich unterstützt, wo sie nur kann.

Grandpa stellt die Reisetaschen neben der Tür ab und die beiden folgen mir in die Küche.

»Will, bist du auch bei *Twitter*?« Mein Großvater schiebt sich die Brille höher auf die Nasenspitze und starrt auf sein Handy. »Ich habe mich da jetzt angemeldet.«

Meine Großmutter schüttelt den Kopf. »Er hat sich eins von diesen smarten Handys gekauft und schickt jetzt Twitts an den Präsidenten.«

»Ein Smartphone, meinst du«, korrigiere ich sie. »Und es heißt Tweets, nicht Twitts.«

»Er folgt mir«, sagt mein Großvater stolz. »Das ist kein Scherz. Heute habe ich eine Mail bekommen, in der stand: ›Der Präsident gehört jetzt zu Ihren Followern.‹«

»Das ist cool, Grandpa. Finde ich gut, dass du auf der Höhe der Zeit bleibst. Aber ich bin nicht bei Twitter.«

»Solltest du aber. Was die sozialen Netzwerke angeht, muss man in deinem Alter immer an vorderster Front bleiben, sonst wird man ganz schnell abgehängt.«

»Ich komme schon klar«, versichere ich ihm, schiebe das Blech mit den Brotsticks in den Ofen und hole Teller aus dem Schrank.

»Lass mich den Tisch decken, Will«, sagt meine Großmutter und nimmt sie mir ab.

»Hey, Grandma. Hey, Grandpa.« Caulder kommt in die Küche gerannt. »Grandpa, erinnerst du dich noch an das Spiel, das wir gespielt haben, als du das letzte Mal hier warst?«

Mein Großvater nickt. »Du meinst das, in dem ich innerhalb von zehn Minuten sechsundzwanzig Aliens kaltgemacht habe?«

»Ja, genau. Kel hat den zweiten Teil davon zum Geburtstag bekommen, hast du Lust, mit uns zu spielen?«

»Was für eine Frage!«, sagt mein Großvater und folgt Caulder in sein Zimmer.

Das Irre ist, dass er die Begeisterung nicht heuchelt, um Caulder einen Gefallen zu tun. Nein, er steht wirklich auf Computerspiele.

Meine Großmutter nimmt Gläser aus dem Schrank und dreht sich dann zu mir um. »Es wird immer schlimmer mit ihm«, sagt sie düster.

»Was meinst du damit?«

»Na, dass er sich diese ganzen technischen Spielzeuge kauft. Und jetzt ist er auch noch bei diesem Twitter!« Sie schüttelt den Kopf. »Er erzählt mir ständig von den Twitts, die irgendwelche Leute geschrieben haben. Ich begreife das nicht, Will. Es kommt mir vor, als wäre er mitten in der Midlifecrisis – mit zwanzig Jahren Verspätung!«

»*Tweets*, Grandma, nicht Twitts. Und ich würde mir an deiner Stelle keine Sorgen machen. Es ist doch super, dass er sich mit so etwas beschäftigt. Dadurch haben er und Caulder ein Thema, das sie beide interessiert.«

Meine Großmutter füllt Eiswürfel in die Gläser und geht damit zum Tisch. »Ich nehme an, Layken isst mit?«, sagt sie in einem Ton, der darauf schließen lässt, dass ihr das Gegenteil lieber wäre.

»Natürlich isst sie mit uns. Was ist das für eine Frage?« Ich sehe sie befremdet an.

Sie wirft mir einen undeutbaren Blick zu. »Hör zu, Will. Ich spreche jetzt einfach mal ganz unverblümt aus, was ich denke.«

Oh Mann, was kommt jetzt?

»Wenn ich etwas zu sagen hätte, würde ich euch nicht erlauben, einfach so übers Wochenende wegzufahren. Ihr seid noch nicht einmal verlobt, geschweige denn verheiratet. Nenn mich ruhig altmodisch, aber ich finde, dass ihr es übereilt. Mir ist dabei nicht wohl.«

»Grandma.« Ich lege ihr eine Hand auf die Schulter und lächle beruhigend. »Glaub mir, wir übereilen gar nichts. Gib Lake doch bitte eine Chance, sie ist ein wahnsinnig toller Mensch, und es gibt keinen Grund, sie nicht zu mögen. Sei nett zu ihr, okay?«

Sie seufzt. »Es ist nicht so, als würde ich sie nicht mögen, Will. Mir ist es einfach nur unangenehm, dass ihr euch ständig vor aller Augen anfassen und küssen müsst. Das kommt mir vor, als wärt ihr ... ich weiß auch nicht ... *zu* verliebt.«

Ich lache. »Wenn deine einzige Sorge ist, dass wir zu verliebt sind, kann ich damit leben.«

Sie stellt die Gläser auf den Tisch.

»Hör zu, Grandma. Ich muss schnell noch unter die Dusche«, sage ich. »Die Grissini sind in ein paar Minuten fertig. Kannst du sie aus dem Ofen holen, wenn die Uhr klingelt?«

Sie nickt. »Natürlich, Schatz.«

Ich gehe in mein Zimmer, um meine Sachen zu packen, bevor ich mich dusche. Als ich die Reisetasche aufs Bett stelle und den Reißverschluss aufziehe, merke ich, dass meine Hände zittern. Warum bin ich nur so verdammt nervös? Es ist schließlich nicht so, als hätte ich noch nie in meinem Leben Sex gehabt. Andererseits geht es um mein erstes Mal mit Lake. Das ist eine Premiere, bei der ein bisschen Lampenfieber absolut berechtigt ist. Während ich die Tasche packe, fällt mein Blick in den Spiegel, und ich sehe, dass ich ein völlig idiotisches Grinsen im Gesicht habe. Gott, ich brauche echt eine kalte Dusche.

Ich nehme frische Klamotten aus dem Schrank und will

gerade ins Bad, als ich höre, dass es an der Haustür klopft. Süß, dass Lake sich solche Mühe gibt, meine Großmutter mit guten Manieren zu beeindrucken.

»So eine Überraschung!«, höre ich meine Großmutter rufen. »Paul! Sieh mal, wer gerade gekommen ist!«

Okay, ich habe sie gebeten, nett zu sein, aber muss sie deswegen gleich so eine Show abziehen? Ich lege die Klamotten seufzend wieder aufs Bett und gehe ins Wohnzimmer, um Lake ein bisschen moralische Rückendeckung zu geben.

Als ich um die Ecke biege, bleibe ich wie erstarrt stehen.

Scheiße!

Was hat *sie* hier verloren?

Sie umarmt gerade meinen Großvater und strahlt, als sie mich sieht. »Hey, Will!«

Ich erwidere ihr Lächeln nicht.

»Wir haben uns ja eine Ewigkeit nicht mehr gesehen«, sagt meine Großmutter. »Du musst unbedingt zum Abendessen bleiben, Vaughn. Es ist fast fertig. Ich stelle dir schnell noch einen Teller hin.«

»Auf keinen Fall!«, gehe ich dazwischen.

Meine Großmutter sieht mich irritiert an. »Will! Das ist aber nicht sehr nett.«

Ich ignoriere sie. »Vaughn? Kann ich bitte mit dir sprechen?«, sage ich mühsam beherrscht und winke sie in mein Zimmer. Ich muss sie loswerden. Und zwar sofort.

Vaughn folgt mir lächelnd und ich schließe die Tür. »Was soll das? Was machst du hier?«, frage ich, die Hände in die Seiten gestemmt.

Sie setzt sich auf mein Bett. »Ich habe dir doch geschrieben, dass ich mit dir reden muss.« Sie hat die blonden Haare wieder zu einem Knoten hochgesteckt und sieht mich mit großen Augen an, als wäre sie die personifizierte Unschuld.

»Tut mir leid, aber das ist gerade ein verdammt schlechter Zeitpunkt.«

Vaughn verschränkt die Arme vor der Brust und schüttelt den Kopf. »Du bist mir die ganze Zeit ausgewichen, Will. Ich werde nicht gehen, bevor du nicht wenigstens kurz mit mir gesprochen hast.«

»Ich kann jetzt nicht mit dir sprechen. Ich fahre in einer halben Stunde weg und muss vorher noch duschen und essen. Wir sprechen am Mittwoch nach der Vorlesung, okay? Also geh jetzt bitte.«

Sie rührt sich nicht. Stattdessen blickt sie auf ihre Hände und ich sehe Tränen über ihre Wangen rollen. *Herrgott, sie weint!* Ich werfe frustriert die Hände in die Luft, gehe zum Bett und setze mich neben sie. Was hier gerade passiert, ist eine Katastrophe. Ein absoluter Albtraum.

Die Situation ist fast die gleiche wie vor drei Jahren, als wir auf genau diesem Bett nebeneinandersaßen und sie sich von mir getrennt hat. Damals war ich wahnsinnig enttäuscht und wütend, dass sie mir ausgerechnet in dem Moment, in dem ich sowieso schon am Boden lag, auch noch diesen letzten Stoß verpasste. Ich wollte, dass sie bei mir bleibt. Jetzt bin ich wieder wütend, aber diesmal, weil sie nicht gehen will.

»Will, du fehlst mir. Und Caulder fehlt mir. Seit ich dich im Seminar wiedergesehen habe, ist mir klar geworden, dass es ein Riesenfehler war, unsere Beziehung zu beenden. Bitte hör mich doch wenigstens an.«

Ich seufze, lasse mich aufs Bett zurückfallen und lege den Unterarm über die Augen. Sie hätte sich keinen schlimmeren Zeitpunkt für ihre Beichte aussuchen können. In spätestens einer Viertelstunde wird Lake hier sein. Verdammt, Vaughn muss so schnell wie möglich verschwinden.

»Okay«, sage ich. »Aber bitte mach schnell.«

Sie räuspert sich und wischt sich die Tränen aus den Augen. Es ist seltsam, wie kalt es mich lässt, dass sie weint. Wie kann es sein, dass ich für einen Menschen, den ich immerhin zwei Jahre lang geliebt habe, so gar kein Mitgefühl mehr empfinde?

»Ich weiß, dass du eine Freundin hast. Aber ich weiß auch, dass du mit ihr noch nicht so lange zusammen bist, wie wir es waren. Und ich habe gehört, dass erst ihr Vater und dann ihre Mutter gestorben ist und sie ihren kleinen Bruder alleine großzieht. Die Leute reden, Will.«

»Worauf willst du hinaus?«, frage ich ungeduldig.

»Könnte es nicht sein, dass du weniger aus Liebe als aus einem anderen Grund mit ihr zusammen bist? Vielleicht tut sie dir ja nur leid, weil sie gerade das Gleiche durchmacht wie du vor drei Jahren. Falls Mitleid die Basis eurer Beziehung ist, wäre das ihr gegenüber nicht fair. Du hast mich geliebt und hättest dich nicht von mir getrennt. Ich … ich finde, du bist es deiner Freundin schuldig, es noch einmal mit mir zu versuchen. Um zu sehen, wem dein Herz wirklich gehört.«

Ich setze mich aufrecht hin und sehe sie fassungslos an.

Am liebsten würde ich sie anbrüllen, dass sie sofort abhauen soll, aber ich hole tief Luft und bemühe mich, ruhig zu bleiben. »Du hast recht, Vaughn, ich habe dich geliebt, und das Entscheidende an diesem Satz ist das ›habe‹. Vergangenheitsform, okay? Jetzt liebe ich Lake. Und ich würde niemals etwas tun, das sie verletzen könnte. Wenn sie wüsste, dass ich hier mit dir sitze und du mir solche Sachen sagst, würde sie das verletzen. Und deswegen möchte ich, dass du gehst. Es tut mir leid. Ich weiß, das ist nicht das, was du hören willst, aber du hast damals deine Entscheidung getroffen und ich habe das akzeptiert und mit der Sache abgeschlossen. Du musst auch damit abschließen. Bitte tu uns beiden den Gefallen und geh.«

Ich stehe auf, lege die Hand auf den Türknauf und sehe sie auffordernd an. Vaughn steht auch auf, rührt sich aber nicht von der Stelle. Stattdessen fängt sie an zu schluchzen.

Ich stöhne. »Vaughn, hör auf. Hör auf zu weinen, okay? Es tut mir sehr leid, aber so ist es nun mal.« Ich stehe hilflos vor ihr und weiß nicht, was ich sagen soll – schließlich umarme ich sie. Auf einmal tut sie mir doch leid. Ich kann nachempfinden, dass es sie Überwindung gekostet hat, herzukommen und so offen mit mir zu sprechen. Wenn sie mich tatsächlich noch liebt, sollte ich sie dafür nicht auch noch bestrafen.

Sie macht sich von mir los. »Es ist okay, Will«, sagt sie leise und wischt sich über die Augen. »Ich will nicht, dass du meinetwegen Probleme bekommst. Mir ist nur inzwischen klar geworden, wie mies ich mich damals verhalten habe und dass ich dadurch einen Menschen verloren habe, der mir viel bedeutet. Eigentlich bin ich nur hergekommen, um mich bei dir zu entschuldigen. Ich gehe jetzt.« Sie sieht mich an. »Und … ich wünsche dir wirklich von ganzem Herzen, dass du glücklich bist. Du hast es verdient.«

Ich sehe in ihren Augen, dass sie es ernst meint. Endlich steht die Vaughn vor mir, die zwei Jahre lang meine Freundin gewesen war. Ich kenne zwar auch ihre egoistische Seite, aber ich weiß, dass sie im Grunde ein guter Mensch ist, sonst wäre ich nicht so lange mit ihr zusammen gewesen.

Behutsam streiche ich ihr eine verirrte Haarsträhne aus dem Gesicht und wische eine Träne von ihrer Wange. »Danke, Vaughn.«

Sie lächelt und umarmt mich. Obwohl ich dieses Kapitel für mich definitiv abgeschlossen hatte, ist es ein gutes Gefühl, mich mit ihr ausgesprochen zu haben. Dadurch wird es in Zukunft wahrscheinlich auch entspannter sein, neben ihr in der Vorlesung zu sitzen. Ich drücke ihr zum Abschied einen Kuss auf die Stirn und drehe mich um.

Es ist der Moment, in dem meine Welt zusammenbricht.

Lake steht in der Tür und beobachtet uns mit offenem Mund, als wollte sie etwas sagen, kann aber kein Wort herausbringen. Im nächsten Moment schiebt sich Caulder an ihr vorbei. »Vaughn!«, ruft er begeistert, stürmt auf sie zu und umarmt sie.

Lake sieht mir in die Augen, und ich kann es *sehen* – ich kann sehen, wie ihr Herz bricht.

Meine Kehle ist wie zugeschnürt und ich bringe kein Wort heraus. Lake schüttelt ganz langsam den Kopf, als würde sie zu begreifen versuchen, was sie sieht. Dann dreht sie sich um und stürzt davon. Natürlich laufe ich ihr sofort hinterher, aber sie ist schon zur Haustür hinaus und schlägt sie hinter sich zu. Ich mache sie wieder auf und renne auf die Straße.

»Lake!«, rufe ich, hole sie ein, packe sie am Handgelenk und reiße sie herum. »Bitte!«

Sie weint. Ich versuche, sie an mich zu ziehen, aber sie stößt mich von sich und schlägt dann mit den Fäusten auf meinen Brustkorb ein. Ich halte ihre Hände fest und nehme sie in die Arme, bis ihr Widerstand schließlich erlahmt und sie zu Boden sinkt. Zusammen mit ihr hocke ich mitten auf der Straße im Schnee und halte sie fest, während sie weint.

»Lake, es ist nichts. Ich schwöre, da war nichts!«

»Ich habe euch doch gesehen, Will! Ich habe gesehen, wie du sie umarmt hast. Das war nicht *nichts*«, schluchzt sie. »Du hast sie auf die Stirn geküsst! Warum hast du das gemacht, Will? Warum?« Die Tränen laufen ihr übers Gesicht, als sie mich ansieht, und diesmal kämpft sie nicht dagegen an.

»Das hatte nichts zu bedeuten, Lake. Bitte glaub mir. Ich habe ihr gesagt, dass sie gehen soll.«

Lake windet sich aus meiner Umarmung, steht auf und geht über die Straße. Ich folge ihr.

»Lake, bitte lass es mich dir erklären. Bitte.«

Sie rennt ins Haus, schlägt mir die Tür vor der Nase zu und schiebt den Riegel vor. Ich stemme die Handflächen gegen das Holz, lehne mich mit der Stirn dagegen und kann nicht fassen, was gerade passiert ist. Ich habe es vermasselt. Diesmal habe ich es wirklich vermasselt.

»Es tut mir leid, Will«, sagt Vaughn hinter mir. »Das wollte ich nicht.«

Ich drehe mich nicht um. »Geh bitte, Vaughn. Geh.«

»Mach ich«, sagt sie. »Aber da ist noch etwas, was ich dir sagen wollte, auch wenn das jetzt vielleicht nicht der ideale Moment ist. Du warst heute nicht in der Uni, deswegen hast du nicht mitgekriegt, dass wir nächsten Mittwoch eine Klausur schreiben. Ich hab meine Aufzeichnungen für dich kopiert und auf den Couchtisch gelegt, okay? Bis nächste Woche dann.« Ich höre, wie der Schnee unter ihren Schuhen knirscht, als sie zu ihrem Wagen geht.

Der Riegel wird aufgeschoben und Lake öffnet langsam die Tür – gerade so weit, dass sie mich ansehen kann.

»Sie ist in deinem Seminar?«, fragt sie leise.

Ich antworte nicht. Sie knallt die Tür mit solcher Wucht zu, dass ich zusammenzucke. Diesmal schiebt sie nicht nur den Riegel vor, sondern macht auch noch das Licht aus. Ich lehne mich gegen die Tür, schließe die Augen und presse die Lippen aufeinander, um nicht laut aufzuschluchzen.

»Mach dir keine Sorgen, Schatz. Das ist gar kein Problem für uns. Wir haben ja jetzt ihre Box mitgenommen, also sind sie beschäftigt und langweilen sich nicht«, sagt meine Großmutter, nachdem ich für die Jungs ein paar Sachen zusammengepackt habe und wir alles in den Wagen laden.

»Nicht einfach Box, Grandma. Es heißt *Xbox*«, korrigiert Caulder, der gerade mit Kel auf die Rückbank klettert.

»Und du ruhst dich jetzt aus, Will. Du hattest genug Aufregung für heute Abend«, sagt sie zu mir, ohne auf Caulders Kommentar einzugehen. Sie beugt sich vor und küsst mich auf die Wange. »Wir sehen uns am Montag, wenn du die beiden abholen kommst.«

Mein Großvater umarmt mich, bevor er in den Wagen steigt. »Falls du mit jemandem sprechen willst, kannst du mich jederzeit antwittern.«

Ich sehe ihnen hinterher, bis sie am Ende der Straße abbiegen. Statt mich auszuruhen, gehe ich zu Lake rüber und klopfe an die Haustür in der Hoffnung, dass sie jetzt vielleicht bereit ist, mich anzuhören. Als nach fünf Minuten nichts passiert, gebe ich auf und gehe nach Hause zurück. Das Außenlicht lasse ich vorsichtshalber brennen und schließe auch die Tür nicht ab, sollte sie ihre Meinung ändern und doch mit mir reden wollen. Außerdem schleppe ich mein Bettzeug ins Wohnzimmer, um auf der Couch zu schlafen, damit ich sie höre, falls sie in der Nacht anklopft. Aber natürlich ist an Schlaf sowieso nicht zu denken. Ich starre im Dunkeln an die Decke und verfluche mich selbst zum tausendsten Mal. Noch immer kann ich nicht fassen, dass es wirklich wahr ist: dass dieser Tag so endet. Gott, wie anders hatte ich mir unseren Abend vorgestellt! Kel hatte schon recht – immer wenn es Basagne gibt, passiert etwas Schlimmes.

Irgendwann muss ich wohl doch eingeschlafen sein, denn ich schrecke hoch, als die Tür aufgeht und Lake hereinkommt. Ohne mich eines Blicks zu würdigen, geht sie durchs Wohnzimmer zum Regal, greift in die Vase, nimmt einen Stern heraus und dreht sich wieder zur Tür.

»Lake, warte«, flehe ich und springe von der Couch auf. Sie sieht mich nicht an, läuft hinaus und knallt die Tür hinter sich zu. Ich renne ihr barfuß hinterher. »Bitte lass mich mit reinkommen, Lake. Lass mich alles erklären!«

Ich laufe neben ihr her durch den Schnee, aber ich spüre die Kälte nicht. An ihrer Haustür bleibt sie stehen und sieht mich an.

»Wie willst du mir das erklären?«, sagt sie müde. Ihre Augen sind verweint, die Tränen haben schwarze Wimperntuschespuren auf ihren Wangen hinterlassen. »Hättest du damit nicht früher anfangen müssen? Hättest du mir nicht erklären müssen, warum das Mädchen, mit dem du geschlafen hast, zwei Wochen lang fast jeden Tag neben dir in der Uni saß? Und ausgerechnet an dem Abend, an dem wir wegfahren und ein ganzes Wochenende miteinander verbringen wollen ... an dem Abend, an dem ich mit dir schlafen wollte ... erwische ich sie und dich in deinem Zimmer? Und sehe, wie du sie gerade küsst! Auf die *Stirn*!«

Sie beginnt wieder zu weinen und ich nehme sie in die Arme. Ich ertrage es nicht, sie weinen zu sehen, ohne sie zu umarmen. Sie windet sich aus der Umklammerung und sieht mich mit zutiefst verletztem Blick an.

»Das ist der Kuss von dir, den ich am meisten liebe, und du hast ihn ihr gegeben«, sagt sie leise und dann brüllt sie plötzlich: »Du hast ihn mir genommen und *ihr* gegeben!« Sie hält einen Moment inne und sieht mich an. »Danke, dass du mir den wahren Will gezeigt hast, bevor ich den größten Fehler meines Lebens gemacht habe.« Dann geht sie ins Haus, schlägt die Tür zu und öffnet sie im nächsten Moment wieder. »Und wo zum Teufel ist mein Bruder?«

»In Detroit«, flüstere ich. »Ich hole die beiden am Montag wieder ab.«

Sie knallt die Tür endgültig zu.

Ich drehe mich um und trotte mit hängendem Kopf über die Straße, als plötzlich Sherry im Bademantel vor mir steht. »Was ist denn los?«, fragt sie beunruhigt. »Ich habe Layken schreien gehört.«

Ohne zu antworten, gehe ich an ihr vorbei ins Haus und werfe die Tür zu. Weil es mir nicht laut genug war, reiße ich sie gleich noch einmal auf und knalle sie ein zweites Mal zu. Das wiederhole ich noch ein paarmal, bis mir einfällt, dass ich die Reparatur bezahlen muss, falls die Tür kaputtgeht. So viel Geld habe ich nicht. Also schlage ich mit den Fäusten dagegen und beschimpfe mich selbst. Ich bin so ein Idiot, so ein Scheißkerl, ein Bastard, ein Arschloch, ein … Irgendwann kann ich nicht mehr, werfe mich auf die Couch und vergrabe das Gesicht im Kissen.

Es bricht mir immer das Herz, wenn Lake weint. Ich ertrage es nicht, sie traurig zu sehen. Aber dass sie *meinetwegen* weint, dass ich an ihrem Kummer schuld bin, ist etwas, mit dem ich überhaupt nicht umgehen kann. Ich bin völlig hilflos und weiß nicht, was ich jetzt tun oder sagen soll. Wenn sie mir wenigstens die Chance geben würde, ihr alles zu erklären. Aber wahrscheinlich würde das auch nichts bringen. Sie hat ja recht. Ich hätte viel früher mit ihr sprechen müssen. Warum bloß ist mein Dad nicht mehr hier? Ich brauche jetzt so dringend einen Rat.

Aber natürlich! Ich springe auf, gehe zur Vase und fische blind einen der Sterne heraus. Dann setze ich mich auf die Couch, falte ihn auf und lese die Worte, die Julia mit ihrer geschwungenen Handschrift darauf geschrieben hat.

Manchmal müssen sich Menschen voneinander entfernen, um zu spüren, wie sehr sie einander brauchen.

– Anonym

Ich falte den Streifen wieder zu einem Stern und lege ihn ganz oben auf die anderen in der Vase. Wenn Lake das nächste Mal kommt, greift sie vielleicht danach. Hoffentlich.

7.

Samstag, 21. Januar

Ich HASSE mein Leben.

Letzte Nacht habe ich praktisch nicht geschlafen. Ich bin beim kleinsten Geräusch hochgeschreckt und dachte jedes Mal, es wäre Lake. Sie war es nie.

Ich stehe auf, mache mir einen rabenschwarzen Kaffee und stelle mich damit ans Fenster. Drüben ist alles ruhig, die Vorhänge sind zugezogen, der Jeep steht in der Einfahrt. Also ist sie zu Hause.

Die Gartenzwerge, die früher im Vorgarten standen, sind nicht mehr da. Nach Julias Tod hat Lake sie alle in eine Tüte gepackt und weggeschmissen. Sie weiß nicht, dass ich einen aus der Mülltonne gerettet habe. Den mit der abgebrochenen roten Mütze.

Ich werde nie vergessen, wie sie am Morgen nach ihrem Einzug ohne Jacke – dafür in Kels Darth-Vader-Hausschuhen – zum Auto lief. Mir war sofort klar, dass sie mit diesen

Schuhen nicht weit kommen würde, und genauso war es: Als Texanerin kannte sie die Tücken von frisch gefallenem Schnee nicht und legte sich der Länge nach hin. Das Ganze hatte etwas von einer Szene aus einem Slapstickfilm und ich musste unwillkürlich lachen. Als ich dann sah, dass sie auf einem der Gartenzwerge gelandet war und sich ernsthaft verletzt hatte, bin ich zu ihr gelaufen, um ihr zu helfen. Sie tat mir wahnsinnig leid, wie sie da mit blutender Schulter auf dem kalten Boden lag, aber insgeheim war ich auch glücklich darüber, sie verarzten und damit ein paar Minuten mit ihr verbringen zu können.

Nachdem ich ihre Schulter verbunden hatte und zur Arbeit gefahren war, konnte ich den ganzen restlichen Tag an nichts anderes mehr denken als an sie. Gleichzeitig hatte ich Angst, dass die riesige Verantwortung, die auf mir lastete, sie vielleicht abschrecken könnte, bevor ich überhaupt die Chance bekommen würde, sie näher kennenzulernen. Am liebsten hätte ich ihr meine familiäre Situation erst mal verschwiegen, aber dann wurde mir klar, dass ich es ihr erzählen musste. Lake war anders als alle Mädchen, denen ich vorher begegnet war. Sie strahlte eine ganz besondere Stärke und Ruhe aus.

Ich beschloss, es darauf ankommen zu lassen und ihr schon bei unserem ersten Date ganz offen alles zu sagen, was mich ausmacht: dass meine Eltern tot sind, dass ich Caulder großziehe und auch, wofür mein Herz schlägt. Lake sollte verstehen können, wie ich zu dem wurde, der ich bin, bevor sie sich vielleicht – hoffentlich – auf mehr einließ. Als wir dann im Club N9NE waren und sie ihren ersten Slam erlebte, konnte ich den Blick nicht von ihr losreißen. Während sie konzentriert dem Mädchen zuhörte, das den ersten Text des Abends vortrug, lag in ihren Augen ein so tiefes Mitgefühl, dass ich mich sofort in sie verliebte. Seitdem habe ich keine Sekunde aufgehört, sie zu lieben.

Und deswegen weigere ich mich, zuzulassen, dass sie uns jetzt aufgibt.

Ich bin bei meiner vierten Tasse Kaffee, als Kiersten zur Tür hereinkommt. Sie fragt nicht nach Caulder, sondern lässt sich wie selbstverständlich neben mich auf die Couch fallen.

»Hey«, sagt sie.

»Hey.«

»Was ist mit dir und Layken?« Sie sieht mich fragend an, als hätte sie ein Anrecht auf lückenlose Aufklärung.

»Hat deine Mutter dir nicht beigebracht, dass es unhöflich ist, neugierige Fragen zu stellen?«

»Nein.« Sie schüttelt den Kopf. »Meine Mutter hat mir beigebracht, dass man Fragen stellen muss, wenn man Antworten bekommen will.«

Ich zucke mit den Schultern. »Meinetwegen kannst du so viele Fragen stellen, wie du willst. Das heißt aber noch lange nicht, dass ich sie auch beantworte.«

»Okay«, sagt sie und steht auf. »Dann frage ich eben Layken.«

»Viel Glück. Bin gespannt, ob sie dich reinlässt.«

Sobald Kiersten gegangen ist, springe ich auf und laufe zum Fenster. Nach ein paar Metern macht Kiersten plötzlich auf dem Absatz kehrt und kommt zurück. Als sie mich am

Fenster stehen sieht, schaut sie mich mit mitleidigem Blick an und schüttelt den Kopf. Im nächsten Moment steht sie wieder im Haus.

»Oder soll ich sie vielleicht irgendwas Bestimmtes fragen? Ich könnte dir dann sagen, wie sie reagiert hat.«

Ich liebe dieses Mädchen! »Das ist eine tolle Idee, Kiersten.« Ich denke kurz nach. »Ich würde einfach gern wissen, wie es ihr geht. Ob sie traurig ist oder sauer. Du kannst ja so tun, als wüsstest du nicht, dass wir gestritten haben ... mal sehen, was sie sagt.«

Kiersten nickt und wendet sich zum Gehen.

»Sekunde noch. Könntest du auch darauf achten, was sie anhat?«

Kiersten runzelt die Stirn.

»Das Oberteil, meine ich. Ob sie vielleicht eine Bluse trägt ...« Ich komme mir wahnsinnig bescheuert vor, Kiersten darum zu bitten, aber sie lächelt bloß milde und geht.

Von meinem Beobachtungsposten am Fenster aus sehe ich, wie sie wieder über die Straße läuft und an die Tür klopft. Warum klopft sie bei Layken und bei mir nicht? Die Tür geht auf, Kiersten verschwindet im Haus, die Tür geht zu.

Ich tigere im Wohnzimmer auf und ab, trinke noch einen Kaffee, sehe alle paar Minuten zum Fenster raus und warte darauf, dass Kiersten wieder auftaucht.

Nach einer halben Stunde öffnet sich endlich die Haustür, Kiersten erscheint, wendet sich nach links und geht auf direktem Weg nach Hause.

Na gut. Ich warte. Vielleicht muss sie erst zu Mittag essen.

Nach einer Stunde halte ich es nicht mehr aus, gehe rüber und klopfe.

»Hallo, Will. Komm rein«, sagt Sherry, die mir die Tür öffnet. Kiersten sitzt im Wohnzimmer vor dem Fernseher und würdigt mich keines Blickes.

»Bitte entschuldigen Sie wegen gestern, Sherry. Ich wollte nicht unhöflich sein.«

»Ach was, kein Problem«, sagt sie. »Möchtest du etwas trinken?«

»Nein danke. Eigentlich bin ich hier, weil ich … mit Kiersten reden wollte.«

Kiersten wirft mir einen bösen Blick zu. »Du bist ein Arschloch, Will«, sagt sie.

Alles klar, das bedeutet vermutlich, dass Lake immer noch sauer auf mich ist.

Ich setze mich neben Kiersten auf die Couch und schiebe die Hände zwischen die Knie. »Kannst du mir vielleicht trotzdem erzählen, was sie gesagt hat?« Gott, bin ich erbärmlich. Ich lege die Beziehung zur Frau meines Lebens in die Hände einer Elfjährigen.

»Bist du dir sicher, dass du das wissen willst? Ich sollte dich vielleicht vorher warnen, dass ich ein ausgezeichnetes Gedächtnis habe. Mom sagt, dass ich schon mit drei Jahren vollständige Gespräche wortwörtlich wiedergeben konnte.«

»Ja, ich bin mir sicher. Ich will ganz genau wissen, was sie gesagt hat.«

Kiersten seufzt, zieht ein Bein auf die Couch und sieht mich an. »Okay. Sie hat gesagt, dass du ein Arschloch bist. Und ein Scheißkerl, ein Schwein, ein …«

143

»Bastard. Ich weiß. Verstehe. Was hat sie sonst noch gesagt?«

»Warum genau sie sauer auf dich ist, hat sie mir nicht erzählt … aber sie ist echt *unheimlich* sauer. Keine Ahnung, was du ihr angetan hast, jedenfalls räumt sie wie eine Irre das Haus auf. Als ich reingekommen bin, lagen im Wohnzimmer ungefähr hundert Karteikarten auf dem Boden. Ich weiß nicht, was das war … Kochrezepte oder so was.«

»Oh Gott, sie ist wieder im Sortierungswahn«, sage ich besorgt. »Hör zu, Kiersten, wenn ich zu ihr rübergehe, macht sie mir hundertprozentig nicht auf. Kannst du noch mal bei ihr klopfen? Ich muss wirklich dringend mit ihr sprechen.«

Kiersten legt die Stirn in Falten, während sie über meine Bitte nachdenkt. »Du willst also, dass ich sie *reinlege*? Ich soll für dich *lügen*?«

»Na ja. Ja.« Ich zucke mit den Schultern und nicke.

»Okay. Aber ich muss erst Schuhe anziehen.«

Als ich aufstehe, kommt Sherry aus der Küche und drückt mir ein paar Kapseln in die Hand. »Hier. Falls es nicht so läuft, wie du es dir wünschst, nimm die mit etwas Wasser. Dann wird es dir gleich besser gehen. Du siehst schlimm aus.«

Sie sieht mein Zögern und lächelt. »Keine Angst. Die habe ich selbst mit einer Kräutermischung gefüllt. Sie enthalten garantiert keine verbotenen Substanzen.«

Ich habe keinen Plan. Während Kiersten an die Tür klopft, drücke ich mich daneben an die Hauswand. Das Herz schlägt mir bis zum Hals, als hätte ich vor, einen Raubüberfall zu begehen. Sobald die Tür aufgeht, hole ich tief Luft. Kiersten tritt zur Seite, und ich schlüpfe ins Haus, ehe Lake Zeit hat, zu reagieren.

»Raus!« Sie zeigt auf die offene Tür.

»Ich gehe nicht, bevor du nicht mit mir gesprochen hast«, sage ich trotzig und mache rückwärts ein paar Schritte ins Wohnzimmer.

»Raus, Will! Sofort! Raus hier!«

Ich tue das, was jeder echte Kerl in meiner Situation tun würde: Ich renne in ihr Zimmer, knalle die Tür zu und schließe mich ein. Zwar weiß ich nicht, wie ich mit ihr reden soll, während ich in ihrem Zimmer eingeschlossen bin, aber wenigstens kann sie mich nicht mehr rauswerfen. Wenn es sein muss, bleibe ich den ganzen Tag hier.

Ich höre, wie die Haustür zugeschlagen wird, und sehe im nächsten Augenblick, wie sich der Spalt unter der Zimmertür verdunkelt. Mit angehaltenem Atem warte ich darauf, dass sie etwas sagt oder losbrüllt, aber es bleibt still. Nach ein paar Sekunden entfernen sich ihre Schritte.

Und jetzt? Wenn ich die Tür aufmache, wird sie sich auf mich stürzen und mich zum Haus rauszerren. Warum habe ich mir keinen Plan zurechtgelegt? Ich bin ein Idiot, so ein verdammter Idiot! *Denk nach, Will, denk nach!*

Ich sehe wieder den Schatten ihrer Füße unter der Tür.

»Will? Mach auf. Ich bin bereit, mit dir zu sprechen.«

Ihre Stimme klingt nicht wütend. Hat meine bescheuerte Finte doch funktioniert? Ich öffne die Tür und bekomme einen Schwall kaltes Wasser ins Gesicht. Lake steht mit einem leeren Krug und blitzenden Augen vor mir.

»Oh«, sagt sie gespielt mitleidig. »Du siehst ziemlich nass

145

aus, Will. Geh lieber schnell nach Hause und zieh dich um, bevor du dich noch erkältest.« Damit dreht sie sich seelenruhig um und geht davon.

Ich bin immer noch ein Idiot und sie ist immer noch wütend. Mit tropfnassem T-Shirt gehe ich durch den Flur, zur Haustür hinaus und über die Straße. Mir ist eiskalt. Sie hätte wenigstens die Güte besitzen können, warmes Wasser zu nehmen. Zu Hause ziehe ich als Erstes meine Klamotten aus und dusche mich. Diesmal aber warm.

Das Duschen hat kein bisschen geholfen. Ich fühle mich total elend. Kaum Schlaf, fünf Tassen Kaffee auf leeren Magen und ein katastrophaler Streit sind nicht gerade die besten Zutaten für einen erfolgreichen Tag. Mittlerweile ist es zwei Uhr nachmittags. Ich frage mich, was Lake und ich jetzt gerade tun würden, wenn ich nicht so ein verdammter Idiot gewesen wäre. Aber da muss ich nicht lange nachdenken. Natürlich weiß ich ganz genau, was wir jetzt tun würden. Die Grübelei darüber, wie und warum sich mein Leben innerhalb von vierundzwanzig Stunden in einen Albtraum verwandelt hat, lässt meinen Kopf dröhnen, als wäre dort oben eine Kolonne Bauarbeiter mit Presslufthämmern zugange. Irgendwann hebe ich meine Jeans vom Boden auf, greife in die Tasche und ziehe die in ein Stück Papier gewickelten Kapseln heraus, die Sherry mir gegeben hat. Ich spüle sie mit einem Glas Wasser herunter und schleppe mich ins Wohnzimmer.

Als ich aufwache, ist es stockdunkel, und ich liege auf der Couch, obwohl ich mich nicht erinnern kann, mich hingelegt zu haben. Benommen setze ich mich auf, bemerke einen Zettel auf dem Tisch und greife hoffnungsvoll danach. Aber er ist nicht von Lake.

Lieber Will,

ich wollte dir noch sagen, dass du nicht Auto fahren solltest, falls du meine Medizin nimmst, aber so wie es aussieht, hast du sie schon genommen.

Sherry

P. S. Ich habe vorhin mit Layken gesprochen. Das Ganze war eine ziemlich dumme Aktion von dir, du solltest dich bei ihr entschuldigen. Falls du noch mehr Medizin brauchst, kannst du jederzeit bei mir vorbeikommen. Du weißt ja, wo ich wohne. ☺

Ich werfe den Zettel auf den Tisch. Das Smiley empfinde ich beinahe wie Hohn. War das wirklich notwendig? Sie weiß doch, wie es mir geht. Ich verziehe das Gesicht, als sich mein Magen plötzlich schmerzhaft verkrampft. Wann habe ich eigentlich das letzte Mal etwas gegessen? Ich kann mich nicht erinnern. Als ich den Kühlschrank öffne, sehe ich die mit Alufolie abgedeckte Basagne und entscheide, dass heute leider der perfekte Tag dafür ist. Ich schneide ein Viereck heraus, lege es auf einen Teller und stelle ihn in die Mikrowelle. Als ich mir gerade eine Cola einschenke, geht die Haustür auf.

Lake kommt herein und geht durchs Wohnzimmer direkt auf das Bücherregal zu. Ich stelle mich ihr blitzschnell in den Weg. Sie greift, ohne mich anzusehen, an mir vorbei nach der Vase, aber das kann ich nicht zulassen. Wenn sie die Sterne mit zu sich nimmt, hat sie keinen Grund mehr, zu mir zu kommen. Ich greife nach der Vase und will sie ihr wegnehmen, doch sie hält sie mit beiden Händen fest. Wir zerren beide daran, bis sie schließlich loslässt und mich böse ansieht. »Gib mir die Vase, Will. Sie ist ein Geschenk von meiner Mutter und ich will sie mitnehmen.«

»Nein!« Ich drücke mir die Vase an die Brust und gehe in die Küche, wo ich sie auf die Arbeitsfläche stelle, mich davor aufbaue und die Hände so auf die Platte stemme, dass Lake nicht herankommt. »Deine Mutter hat sie uns *beiden* geschenkt, und ich kenne dich, Lake. Wenn du sie jetzt mit zu dir nimmst, machst du noch heute Nacht jeden einzelnen Stern auf. Ich weiß es genau. Du wirst einen Stern nach dem anderen auffalten, so wie du einen Kürbis nach dem anderen schnitzt.«

Sie stöhnt genervt. »Hör auf, das ständig zu behaupten! Ich schnitze keine Kürbisse mehr.«

»Glaubst du, ja?« Ich kann nicht fassen, dass sie das tatsächlich denkt. »Vergiss es, Lake. Du schnitzt ja sogar jetzt welche, in genau diesem Moment. Seit vierundzwanzig Stunden weigerst du dich, mit mir zu reden.«

Sie ballt die Fäuste und stampft mit dem Fuß auf. »Verdammt!«, brüllt sie und sieht aus, als wollte sie auf irgendetwas einschlagen. Oder auf irgendjemanden. Gott, sie ist so schön. »Hör auf, mich so anzuschauen!«, faucht sie dann. »Du hast wieder diesen Ausdruck in den Augen. Schau mich nicht so an!«

Ich habe zwar absolut keine Ahnung, von welchem Ausdruck sie redet, aber ich tue ihr den Gefallen und schaue weg. Ich will sie nicht noch wütender machen.

»Hast du heute schon etwas gegessen?«, wechsle ich das Thema, als die Mikrowelle piepst. Lake verschränkt die Arme vor der Brust und antwortet nicht. Ich nehme meinen Teller aus der Mikrowelle.

»Basagne?«, schnaubt sie. »Wie passend.«

Das ist zwar nicht das Gespräch, das ich mir erhofft hatte, aber immerhin reden wir miteinander. Ich nehme die Auflaufform aus dem Kühlschrank, ziehe die Folie ab, schneide noch eine Portion ab und stelle sie in die Mikrowelle. Keiner von uns sagt etwas, während das Essen warm wird. Lake starrt auf den Boden, ich auf die Mikrowelle. Als wieder das Piepsen ertönt, stelle ich die beiden Teller auf die Theke und gieße Lake auch ein Glas Cola ein. Wir setzen uns nebeneinander und essen schweigend. Allerdings ist es kein gemütliches, sondern ein verdammt unbehagliches Schweigen.

Als wir fertig sind, stelle ich das Geschirr in die Spüle und setze mich ihr gegenüber, damit ich sie ansehen kann. Ich warte darauf, dass sie etwas sagt, aber sie stützt die Ellbogen auf, knibbelt an ihren Nägeln herum und gibt sich betont desinteressiert.

»Okay, dann sag, was du zu sagen hast«, meint sie schließlich, ohne aufzuschauen. Ich will nach ihren Händen greifen, aber sie zieht sie weg und lehnt sich zurück. Plötzlich empfinde ich die Theke wie eine Barriere, die zwischen uns steht.

»Lass uns ins Wohnzimmer rübergehen, ja?«, schlage ich vor und rutsche vom Hocker.

Lake folgt mir widerstrebend und setzt sich ans andere

Ende der Couch. Ich reibe mir mit beiden Händen übers Gesicht, während ich verzweifelt überlege, wie ich sie dazu bringen könnte, mir zu verzeihen. »Lake, ich liebe dich«, sage ich schließlich und hoffe, dass sie die Aufrichtigkeit in meinen Augen sieht. »Dich zu verletzen ist wirklich das Allerletzte auf der Welt, was ich will. Das weißt du.«

»Tja, toll. Dann gratuliere ich herzlich«, sagt sie kühl. »Du hast es geschafft, das Allerletzte zu tun, was du tun wolltest.«

Ich lehne mich stöhnend zurück. Sie ist so unglaublich stur. »Es tut mir wahnsinnig leid, dass ich dir nicht gesagt habe, dass sie in meinem Seminar ist. Ich wollte nicht, dass du dir … Sorgen machst.«

»Worüber denn, Will? Muss ich mir denn welche machen? Du hast doch gesagt, dass alles ganz harmlos ist, also weshalb hätte ich mir Sorgen machen sollen?«

Herrgott! Drücke ich mich wirklich so missverständlich aus oder wieso schafft sie es, mir jedes Wort im Mund herumzudrehen? Falls wir uns jemals wieder versöhnen sollten, werde ich ihr sagen, dass ich jetzt weiß, was das perfekte Hauptfach für sie wäre: Jura.

»Lake, ich empfinde nichts mehr für Vaughn. Sie ist mir vollkommen egal! Ich hatte fest vor, dir nächste Woche zu sagen, dass sie in meinem Seminar ist. Ich wollte es nur nicht … vor unserem ersten gemeinsamen Wochenende zum Thema machen.«

»Ach so, verstehe. Du wolltest mich *vorher* flachlegen, weil du Angst hattest, dass ich hinterher – wenn ich wüsste, dass du dich dreimal die Woche mit Vaughn triffst – vielleicht nicht mehr dazu bereit wäre, mich flachlegen zu lassen. Cleverer Plan, wirklich sehr clever«, sagt sie sarkastisch.

Ich schlage mir gegen die Stirn und schließe die Augen. Dieses Mädchen gibt mir einfach keine Chance.

»Denk doch mal drüber nach, Will«, sagt sie etwas sanfter. »Versuch, dich in meine Situation zu versetzen. Stell dir vor, ich hätte einen Freund gehabt, mit dem ich geschlafen hätte, bevor ich dich kennengelernt habe. Und kurz bevor du und ich das erste Mal miteinander schlafen würden, kommst du in mein Zimmer und siehst, wie ich diesen Typen umarme. Und nicht nur das. Du siehst, wie ich ihn küsse, und zwar …«, sie denkt kurz nach, »auf den Hals. Genau an die Stelle, an die du am allerliebsten von mir geküsst wirst. Und dann findest du heraus, dass ich diesen Typen seit Wochen alle zwei Tage sehe, was ich dir aber nie gesagt habe. Wie würdest du dich fühlen, hm?«

Jetzt knibbelt sie nicht mehr an ihren Nägeln herum, sondern sieht mich an und wartet auf eine Antwort.

»Na ja«, sage ich kleinlaut. »Ich würde dir jedenfalls die Chance geben, dich mir zu erklären, ohne dich alle fünf Sekunden zu unterbrechen.«

»Okay, weißt du was? Mir reicht es jetzt!« Lake springt auf und will an mir vorbei Richtung Tür, aber ich strecke den Arm aus, halte sie am Handgelenk fest und ziehe sie wieder auf die Couch. Als sie neben mich plumpst, schlinge ich die Arme um sie und presse sie an mich. Ich könnte es nicht ertragen, wenn sie wieder ginge.

»Lake, bitte. Bitte gib mir eine Chance und verschwinde nicht gleich wieder.«

Sie wehrt sich nicht und versucht auch nicht, mich zu schlagen, sondern lässt tatsächlich zu, dass ich sie in den Armen halte, während ich rede.

»Ich wusste nicht einmal, wie viel du über Vaughn überhaupt weißt. Du hast mir mehrmals gesagt, dass du nichts davon hältst, über frühere Beziehungen zu reden. Deswegen dachte ich, es wäre okay, wenn ich dir gegenüber gar nicht erwähne, dass Vaughn zufälligerweise in meinem Seminar ist. Ich empfinde nichts mehr für sie und es hat mir nichts bedeutet, sie wiederzusehen. Ich wollte auch nicht, dass es für dich irgendeine Bedeutung bekommt, verstehst du?«

Sie lässt es zu, dass ich ihr über die Haare streichle, und ich spüre, dass ihre Schultern beben. Sie weint.

»Ich möchte dir ja glauben, Will. Ich würde dir so gerne glauben«, stößt sie mit erstickter Stimme hervor. »Aber dann verstehe ich nicht, was sie gestern Abend bei dir wollte. Und warum hast du sie umarmt, wenn sie dir nichts mehr bedeutet?«

Ich küsse sie auf den Scheitel. »Ich habe ihr gesagt, dass sie gehen soll. Und weil sie anfing zu weinen, habe ich sie kurz in den Arm genommen.«

Lake hebt den Kopf und sieht mich erschrocken an. »Sie hat geweint? Aber warum denn? Will? Heißt das … Liebt sie dich etwa noch?«

Verdammt. Wie soll ich diese Frage beantworten, ohne die Situation noch schlimmer zu machen? Es gibt keine Möglichkeit, aus der Sache jetzt noch irgendwie heil rauszukommen, nicht die geringste Chance.

Lake rutscht ein Stück von mir weg und sieht mich an.

»Will, du bist derjenige, der reden wollte. Ich möchte, dass du mir jetzt ganz ehrlich sagst, was los war. Ich will wissen, warum sie hier war, was sie in deinem Schlafzimmer zu suchen hatte, warum du sie umarmt hast und warum sie geweint hat – *alles*!«

Ich greife nach ihrer Hand, aber sie zieht sie weg.

»Sag es mir«, beharrt sie.

Ich überlege, wo und wie ich anfangen soll. Dann hole ich tief Luft, atme ganz langsam aus und bereite mich innerlich darauf vor, gleich eine Million Mal unterbrochen zu werden.

»Okay, also … letztes Mal hat Vaughn mir in der Uni einen Brief zugesteckt, in dem stand, dass sie mit mir reden möchte. Gestern Abend ist sie dann einfach unangekündigt bei mir zu Hause aufgetaucht. Ich hab sie nicht reingelassen, Lake. Ich war gerade in meinem Zimmer und hab gepackt, als ich gehört habe, wie meine Großmutter jemanden begrüßt.« Ich sehe ihr die ganze Zeit in die Augen, weil ich möchte, dass sie weiß, dass ich die Wahrheit sage. Dass ich ihr diesmal wirklich nichts verschweige. »Meine Großmutter hat Vaughn zum Essen eingeladen, aber ich hab gesagt, dass das nicht infrage kommt, und Vaughn gebeten, kurz mit mir in mein Zimmer zu kommen. Ich wollte ihr klarmachen, dass sie gehen soll. Vor Grandma hätte ich das nicht tun können, die hat mich sowieso schon für total unhöflich gehalten. Ich wollte wirklich nur, dass sie wieder geht, Lake. Aber dann hat sie plötzlich angefangen zu heulen und gesagt, sie hätte ein furchtbar schlechtes Gewissen, weil sie sich damals von mir getrennt hat, als es mir so mies ging, und würde es jetzt bereuen.«

Lake hat mich die ganze Zeit nur schweigend angesehen. Auch jetzt macht sie keine Anstalten, irgendetwas zu sagen, also erzähle ich weiter. »Sie weiß, dass ich mit dir zusammen bin, und anscheinend hat sie von irgendwelchen Leuten gehört, dass du auch keine Eltern mehr hast und deinen kleinen Bruder großziehst, so wie ich … Jedenfalls kam sie plötzlich mit der Theorie, ich wäre vielleicht nur deswegen mit dir zusammen, weil wir beide in einer ähnlichen Situation sind und ich Mitleid mit dir hätte. Sie hat irgendwas davon gefaselt, ich wäre es dir ›schuldig‹, herauszufinden, wem mein Herz wirklich gehört. Ihr oder dir. Ich habe ihr gesagt, dass das kompletter Blödsinn ist, dass das mit ihr für alle Zeiten vorbei ist und ich nur dich liebe, Lake. Ich hab ihr dann noch mal gesagt, dass sie endlich gehen soll, aber da hat sie wieder angefangen zu weinen, und plötzlich tat sie mir leid. Ich hab mich wie ein Schwein gefühlt, weil ich sie zum Weinen gebracht hatte, und das ist der einzige Grund, warum ich sie umarmt habe. Ehrenwort.«

Ich warte auf eine Reaktion, aber Lake starrt auf ihre Hände und ich kann ihr Gesicht nicht sehen.

»Und warum hast du sie auf die Stirn geküsst?«, fragt sie schließlich leise.

Ich seufze und streiche mit dem Handrücken über ihre Wange, weil ich hoffe, dass sie mich dann wieder ansieht. »Das weiß ich selbst nicht, Lake. Du musst bedenken, dass sie immerhin zwei Jahre meine Freundin war. Natürlich ist sie mir vertraut, und ich glaube, das war … einfach alte Gewohnheit. Es hatte nichts zu bedeuten. Ehrlich. Ich wollte sie bloß trösten.«

Lake lässt sich auf der Couch nach hinten fallen und blickt zur Decke. Jetzt ist alles angesprochen, mehr kann ich nicht tun. Ich sehe zu, wie sie daliegt und nachdenkt und kein Wort sagt. Wie gern würde ich mich jetzt einfach neben sie legen und sie in den Arm nehmen. Es bereitet mir fast körperliche Schmerzen, zu wissen, dass sie das niemals zulassen würde.

»Könnte es sein, dass es wirklich so ist?«, fragt sie, ohne mich anzusehen.

»Was? Dass sie mich liebt? Keine Ahnung. Vielleicht. Es ist mir egal. Es würde nichts ändern.«

»Das meine ich nicht. Es ist offensichtlich, dass sie gerne wieder deine Freundin wäre, das hat sie ja selbst gesagt. Nein, ich meinte, ob es sein kann, dass sie mit der anderen Sache recht hat. Dass du nur deswegen mit mir zusammen bist, weil wir in einer ähnlichen Situation sind. Weil ich dir leidtue.«

»Was?« Ich springe auf, kauere mich über sie, nehme ihr Gesicht in meine Hände und zwinge sie, mich anzusehen. »Oh Gott, nein! Nicht, Lake! Das darfst du nicht denken. Nicht eine Sekunde lang!«

Sie kneift die Augen zusammen, um nicht zu weinen, aber eine einzelne Träne löst sich aus ihrem Augenwinkel und läuft ihre Schläfen hinunter in ihre Haare. Ich küsse sie weg, küsse ihre Augenlider, ihre Wangen, ihre Lippen. Sie muss doch spüren, wie sehr ich sie liebe.

»Will, hör auf«, sagt sie mit erstickter Stimme. Sie öffnet die Augen und ich sehe es in ihrem Blick. Ich sehe, dass sie zweifelt.

155

»Lake, nein. Glaub das nicht. *Bitte* glaub das nicht.« Ich schmiege mein Gesicht in die Kuhle zwischen ihrer Schulter und ihrem Hals. »Ich liebe dich, weil du die bist, die du bist.«

Es war mir noch nie in meinem Leben so wichtig, dass jemand mir glaubt, wie jetzt in diesem Moment. Als sie sich aufzurichten versucht und mich von sich schieben will, umarme ich sie noch fester und ziehe sie an mich.

»Bitte geh nicht, Lake«, flehe ich. Meine Stimme zittert, aber verdammt, ich hatte auch noch nie zuvor solche Angst, einen Menschen zu verlieren. Ich spüre, wie mir die Tränen in die Augen steigen.

»Aber siehst du denn nicht, dass sie recht haben könnte, Will?«, stößt Lake hervor. »Ich meine, wie kannst du dir so sicher sein? Du könntest jetzt doch gar nicht mehr mit mir Schluss machen, selbst wenn du es wolltest. Das würdest du niemals übers Herz bringen. Woher soll ich wissen, ob wir unter anderen Umständen auch zusammen wären? Wenn deine Eltern noch leben würden und wir nicht die Verantwortung für Kel und Caulder tragen müssten ... Wie willst du wissen, ob du mich wirklich liebst?«

Ich presse ihr die Hand auf den Mund, damit sie nicht weiterredet. »Hör auf! Sag so etwas nicht, Lake. Bitte!«

Sie schließt die Augen und diesmal unternimmt sie keinen Versuch, ihre Tränen zurückzuhalten. Ich ziehe sie an mich und lege so viel verzweifelte Liebe in meinen Kuss wie noch nie zuvor. Und plötzlich spüre ich ihre Hand in meinem Nacken. Ich spüre, wie sie meinen Kuss erwidert.

Sie küsst mich.

Wir weinen beide und klammern uns wie Ertrinkende an das letzte Stückchen Sicherheit zwischen uns, das noch da ist. Sie drängt sich an mich, küsst mich immer noch, und als ich spüre, dass sie sich aufrichten will, lehne ich mich ins Polster zurück und ziehe sie auf meinen Schoß. Sie streichelt mein Gesicht und für einen Moment hören wir auf, uns zu küssen, und sehen uns nur an. Ich wische die Tränen von ihren Wangen und sie die von meinen. Der Schmerz in ihrem Blick zerreißt mir das Herz, aber dann schließt sie die Augen, nähert ihre Lippen meinem Mund, und ich ziehe sie so eng an mich, dass wir beide kaum Luft bekommen. Nach Atem ringend umschlingen wir einander wie im Rausch und suchen nach einem gemeinsamen Rhythmus für unsere Küsse und Berührungen. Ich habe sie noch nie so sehr gebraucht wie jetzt in diesem Moment. Lake zerrt an meinem T-Shirt und streift es mir über den Kopf, als ich mich leicht vorbeuge. Gleich darauf kreuzt sie die Arme vor der Brust, umfasst den Saum ihres Tops und zieht es aus. Ich helfe ihr, werfe es zu meinem Shirt auf den Boden und lasse meine Hände über ihren nackten Rücken gleiten.

»Ich liebe dich, Lake«, flüstere ich heiser. »Es tut mir so leid. Es tut mir so unendlich leid. Ich liebe dich so sehr.«

Sie lehnt sich zurück und sieht mir ernst in die Augen. »Ich will, dass du mit mir schläfst, Will.«

Ich umfasse ihren Po; sie schlingt die Beine um meine Hüfte und hält sich an meinem Hals fest, so stehen wir auf. Ich trage sie in mein Zimmer, wo wir zusammen aufs Bett fallen. Mit fliegenden Fingern macht sie sich an meiner

Jeans zu schaffen und knöpft sie auf, während meine Lippen langsam von ihrem Mund zu ihrem Kinn und den Hals hinunterwandern. Obwohl ich kaum glauben kann, dass das hier gerade wirklich passiert, erlaube ich mir nicht, darüber nachzudenken, um nicht ins Zweifeln zu geraten. Ich lasse meine Finger unter die Träger ihres BHs gleiten und streife sie ihr von den Schultern. Lake windet die Arme heraus, und ich küsse mich zwischen den Körbchen des Büstenhalters nach unten, während sie mit den Knöpfen ihrer eigenen Jeans kämpft. Ich richte mich ein Stück weit auf, damit sie besser herankommt, dann führe ich ihre Hände, um die Jeans von den Beinen zu ziehen, und werfe sie hinter mich auf den Boden. Lake rutscht im Bett höher, bis ihr Kopf auf dem Kissen liegt. Ich lege mich auf sie und greife nach der Bettdecke, um uns zuzudecken. Als sich unsere Blicke treffen, sehe ich immer noch den Schmerz in ihren Augen. Und dann bemerke ich, dass Tränen über ihr Gesicht strömen, während sie sich im Bund meiner Jeans verkrallt und sie herunterzuziehen versucht. Ich erstarre und halte ihre Hände fest.

»Nein.« Ich kann nicht zulassen, dass sie das tut. Nicht, solange sie mir nicht vertraut.

»Es tut mir leid«, keuche ich und rolle mich von ihr herunter. »Aber ich kann nicht mit dir schlafen, Lake. So nicht. Ich möchte nicht, dass es so passiert.«

Sie sagt nichts, aber ihr laufen weiter Tränen über das Gesicht. Wir liegen lange nebeneinander, ohne ein Wort zu sagen. Schließlich taste ich zögernd nach ihrer Hand, doch sie zieht sie weg und schlüpft unter der Decke hervor. Wortlos steht sie auf, hebt ihre Jeans vom Boden auf und geht ins Wohnzimmer. Ich folge ihr und sehe zu, wie sie sich anzieht. Ihr Atem geht stoßweise, als würde sie versuchen, ein Schluchzen zu unterdrücken.

»Willst du jetzt etwa gehen?«, frage ich. »Ich möchte aber nicht, dass du gehst. Ich möchte, dass du bei mir bleibst.«

Statt zu antworten, zieht sie an der Tür ihre Schuhe an. Ich gehe mit großen Schritten auf sie zu und nehme sie in die Arme.

»Lake? Du kannst doch jetzt nicht deswegen sauer auf mich sein. Bitte. Das wäre verrückt. Wenn wir jetzt miteinander schlafen, würdest du es morgen bereuen und wärst wütend auf mich. Das muss dir doch klar sein, oder?«

Sie schiebt mich von sich weg und wischt sich mit dem Handrücken über die Augen. »Mit ihr hast du geschlafen, aber mich weist du ab. Was glaubst du, wie das für mich ist? Was glaubst du, wie sich das anfühlt, dass du mit Vaughn Sex hattest, aber mit mir keinen willst? Was glaubst du, wie es sich anfühlt, abgewiesen zu werden? Ich kann's dir sagen. Es fühlt sich scheiße an. Du hast mir gerade das Gefühl gegeben, scheiße zu sein!«

»Lake!« Ich schüttle fassungslos den Kopf. »Das ist doch völlig absurd! Ich werde garantiert nicht das erste Mal mit dir schlafen, während du weinst. Was ist das für eine Idee? Wenn wir jetzt miteinander schlafen würden, würden wir uns *beide* scheiße fühlen!«

Sie reibt sich die Augen, blinzelt die Tränen zurück und starrt auf den Boden. So stehen wir uns stumm gegenüber, beide unfähig, irgendetwas zu tun. Ich habe alles gesagt, was

159

ich sagen kann. Ich habe es nicht in der Hand, ob sie mir glaubt oder nicht.

»Will?« Sie hebt so widerstrebend den Kopf, als würde es ihr wehtun, mich anzusehen. »Ich weiß nicht, ob ich das schaffe.«

Mein Herz setzt einen Moment lang aus, als ich den Ausdruck in ihren Augen sehe. Ich kenne diesen Ausdruck. Ich habe ihn schon einmal bei einem Mädchen gesehen. Gleich wird sie mit mir Schluss machen.

»Ich meine ... das mit uns«, sagt sie. »Mir geht das Bild von dir und Vaughn nicht mehr aus dem Kopf, mir geht dieser Gedanke einfach nicht mehr aus dem Kopf, obwohl ich ständig versuche, ihn wegzudrängen: Woher soll ich wissen, ob unser Leben das Leben ist, das du willst? Woher weißt *du*, ob es das Leben ist, das du willst? Du brauchst Zeit, Will. Wir brauchen beide Zeit, um über alles nachzudenken. Wir müssen alles hinterfragen, verstehst du?«

Ich antworte nicht. Ich kann nicht. Die Angst, dass alles, was ich sagen könnte, verkehrt herauskommt, lähmt mich vollständig.

Lake weint nicht mehr, sondern wirkt beinahe gefasst. »Ich gehe jetzt nach Hause und du musst mich gehen lassen. Versuch nicht, mich aufzuhalten, okay? Lass mir meinen Freiraum.«

Ihre plötzliche Nüchternheit und Entschlossenheit versetzt mir einen solchen Stich, als hätte mir jemand ein Messer mitten ins Herz gerammt. Sie dreht sich zur Tür und mir bleibt nichts anderes übrig, als sie gehen zu lassen.

Ich lasse sie einfach gehen.

Nachdem ich eine Stunde lang auf alles eingeschlagen habe, worauf sich einschlagen lässt, und jeden einzelnen Kraftausdruck gebrüllt habe, der mir eingefallen ist, gehe ich über die Straße und klopfe bei Sherry. Sie öffnet die Tür, sieht mich wortlos an, nickt und geht ins Haus. Als sie kurz darauf wiederkommt, drückt sie mir ein paar ihrer Kapseln in die Hand und sieht mich mitleidig an. Ich hasse Mitleid.

Zu Hause schlucke ich die Dinger, lege mich auf die Couch und wünsche mich weit, weit fort von allem.

»Will?«

Ich versuche, meine Lider aufzuzwängen und einzuordnen, wem die Stimme gehört. Als ich mich zur Seite drehe, fühlt sich mein Körper so schwer an, als wäre er aus Beton.

»Hey, Will, wach auf!«

Verwirrt setze ich mich auf, reibe mir die Augen und traue mich kaum, sie zu öffnen, weil ich Angst vor dem grellen Sonnenlicht habe. Als ich sie schließlich aufmache, ist es kein bisschen hell, sondern dunkel. Ich sehe mich um und erkenne Gavin, der mir gegenüber auf der Couch sitzt.

»Wie viel Uhr ist es? Welcher Tag ist heute?«, frage ich.

»Samstag, kurz nach zehn. Wieso? Wie lang hast du geschlafen?«

Ich denke über die Frage nach. Es war sicher schon nach sieben, als Lake und ich die Basagne gegessen haben, und danach war sie ungefähr noch eine Stunde hier, bis ich sie habe gehen lassen. *Bis ich sie einfach habe gehen lassen.* Ohne Gavin zu antworten, sinke ich auf die Couch zurück und versuche zu begreifen, was vor zwei Stunden passiert ist.

»Willst du darüber sprechen?«, fragt Gavin.

Ich schüttle den Kopf. Nein, will ich nicht. Will ich ganz und gar nicht.

»Eddie ist drüben bei Layken. Layken hat sie angerufen und war anscheinend ziemlich … na ja, fertig. Deswegen dachte ich, ich schau mal nach dir. Soll ich dich lieber allein lassen?«

Ich schüttle wieder den Kopf. »Im Kühlschrank ist Lasagne, falls du Hunger hast.«

»Hab ich tatsächlich«, sagt er und steht auf. Auf halbem Weg bleibt er stehen und dreht sich um. »Willst du was zu trinken?«

Ja, will ich. Will ich sogar ganz dringend. Stöhnend stemme ich mich hoch und schwanke in die Küche. Um etwas gegen die hämmernden Kopfschmerzen zu tun, presse ich mir beide Hände auf die Schläfen, aber das nützt auch nichts. Ich schiebe die Schachteln mit den Cornflakes zur Seite, um an das Regalfach dahinter zu kommen, greife nach der Flasche Tequila und einem kleinen Glas und gieße es voll.

»Ich hatte eigentlich eher an eine Cola oder so was gedacht«, sagt Gavin, der sich inzwischen ein Stück Basagne abgeschnitten hat und den Teller in die Mikrowelle stellt.

»Gute Idee.« Ich öffne den Kühlschrank, nehme die Flasche Cola raus, gieße etwas davon in ein Longdrinkglas und kippe den Inhalt des anderen Glases dazu. Nicht die beste Mischung, aber so kriege ich den Tequila wahrscheinlich besser runter.

»Äh … Will?«, sagt Gavin kopfschüttelnd. »So hab ich dich noch nie erlebt. Ist wirklich alles okay?«

Ich lege den Kopf in den Nacken, leere das Glas in einem Zug und stelle es in die Spüle, ohne auf seine Frage zu antworten. Wenn ich behaupte, dass alles okay ist, weiß er ganz genau, dass ich lüge, wenn ich sage, dass nichts okay ist, wird er mich nach dem Grund fragen.

Als er sich mit dem dampfenden Teller an die Theke setzt, setze ich mich ihm gegenüber und sehe ihm schweigend beim Essen zu.

Nach einer Weile räuspert er sich. »Eigentlich wollten Eddie und ich es dir und Layken ja bei unserem nächsten Abendessen sagen, aber … Ich schätze, daraus wird so schnell nichts, deswegen …« Statt den Satz zu beenden, schiebt sich Gavin eine Gabel voll Basagne in den Mund.

»Was denn sagen?«

Er wischt sich mit einem Blatt Küchenpapier über den Mund und seufzt. Mir fällt auf, dass er die Gabel so fest umklammert, dass seine Fingerknöchel weiß hervortreten. »Eddie ist schwanger.«

Ich muss mich verhört haben. Mein Kopf tut nach wie vor höllisch weh und der Alkohol verträgt sich offenbar nicht sonderlich gut mit Sherrys Zauberpillen – jedenfalls sehe ich plötzlich zwei Gavins.

»Schwanger? Wie schwanger?«

»Sehr schwanger«, sagt er trocken.

»Scheiße.« Ich stehe auf, greife nach dem Tequila und gieße noch ein Glas ein. Gavin ist zwar noch nicht einundzwanzig, aber es gibt Momente im Leben, da braucht ein Mann einfach einen starken Drink. Ich stelle das Glas vor ihn hin und er kippt es auf Ex.

»Wie ist der Plan?«, frage ich.

Er steht auf, geht ins Wohnzimmer und lässt sich auf eines der beiden Sofas fallen, die gegenüber von den zwei anderen stehen. Seit wann habe ich vier Sofas?

Ich greife mit einer Hand nach der Flasche und reibe mir mit der anderen die Augen, während ich ebenfalls rübergehe. Als ich wieder klar sehe, sind nur noch die beiden Sofas da, die ich bereits kenne. Ich setze mich schnell neben Gavin, bevor ich das Gleichgewicht verliere.

»Wir haben keinen. Jedenfalls keinen gemeinsamen. Eddie will es behalten, aber ehrlich gesagt macht mir der Gedanke eine Scheißangst. Ich meine … Eddie und ich sind gerade mal neunzehn! Wir sind doch auf so was überhaupt nicht vorbereitet.«

Leider weiß ich ganz genau, wie es sich anfühlt, völlig unvorbereitet mit neunzehn Vater zu werden.

»Und du, was willst du?«, frage ich.

8.

Sonntag, 22. Januar

Zumindest glaub ich, dass heute Sonntag ist. Oder noch Samstag?
Keine Ahnung. Keine verdammte Scheißahnung.
Lake … Lake, Lake, Lake, Lake. Ich will mich in den See stürzen
und dann brauch ich noch 'nen Drink. Verdammt, ich liebe dich.
Ich brauch dringend noch einen Tequila … Nein, jemanden, der
mich in den Arsch tritt. Ich liebe dich und es tut mir verdammt
leid. Ich hab keinen Durst. Oder … anders: Ich hab keinen Hun-
ger, nur Durst. Aber einen Hamburger trink ich nie mehr. Nie, nie
mehr! Scheiße, ich liebe dich so.

Eddie ist schwanger. Gavin hat Angst. Ich habe Lake gehen
lassen. Das ist alles, was ich von gestern noch weiß.

Die Sonne scheint so grell wie noch nie. Ich werfe die Decke von mir und tappe Richtung Bad. Als ich die Tür öffnen
will, ist sie abgeschlossen. Wie kann das sein? Ich klopfe, was
sich total bescheuert anfühlt, wenn man sich ziemlich sicher
ist, dass man der einzige Mensch im Haus ist.

»Sekunde!«, höre ich eine männliche Stimme rufen, die ich nicht erkenne. Gavin ist es jedenfalls nicht. Wer zum Teufel ist es dann? Als ich ins Wohnzimmer gehe, sehe ich eine Decke und ein Kissen auf der Couch liegen. Neben der Tür stehen Männerschuhe und daneben eine Reisetasche. Als ich höre, wie die Badezimmertür aufgeht, drehe ich mich hastig um.

»Reece!«

»Morgen«, brummt er.

»Was machst du denn hier?«, frage ich.

Er sieht mich verwundert an, geht durchs Zimmer und setzt sich auf die Couch. »Soll das ein Witz sein?«, fragt er zurück.

Warum sollte das ein Witz sein? Ich habe ihn seit über einem Jahr nicht mehr gesehen.

»Nein. Was machst du hier? Wie bist du reingekommen?«

Er schüttelt den Kopf. »Will? Heißt das, du … Kannst du dich an irgendwas von gestern Nacht erinnern?«

Ich setze mich ihm gegenüber und versuche zu rekonstruieren, was gestern war. Eddie ist schwanger. Gavin hat Angst. Ich habe Lake gehen lassen. Das ist alles, was ich noch weiß. Reece sieht mir offenbar an, dass er mich aufklären muss.

»Ich bin seit Freitag wieder in der Stadt, und gestern Abend hab ich mich tierisch mit meiner Mutter gestritten, woraufhin sie mich rausgeschmissen hat. Ich bin zu dir und hab dich gefragt, ob ich hier schlafen könnte. Du hast gesagt, dass das kein Problem wäre und dass ich gerne bleiben könnte. Erinnerst du dich echt nicht?«

Ich schüttle den Kopf. »Tut mir leid, Reece. Nein. Wirklich nicht.«

Er lacht. »Alter! Wie viel hast du denn gebechert?«

Ich denke an die Kapseln, die Sherry mir gegeben hat. »Ich glaub, das war nicht bloß der Alkohol.«

Reece sieht sich unbehaglich um und steht auf. »Ist es dir lieber, wenn ich wieder gehe?«

»Nein. Kein Problem. Du kannst gerne bleiben, ehrlich. Ich kann mich einfach nur an überhaupt nichts mehr erinnern. Wow, ich hatte noch nie einen Filmriss.«

»Du warst jedenfalls ziemlich schräg drauf, als ich gestern hier ankam. Hast andauernd irgendwas von Sternen gefaselt und von einem See, aber du hast nicht gesagt, welcher. *Lake* irgendwas … keine Ahnung. Du bist doch nicht auf Drogen, oder?«

Ich lache. »Nein, keine Sorge. Ich hatte nur ein ziemlich beschissenes Wochenende. Extrem beschissen, um genau zu sein. Und, nein, ich habe keine Lust, darüber zu reden.«

»Okay. Um noch mal auf das zurückzukommen, was du gestern gesagt hast … Also, du hast mir mehr oder weniger angeboten, eine Weile hier zu wohnen. Für ein oder zwei Monate. Klingelt da was bei dir?« Reece sieht mich mit hochgezogenen Augenbrauen an und wartet auf meine Reaktion.

Ich weiß schon, warum ich so ungern trinke. Das endet nämlich immer damit, dass ich Leuten irgendwelche Sachen verspreche, die ich im ausgenüchterten Zustand dann bereue. Andererseits fällt mir kein Grund ein, warum er nicht hier wohnen sollte. Wir haben ein Gästezimmer und Reece

167

und ich sind praktisch miteinander aufgewachsen. Während unserer Schulzeit war er ständig bei uns. Und obwohl ich ihn, seit er zur Army gegangen ist, kaum noch gesehen habe, betrachte ich ihn immer noch als meinen ältesten und damit besten Freund.

»Du kannst bleiben, so lange du willst«, sage ich. »Aber erwarte nicht, dass du mit mir viel Spaß haben wirst. Ich hatte keine besonders gute Woche.«

»Ja, das hast du schon erwähnt.« Reece greift nach seiner Reisetasche. »Dann bring ich mal meine Sachen ins Gästezimmer.«

Ich schiebe den Vorhang ein Stück zur Seite, sehe über die Straße und stelle fest, dass Lakes Wagen nicht in der Einfahrt steht. Wo kann sie hingefahren sein? Sonntage stehen bei ihr traditionell unter dem Motto »Filme und Fresskram«, da fährt sie normalerweise nirgendwohin. Ich schaue immer noch aus dem Fenster, als Reece ins Wohnzimmer zurückkommt.

»In deinem Kühlschrank herrscht ziemliche Ebbe«, meint er. »Wie wär's, wenn ich schnell einkaufen fahre und uns danach was koche? Irgendwelche besonderen Wünsche?«

Ich schüttle den Kopf. »Ich hab keinen Hunger«, sage ich. »Hol einfach irgendwas. Ich fahre später sowieso noch mal zum Supermarkt, um Vorräte zu kaufen, weil Caulder morgen wiederkommt.«

»Ach ja, Caulder. Wo ist der Kleine denn?«

»In Detroit, bei unseren Großeltern.«

Reece nickt, zieht seine Schuhe und seine Jacke an und geht zur Tür. »Bis später.«

Als ich in die Küche gehe, um mir einen Kaffee zu machen, sehe ich, dass bereits eine volle Kanne in der Maschine steht. Cool. So ein Mitbewohner hat definitiv auch seine Vorteile.

In dem Moment, in dem ich aus der Dusche steige, höre ich, wie die Haustür aufgeht. Wahrscheinlich ist es Reece, der wieder zurückgekommen ist. Weil ich aber die schwache Hoffnung habe, dass es Lake sein könnte, ziehe ich schnell meine Jeans an und stürzte in den Flur hinaus. Es ist tatsächlich Lake, die sich die Vase geholt hat und gerade damit zur Tür will. Als sie mich sieht, bleibt sie erschrocken stehen.

»Hey!« Ich laufe ins Wohnzimmer. »Ich hab dir gesagt, dass ich nicht will, dass du die Vase mit zu dir rübernimmst. Zwing mich nicht, sie vor dir zu verstecken!«

Sie versucht, sich an mir vorbeizuschieben, aber ich strecke beide Arme zur Seite und versperre ihr den Weg.

»Du hast überhaupt kein Recht, sie bei dir zu behalten, Will!«, zischt sie. »Das ist doch bloß eine Ausrede, damit ich zu dir rüberkommen muss, um mir einen Stern zu holen.«

Natürlich ist das vollkommen richtig ... aber das heißt nicht, dass ich es zugeben werde. »Nein. Ich will, dass sie hierbleibt, weil ich dir nicht traue«, behaupte ich. »Wenn sie bei dir steht, machst du wahrscheinlich innerhalb von ein paar Tagen alle Sterne auf.«

Lake wirft mir einen wütenden Blick zu. »Vertrauen ist ein sehr gutes Stichwort. Kann es sein, dass du versuchst, Moms Geschenk zu manipulieren, und gefälschte Sterne in die Vase schmuggelst, um mich milde zu stimmen?«

Ich muss lachen und danke Julia im Stillen für ihre Weisheit. Anscheinend stehen in den Sternen genau die richtigen Sachen. »Vielleicht solltest du auf das hören, was deine Mutter dir rät, Lake.«

Sie schnaubt nur und will sich wieder an mir vorbeidrängen, aber ich greife gleichzeitig nach der Vase und versuche, sie ihr wegzunehmen. Sie reißt sie so ruckartig zurück, dass sie uns beiden aus den Händen gleitet und zu Boden fällt. Zum Glück zerbricht sie auf dem flauschigen Teppich nicht, dafür ergießt sich der Großteil der Sterne zu unseren Füßen. Lake kniet sich hin, schiebt sie hektisch zusammen und schaut sich nach der Vase um, die aber so weit weggerollt ist, dass sie nicht so schnell drankommt. Ich sehe ihrer ratlosen Miene an, dass sie nicht weiß, wo sie die Sterne verstauen soll, weil sie eine Jogginghose trägt, die keine Taschen hat. Aber dann kommt ihr eine Idee und sie stopft sie sich in ihr eng anliegendes T-Shirt. Ich kann nicht umhin, ihre Entschlossenheit zu bewundern.

»Hör auf damit, Lake!«, sage ich, gehe neben ihr in die Hocke und halte ihre Hände fest. »Das ist doch lächerlich. Du benimmst dich wie eine Zehnjährige.« Ich angle nach der Vase, stelle sie hin und werfe die übrigen Sterne so schnell hinein, wie Lake sie in ihr Shirt schiebt. Als keine mehr auf dem Boden liegen, tue ich das Einzige, was ich noch tun kann: Ich fasse in ihren Ausschnitt.

»Hey!« Lake schlägt nach mir und kriecht rückwärts.

Ich will sie an den Schultern festhalten, erwische aber nur ihr Shirt, das ich ihr dadurch, dass sie hektisch weiter rückwärtsrobbt, unabsichtlich mit einem Ruck über den Kopf ziehe. »Oh!«

Alle Sterne liegen wieder am Boden verstreut. Lake, nur noch im BH, schreit kurz auf, sammelt dann aber hastig so viele Sterne auf, wie sie kann, drückt sie sich an die Brust und will damit zur Haustür flüchten.

»Bleib hier!« Ich springe auf. »Du rennst auf gar keinen Fall halb nackt auf die Straße!«

»Und ob ich das tun werde!«, faucht sie.

»Nein, wirst du nicht!« Ich schlinge die Arme um ihre Taille, hebe sie hoch und trage sie zur Couch, obwohl sie heftig mit den Beinen strampelt. In dem Moment, in dem ich sie absetzen will, geht die Tür auf. Aus dem Augenwinkel sehe ich Reece, der mit ein paar Tüten im Arm ins Haus tritt und erstaunt stehen bleibt.

Lake bekommt entweder nicht mit, dass wir inzwischen Publikum haben, oder es ist ihr egal. Jedenfalls beschimpft sie mich weiter wie eine Furie und versucht, sich von mir loszureißen. Ich kann in dem Moment nur daran denken, dass sie obenrum praktisch nichts anhat, gehe mit ihr um die Couch herum und setze sie dahinter auf den Boden.

»Hey, was soll das?« Lake steht sofort wieder auf und versucht, sich an mir vorbeizudrängen, als sie plötzlich Reece in der Tür stehen sieht. »Wer zum Teufel bist du?«, brüllt sie.

»Ich … ich bin Reece«, antwortet er verdattert. »Und ich … äh … ich wohne hier.«

Lake scheint erst in diesem Moment aufzufallen, dass sie im BH dasteht, jedenfalls wird sie knallrot und verschränkt verlegen die Arme vor den Brüsten. Ich nutze die kurze Kampfpause, bücke mich nach den zu Boden gefallenen Sternen, gehe zur Vase und lege sie hinein. Bei der Gelegenheit hebe ich auch gleich ihr Shirt auf und werfe es ihr zu. »Hier. Vielleicht solltest du das besser wieder anziehen.«

»Da hast du sie, du Arschloch!« Lake schleudert mir die restlichen Sterne, die sie noch in der Hand gehalten hat, vor die Füße. »Obwohl es meine verdammten Sterne sind und du kein Recht hast, sie zu behalten.« Sie zieht sich das Shirt über den Kopf. »Schön für dich, dass du dir so schnell einen Mitbewohner zugelegt hast, damit du nicht so allein bist.«

Reece sieht sie immer noch mit großen Augen an. Lake läuft zur Tür und sammelt auf dem Weg dorthin hastig ein paar der am Boden herumliegenden Sterne auf.

Reece tritt erschrocken zur Seite, als sie an ihm vorbei nach draußen stürmt. Wir sehen zu, wie sie über die Straße läuft und zweimal stehen bleibt, um heruntergefallene Sterne aus dem Schnee zu klauben. Nachdem sie die Haustür hinter sich zugeschmettert hat, dreht Reece sich zu mir um.

»Wow, die Kleine hat Power«, sagt er anerkennend. »Und sie ist verdammt süß.«

»Und sie gehört *mir*«, antworte ich.

Während Reece uns Mittagessen kocht, krieche ich auf dem Wohnzimmerteppich herum und sammle die Sterne auf, die überall herumliegen. Ich beschließe, die Vase nicht mehr ins Regal zurückzustellen, sondern sie in einem der Küchenschränke zu verstecken. Wenn sie nicht offen herumsteht, muss Lake das nächste Mal, wenn sie sich einen Stern holen will, notgedrungen mit mir sprechen.

»Was sind das überhaupt für Sterne?«, fragt Reece.

»Die sind von ihrer Mutter«, antworte ich. »Lange Geschichte.«

Nach kurzer Überlegung schiebe ich die Cornflakesschachteln auf dem Kühlschrank zur Seite und stelle die Vase hinter die Tequilaflasche. Perfekt. Auf dieses Versteck wird sie so schnell nicht kommen.

»Und das Mädel ist deine Freundin?«

Tja, was soll ich darauf antworten? Im Augenblick weiß ich nicht, wie man unser Verhältnis beschreiben sollte. »Ja«, sage ich trotzdem.

Reece zieht die Brauen hoch. »Sah aber nicht so aus, als würde sie dich besonders mögen.«

»Stimmt, zurzeit mag sie mich nicht besonders, aber eigentlich liebt sie mich.«

Er lacht. »Und wie heißt sie?«

»Layken. Aber ich nenne sie Lake«, antworte ich und gieße mir eine Cola ein. Diesmal ohne Tequila.

»Okay«, sagt Reece. »Jetzt ist mir auch klar, von welchem See du gestern gesprochen hast.« Er löffelt Tomatensoße über die Nudeln, die er uns gekocht hat, und wir setzen uns zum Essen an den Tisch.

»Was hast du verbrochen, dass sie so sauer auf dich ist?«

Ich lege seufzend die Gabel neben den Teller. Eigentlich kann ich ihm jetzt auch gleich alles erzählen, was im letzten Jahr passiert ist. Von dem Tag an, an dem Reece und ich als Zehnjährige in eine Klasse gekommen sind, waren wir beste Freunde, auch wenn der Kontakt in den letzten Jahren eher lose war. Also erzähle ich es ihm. Die ganze Geschichte. Angefangen bei dem Tag, an dem ich Lake kennengelernt habe, über unsere Begegnung in der Schule und den Streit wegen Vaughn bis hin zu gestern Abend. Als ich fertig bin, isst er seinen zweiten Teller Nudeln, während ich meine Portion praktisch noch nicht angerührt habe.

»Und wie ist das mit Vaughn und dir?«, fragt er und spießt mit der Gabel eine Nudel auf. »Willst du wirklich nichts mehr von ihr?«

Ich bin ein bisschen überrascht. Von all dem, was ich ihm gerade erzählt habe, interessiert er sich ausgerechnet dafür? Ich lache. »Nein, ganz bestimmt nicht. Das mit Vaughn ist aus und vorbei.«

Er lehnt sich zurück. »Okay, dann … also, ich hätte kein Problem damit, wenn du das irgendwie uncool fändest, Will, aber … hättest du was dagegen, wenn ich sie fragen würde, ob wir uns mal treffen können? Sag es mir ruhig, wenn du das scheiße findest, dann lass ich es.«

Ich hätte es mir denken können; Reece hat sich kein bisschen verändert. Das einzige Detail meiner Erzählung, das bei ihm hängen geblieben ist, ist die Tatsache, dass da draußen ein Mädchen herumläuft, das verfügbar ist.

»Es ist mir scheißegal, was du mit Vaughn machst. Ehrlich, Reece. Hauptsache, du bringst sie nicht hierher. Das ist die einzige Bedingung, die ich stelle. Ich möchte sie in diesem Haus nicht sehen, okay?«

Er grinst. »Damit kann ich leben.«

Nach dem Essen beginne ich, mich auf die Klausur am Mittwoch vorzubereiten. Als Erstes schreibe ich die kopierten Unterlagen ab, die Vaughn mir dagelassen hat, und stopfe sie anschließend in den Müll. Ich bekomme schon Aggressionen, wenn ich nur ihre Handschrift sehe.

Meine Spionagegänge zum Fenster habe ich auf einen pro Stunde reduziert. Ich will nicht, dass Reece mich für einen Stalker hält, deswegen werfe ich nur dann einen schnellen Blick über die Straße, wenn er gerade nicht im Raum ist. Lakes Wagen steht inzwischen wieder in der Einfahrt.

Ich sitze immer noch lernend in der Küche am Tisch und mein neuer Mitbewohner schaut drüben im Wohnzimmer Fernsehen, als Kiersten reinkommt – natürlich ohne vorher anzuklopfen.

»Ach du Scheiße, wer bist du denn?«, fragt sie, als sie Reece auf dem Sofa sitzen sieht.

»Sag mir erst mal, wer du bist«, gibt er zurück. »Außerdem: Bist du überhaupt schon alt genug, um Scheiße sagen zu dürfen?«

Sie verdreht die Augen, kommt in die Küche, setzt sich mir gegenüber, stützt die Ellbogen auf und sieht mich schweigend an.

»Warst du heute bei Lake?«, frage ich schließlich, ohne von meinen Notizen aufzusehen.

»Ja.«

»Und?«

»Sie guckt einen Film nach dem anderen und stopft Süßigkeiten und Chips in sich rein.«

»Hat sie irgendwas über mich gesagt?«

Kiersten verschränkt die Arme und beugt sich über die Tischplatte.

»Okay, Will, wenn ich dir helfen soll, sie zurückzuerobern,

wäre jetzt ein guter Zeitpunkt, um über die Bezahlung zu sprechen.«

Ich schiebe meine Unterlagen weg und sehe sie an. »Würdest du mir denn helfen?«

»Würdest du mich denn bezahlen?«

»Ich denke, wir könnten uns einigen«, sage ich. »Natürlich würde ich dir kein Geld geben, aber ich könnte dich zum Beispiel bei deiner Hausarbeit über Slam Poetry unterstützen.«

Sie lehnt sich zurück und zieht eine Augenbraue hoch. »Ich höre.«

»Na ja, ich bin schon ziemlich lange in der Szene aktiv. Ich könnte dir also jede Menge Hintergrundwissen liefern und dir Texte von mir geben, damit du Anschauungsmaterial hast.«

Ich sehe förmlich, wie es in ihrem Gehirn anfängt zu rattern. »Gut«, sagt sie schließlich. »Also: Ich will, dass du mich donnerstags zum Slam mitnimmst. Mindestens vier Wochen lang. Bei uns an der Schule findet nämlich ein Talentwettbewerb statt und ich würde gern einen selbst geschriebenen Slam-Poetry-Text vortragen. Bis dahin brauche ich so eine Art Crashkurs.«

»Vier Wochen?«, sage ich entsetzt. »Das geht nicht. Lake und ich können uns nicht erst in vier Wochen wieder versöhnen. Noch einen ganzen Monat überlebe ich nicht.«

»Wie du willst.« Kiersten steht achselzuckend auf. »Aber dir ist schon klar, dass du ohne meine Hilfe noch ein ganzes Jahr warten kannst, bis Lake dir vielleicht mal verzeiht, oder?«

Sie macht ein paar Schritte Richtung Tür.

»Okay, okay. Du hast den Job!«, rufe ich.

Kiersten dreht sich lächelnd um und kommt zurück. »Kluge Entscheidung«, lobt sie mich. »Also gut, dann gehe ich jetzt zu ihr rüber. Soll ich irgendetwas Spezielles tun oder sagen, um sie in deinem Sinn zu beeinflussen?«

Ich überlege fieberhaft, wie ich Lakes Vertrauen zurückgewinnen könnte. Wie kann ich ihr klarmachen, dass ich sie – und nur sie – liebe? Was könnte Kiersten tun, um mir zu helfen? Plötzlich kommt mir eine Idee.

»Ich hab's!«, rufe ich und springe auf. »Du bittest *sie*, dich zu den Slams mitzunehmen. Sag ihr, du hättest mich gerade gefragt, aber ich hätte gesagt, dass ich in meinem ganzen Leben nie mehr einen Fuß in den Club Nine setzen würde. Wenn sie nicht will, musst du sie notfalls anbetteln. Es gibt nur eine Möglichkeit, wie ich sie dazu bringen kann, mir zu glauben, dass ich sie liebe: Ich muss vor ihr auf dieser Bühne stehen und es ihr zeigen.«

Kiersten grinst. »Ein höchst raffinierter Plan. Ich bin begeistert«, sagt sie und geht zur Tür raus.

»Verflucht, wer war das?«, fragt Reece von drüben.

»Meine neue beste Freundin.«

Abgesehen von unserer kleinen ›Krieg-der-Sterne‹-Einlage habe ich Lake heute vollkommen in Ruhe gelassen, worauf ich ziemlich stolz bin. Kiersten ist vorhin noch mal vorbeigekommen und hat mir triumphierend berichtet, dass sie Lake tatsächlich dazu gebracht hat, sie nächsten Donnerstag zum Slam mitzunehmen. Allerdings hätte sie dazu ihre ganze

Überredungskunst aufwenden müssen. Zur Belohnung habe ich ihr ein paar Tipps zum Schreiben von Slam Poetry und einen Text von mir gegeben, den ich für den Einstieg ganz geeignet finde.

Mittlerweile ist es fast elf. Ich war schon im Bad und hatte eigentlich vor, mich ins Bett zu legen, habe es dann aber doch nicht getan. Vermutlich würde ich nicht schlafen können, ohne wenigstens versucht zu haben, noch einmal mit Lake zu sprechen. Ich bin hin und her gerissen. Was ist besser? Soll ich mich von ihr fernhalten und ihr die Zeit geben, die sie verlangt hat, oder doch immer wieder versuchen, an sie heranzukommen, damit sie spürt, wie wichtig sie mir ist?

Als mir klar wird, dass meine Grübeleien ohne Ergebnis bleiben werden, beschließe ich, dass jetzt eine dieser »Sternstunden« gekommen ist, in der ich dringend einen Rat brauche. Ich habe zwar zu Lake gesagt, dass wir sie nicht vergeuden dürfen, aber das ist ein echter Notfall.

Als ich in die Küche komme, steht Lake auf Zehenspitzen vor einem der geöffneten Schränke und späht hinein. Sie muss sich ins Haus geschlichen haben, während ich im Bad war. Als sie mich bemerkt, zuckt sie zusammen und sieht mich schuldbewusst an, aber ich gehe seelenruhig an ihr vorbei, räume die Cornflakespackungen zur Seite und ziehe die Vase aus dem Fach dahinter. Ich stelle sie auf die Theke, nehme mir einen Stern und schiebe sie ihr dann wortlos hin, worauf sie sich ebenfalls einen herausnimmt. Wir falten unsere Sterne auf und lesen still für uns, was Julia auf die Papierstreifen geschrieben hat. Auf meinem steht:

Pass dich dem Schritt der Natur an. Ihr Geheimnis heißt Geduld.
– Ralph Waldo Emerson

Ja, das ist vielleicht wirklich das Klügste … ich werde mich in Geduld üben. Statt Lake an mich zu ziehen, sie zu umarmen, zu küssen und alles zu versuchen, um sie meine Liebe spüren zu lassen, sehe ich nur stumm zu, wie sie ihren Stern liest. Sie runzelt die Stirn, knüllt ihn zusammen, wirft ihn auf die Theke und geht, ohne ein Wort zu sagen oder mich auch nur eines Blickes zu würdigen. Und ich lasse sie gehen. Wieder einmal. Als sie weg ist, greife ich nach dem Papierstreifen und streiche ihn glatt.

So if you could find it in your heart to give a man a second start,
I promise things won't end the same.
– The Avett Brothers

Ich hätte es nicht besser in Worte fassen können, wenn ich es selbst geschrieben hätte.

»Danke, Julia«, flüstere ich, und hoffe, dass Lake mir eine zweite Chance geben wird.

9.

Montag, 23. Januar

Ich gebe nicht auf,
du gibst nicht nach.
Wenn wir nicht aufpassen,
wird aus der Schlacht
ein Krieg.

Ich weiß, dass Lake mich gerade nicht besonders mag, aber ich weiß auch, dass sie mich nicht hasst. Trotz Julias Rat, mich in Geduld zu üben, nagen Zweifel an mir, ob es richtig ist, untätig zu bleiben. Einerseits möchte ich Lakes Wunsch nach Freiraum natürlich respektieren und sie nicht bedrängen, andererseits habe ich Angst, dass ihr dieser Freiraum dann womöglich zu gut gefällt. Ehrlich gesagt macht mir dieser Gedanke sogar höllische Angst. Vielleicht sogar so viel, dass ich es nicht schaffen werde, mich zurückzuhalten. Verdammt, wenn ich doch wüsste, wo die Grenze zwischen nachvollziehbarer Verzweiflung und rücksichtslosem

Drängen liegt. Ich will ihr ja nicht die Luft zum Atmen nehmen.

Reece sitzt mit einem Kaffeebecher in der Hand an der Küchentheke, als ich morgens hereinkomme. Wir haben uns nicht viel gesehen oder unterhalten, seit er da ist, aber allein die Tatsache, dass er immer für frischen Kaffee sorgt, wäre fast schon ausreichend, um ihn hier wohnen zu lassen.

»Morgen«, begrüßt er mich. »Wie sind deine Pläne für den Tag?«

»Ich muss später nach Detroit, um die Jungs abzuholen. Willst du mit?«

Er schüttelt den Kopf. »Geht nicht«, sagt er und wirkt irgendwie nervös. »Ich hab schon was vor.« Er steht auf, geht zur Spüle und lässt Wasser in den Becher laufen.

Ich lache, nehme mir selbst einen Becher aus dem Schrank und gieße mir Kaffee ein. »Hey, du musst dir meinetwegen keine Gedanken machen. Ich hab dir doch gesagt, dass das von mir aus völlig okay ist.«

Reece stellt seinen Becher auf das Abtropfgitter und dreht sich zu mir um. »Ich hab trotzdem ein komisches Gefühl dabei. Ich will nicht, dass du denkst, ich … ich wäre scharf auf sie gewesen, als ihr beide noch zusammen wart oder so was. So war das nicht.«

»Hör bitte auf, dir deswegen einen Kopf zu machen, Reece. Das ist echt unnötig. Ich hab nämlich kein bisschen ein komisches Gefühl dabei. Komisch ist höchstens, dass sie vor ein paar Tagen noch behauptet hat, dass sie mit mir zusammen sein will, und sich jetzt plötzlich mit dir trifft. Stört dich das nicht?«

»Ach, weißt du, Will.« Reece nimmt seinen Geldbeutel und den Autoschlüssel von der Theke und dreht sich noch mal zu mir um, bevor er zur Haustür schlendert. »Da mach ich mir keine Sorgen.« Er grinst. »Wenn Vaughn mit mir zusammen ist, wirst du das Letzte sein, woran sie denkt.«

Selbstzweifel sind noch nie sein Problem gewesen.

»Bis später!« Reece nimmt seine Jacke vom Haken und geht hinaus. In dem Moment, in dem die Tür ins Schloss gefallen ist, vibriert mein Handy. Ich ziehe es aus der Tasche und mein Herz macht einen Sprung. Es ist eine SMS von Lake.

wann bist du mit den jungs wieder zu hause? ich muss nachher ein buch abholen, das ich bestellt habe, und bin nicht den ganzen tag da.

Unpersönlicher geht es kaum. Ich lese die beiden Sätze noch ein paarmal und suche nach einer versteckten Bedeutung, komme aber zu dem Schluss, dass sie nicht mehr sagen wollte als das, was darin steht.

Wo hast du das Buch denn bestellt? In Detroit?

Es gibt dort eine große Universitätsbuchhandlung. Ich habe zwar wenig Hoffnung, aber vielleicht kann ich sie dazu überreden, mit mir zu fahren. Einen Versuch ist es jedenfalls wert.

ja. wann kann ich mit kel rechnen?

Ich hasse diese ultraknappen Sätze. Es gibt einfach kein Rankommen.

Ich hole sie nachmittags ab. Komm doch mit. Dann kann ich bei der Buchhandlung kurz anhalten. Ist doch Quatsch, mit zwei Autos zu fahren.

Die Fahrt ist so lang, dass ich noch mal in Ruhe mit ihr über alles reden könnte.

sorry, aber das halte ich für keine gute idee.

Warum ist sie bloß so verdammt stur? Statt zu antworten, werfe ich das Handy frustriert auf die Couch. Dann gehe ich zum Fenster, schiebe den Vorhang zur Seite und starre zu ihrem Haus rüber. Ich fühle mich elend. Es macht mich fertig, dass ihr Bedürfnis, allein zu sein, offenbar stärker ist als ihr Bedürfnis, mit mir zusammen zu sein. Sie *muss* mit mir nach Detroit fahren.

Ich schäme mich zwar für das, was ich gleich tun werde, aber ich kann nicht anders. Während ich über die Straße husche, lasse ich das Wohnzimmerfenster nicht aus den Augen, um sicherzugehen, dass Lake nicht zufälligerweise gerade rausschaut. Sie würde total ausflippen, wenn sie mitkriegen würde, was ich vorhabe. Ich gehe zu ihrem Jeep, der in der Einfahrt steht, öffne die Fahrertür und drücke auf den Knopf, um die Motorhaube zu entriegeln. Jetzt muss ich mich beeilen. Zum Glück genügt es, eines der Kabel abzuziehen, die zur Batterie führen. Lake kennt sich so wenig mit Motoren aus, dass sie niemals darauf kommen wird, warum ihr Wagen nicht anspringt. So leise ich kann, lasse ich die Motorhaube wieder einrasten und renne über die Straße zu mir zurück. Als ich die Haustür hinter mir zudrücke, bereue ich fast, was ich getan habe. Aber nur fast.

Hinter dem Vorhang versteckt, warte ich am Fenster, bis sie aus dem Haus kommt. Ich sehe zu, wie sie erfolglos versucht, den Jeep zu starten, frustriert aufs Lenkrad schlägt und schließlich aussteigt. Auftritt Will. Ich greife nach meiner Jacke und den Autoschlüsseln, trete pfeifend aus dem Haus und tue so, als würde ich sie gar nicht bemerken, während ich zum Wagen gehe. Als ich rückwärts auf die Straße fahre, hat sie gerade die Motorhaube hochgeklappt und beugt sich über den Motor. Ich halte vor der Einfahrt an und lasse das Fenster herunter.

»Was ist los?«, frage ich. »Startet er wieder mal nicht?«

Lake richtet sich auf und schüttelt den Kopf. Ich stelle den Wagen am Straßenrand ab und steige aus, woraufhin sie wortlos zur Seite tritt und mich einen Blick unter die Haube werfen lässt. Ich rüttle an ein paar Kabeln und versuche, den Motor zu starten, der aber natürlich keinen Mucks von sich gibt.

»Hm, sieht aus, als wäre deine Batterie am Ende«, lüge ich. »Das kann bei der Kälte schon mal passieren. Wenn du willst, kann ich dir eine neue aus Detroit mitbringen. Oder … du fährst einfach mit, dann kannst du auch dein Buch abholen.« Ich lächle. *Bitte geh darauf ein, Lake.*

Sie sieht zum Haus, dann zu mir und wieder zum Haus. »Nein. Ich frage Eddie, ob sie mich fahren kann. Ich glaube, sie hat heute noch nichts vor.«

Wie bitte? Dieser Satz steht nicht in meinem Drehbuch.

Bleib cool, Will.

»Das ist bloß ein unverbindliches Angebot. Wir müssen beide nach Detroit. Es ist doch lächerlich, extra Eddie anzurufen, nur weil du im Moment nicht mit mir reden willst«, sage ich mit meiner vernünftig-autoritären Lehrerstimme, die bei ihr normalerweise immer ziemlich überzeugend wirkt.

Sie zögert.

»Von mir aus kannst du die ganze Fahrt über Kürbisse schnitzen, Lake. Ich werde dich nicht daran hindern«, sage ich und gehe zum Wagen. »Aber bitte steig jetzt ein.«

Sie wirft mir einen wütenden Blick zu, dann beugt sie sich in den Jeep, holt ihre Tasche heraus und schlägt die Tür zu. »Na gut. Aber denk bloß nicht, dass das irgendetwas zu bedeuten hat.«

Yes! Am liebsten würde ich triumphierend die Faust in die Luft rammen, aber ich reiße mich zusammen. Wir werden den ganzen Tag miteinander verbringen. Das ist genau das, was wir brauchen.

Kaum sind wir losgefahren, sucht Lake eine CD von den Avett Brothers aus meiner Sammlung, legt sie ein und dreht den Ton voll auf, um sicherzustellen, dass wir uns auf gar keinen Fall unterhalten können. Es ist ein komisches Gefühl, nach allem, was war, mit ihr zusammen in einem Auto zu sitzen, und ich brauche ein paar Kilometer, bis ich mich einigermaßen entspannt habe. Innerlich mache ich diverse Ansätze, etwas zu sagen, lasse es dann aber doch, weil ich nicht weiß, wie ich es angehen soll. Andererseits muss ich die Gelegenheit nutzen. Auf der Rückfahrt werden Kel und Caulder im Wagen sitzen und dann können wir nicht mehr reden.

Lake hat einen Fuß aufs Armaturenbrett gestemmt und

starrt aus dem Seitenfenster, um der Konfrontation mit mir aus dem Weg zu gehen, wie sie es immer tut. Irgendwann halte ich es nicht mehr aus und stelle die Musik leiser. Lake wirft mir einen Blick zu und dreht den Kopf schnell wieder weg, als sie registriert, dass ich sie ansehe.

»Schau mich nicht so an, Will. Ich hab dir gesagt, dass wir ... Zeit brauchen. Ich will jetzt nicht darüber reden.«

Ihre Dickköpfigkeit kann einen wirklich in den Wahnsinn treiben. Ich schüttle seufzend den Kopf. »Könntest du vielleicht wenigstens eine vorsichtige Schätzung darüber abgeben, wie lange du noch gedenkst, Kürbisse zu schnitzen? Ich meine ja nur ... Es wäre schön, zu wissen, wie lange ich noch leiden muss«, sage ich und gebe mir keine Mühe, meine Ungeduld zu verbergen.

Lakes Gesicht verdüstert sich, und ich bereue sofort, was ich gesagt habe.

»Ich wusste gleich, dass das keine gute Idee ist«, murmelt sie.

Ich umklammere das Lenkrad fester. Eigentlich könnte man denken, ich sollte sie mittlerweile so gut kennen, dass ich einen Weg gefunden hätte, ihren Trotz zu knacken. Aber sie schafft es immer wieder, sich mit einer absolut uneinnehmbaren Mauer zu umgeben. Ich muss mich selbst daran erinnern, dass diese Willensstärke einer der Gründe ist, warum ich mich in sie verliebt habe.

Die restliche Fahrt bis nach Detroit legen wir zurück, ohne dass einer von uns noch ein Wort sagt. Am Himmel ballen sich dunkle Wolken zusammen, die perfekt zu unserer Stimmung passen. Die Tatsache, dass keiner von uns die Musik lauter dreht, trägt auch nicht gerade zur Auflockerung der Atmosphäre bei. Und während ich überlege, ob ich nicht doch irgendetwas sagen sollte, tut sie gleichzeitig angestrengt so, als würde ich gar nicht existieren.

Als wir in Detroit angekommen sind und ich auf den Parkplatz der Buchhandlung einbiege, springt sie sofort aus dem Wagen und rennt förmlich in den Laden. Ich würde gern glauben, dass sie sich wegen des Schneefalls so beeilt, der inzwischen eingesetzt hat, aber ich weiß, dass sie vor mir flieht.

Während sie ihr Buch holt, bekomme ich eine SMS von meinem Großvater, der schreibt, dass meine Großmutter Abendessen für uns vorbereitet hat. Die Nachricht endet mit: **#Sonntagsbraten**. Ich frage mich, ob er überhaupt weiß, was für eine Funktion so ein Hashtag hat, und dass es ziemlich sinnlos ist, in einer SMS eins zu setzen.

Essen mit meinen Großeltern ist garantiert das Letzte, worauf Lake jetzt Lust hat. Trotzdem schreibe ich zurück, dass wir uns freuen und gleich bei ihnen sind.

»Wir sind zum Abendessen eingeladen«, sage ich zu Lake, als sie kurz darauf zum Wagen zurückkommt. »Aber keine Angst, wir müssen nicht lang bleiben.«

»Na toll«, stöhnt sie. »Dann lass mich aber wenigstens vorher die Batterie besorgen, damit wir das schon erledigt haben.«

Wortlos biege ich vom Parkplatz und fahre zum Haus meiner Großeltern, ohne Anstalten zu machen, irgendwo einen Zwischenstopp einlegen zu wollen.

»Äh … Will?«, sagt Lake nach einer Weile. »Du bist jetzt

an drei Tankstellen vorbeigefahren und wir sind gleich da. Wenn wir die Batterie jetzt nicht kaufen, ist es zu spät. Nachher haben die alle zu.«

»Du brauchst keine neue Batterie«, sage ich ruhig. »Deine alte ist völlig okay.« Ich schaue stur geradeaus auf die Straße, obwohl ich genau weiß, dass sie mich ansieht und auf eine Erklärung wartet.

»Wie bitte?« Ihre Stimme ist schneidend.

Ich antworte nicht sofort, sondern setze den Blinker und biege in die Straße ein, in der meine Großeltern wohnen. Erst als ich in der Einfahrt stehe und den Motor abgestellt habe, sage ich es ihr.

»Bevor du losfahren wolltest, hab ich bei deinem Jeep das Batteriekabel rausgezogen.« Ohne ihre Reaktion abzuwarten, steige ich aus dem Wagen und knalle die Tür zu. Ich weiß selbst nicht, warum. Nicht aus Wut. Ich bin nicht wütend auf sie. Es frustriert mich nur total, dass sie nach all der Zeit immer noch an meiner Liebe zweifelt und nicht einmal bereit ist, vernünftig mit mir zu reden, um die Sache aus der Welt zu schaffen.

Sie reißt die Beifahrertür auf. »Du hast *was*?«, brüllt sie, steigt aus und knallt sie ebenfalls zu. Aber bei ihr liegt das eindeutig daran, dass sie wütend ist.

Ich ziehe mir die Jacke über den Kopf, weil es inzwischen heftig schneit, und haste durch den schneidend kalten Wind zur Tür. Lake rennt mir hinterher. Ich will gerade einfach so ins Haus stürmen, als mir einfällt, wie unhöflich ich das bei anderen immer finde, weshalb ich stehen bleibe und vorher anklopfe.

»Ich habe dein Batteriekabel rausgezogen«, sage ich noch einmal, während ich warte, dass uns jemand aufmacht. »Wie hätte ich dich sonst dazu bringen sollen, mit mir nach Detroit zu fahren?«

»Toll, Will. Das ist wirklich ein sehr erwachsenes und reifes Verhalten.« Lake drückt sich in den Eingang, um sich vor dem Wind zu schützen, der ihr Schneeflocken ins Gesicht weht. Sie öffnet den Mund, als würde sie noch etwas sagen wollen, als sich von drinnen Schritte nähern. Lake rollt nur die Augen und dreht mir den Rücken zu. Meine Großmutter öffnet die Tür und tritt zur Seite, um uns hereinzulassen. »Schnell, schnell! Kommt herein. Was für ein Wetter!«, ruft sie.

»Hallo, Sara.« Lake ringt sich ein Lächeln ab, umarmt meine Großmutter zur Begrüßung und zieht ihre nasse Jacke aus.

»Hey, Grandma.« Ich küsse sie auf die Wange.

»Ihr kommt gerade rechtzeitig. Kel und Caulder decken schon den Tisch«, sagt sie. »Gott, dieser Schnee ist wirklich schlimm, ihr seid völlig durchnässt! Weißt du was, Will? Steck eure Jacken doch am besten schnell in den Trockner, dann sind sie fertig, wenn ihr wieder fahrt.«

Meine Großmutter verschwindet wieder in der Küche und ich gehe Richtung Wäschekammer, ohne Lake anzubieten, ihre Jacke mitzunehmen. Als ich höre, wie sie wütend schnaubt, mir dann aber hinterhergeht, kann ich mir ein Grinsen nicht verkneifen. Genau darauf hatte ich gehofft. Ich habe es mit Ehrlichkeit und Nettigkeit versucht und erbärmliche Tricks angewandt, aber das hat alles nichts bewirkt. Vielleicht muss ich eine härtere Gangart fahren, um etwas bei ihr zu erreichen.

Ich werfe meine Jacke in den Trockner und mache ihr Platz, damit sie ihre auch hineinstopfen kann. Lake knallt die Klappe zu, drückt auf den Einschaltknopf und dreht sich um, aber ich stelle mich ihr in den Weg. Sie funkelt mich böse an und versucht, sich an mir vorbeizudrängen, doch ich lasse sie nicht. Schließlich tritt sie einen Schritt zurück, verschränkt die Arme vor der Brust und sieht demonstrativ an mir vorbei. Mir ist vollkommen klar, dass sie vorhat, so lange stehen zu bleiben, bis ich den Weg frei mache, aber da kann sie lange warten. Ich werde sie erst rauslassen, wenn sie bereit ist, mit mir zu sprechen. Und so, wie ich sie kenne, heißt das, dass wir den ganzen Abend hier verbringen werden.

Lake zieht ungerührt das Gummi aus ihrem Pferdeschwanz, schüttelt ihre Haare und verschränkt dann die Arme wieder vor der Brust. Ich lehne mich gegen den Türrahmen, verschränke ebenfalls die Arme und warte, obwohl ich selbst nicht weiß, worauf eigentlich. Mir würde es schon reichen, wenn sie mich endlich ansehen und mit mir reden würde.

Lake schnippt einen unsichtbaren Flusen von der Schulter ihres T-Shirts. Es ist das Tour-T-Shirt der Avett Brothers, das ich ihr auf dem Konzert gekauft habe, auf dem wir vor einem Monat waren. Das war einer unserer schönsten Abende. Wir waren uns so nah und so verliebt – niemals hätte ich mir vorstellen können, dass wir uns nur vier Wochen später so unversöhnlich gegenüberstehen würden.

Nach ein paar Minuten gebe ich es schließlich auf und

mache den Anfang.»Schon interessant, dass ich mich ausgerechnet von einem Mädchen, das mich wie eine Fünfjährige mit trotzigem Schweigen bestraft, unreif nennen lassen muss.«

Sie zieht spöttisch eine Augenbraue hoch.»Ich bitte dich, Will. Du hältst mich hier in einer Wäschekammer fest. Wer von uns beiden benimmt sich wie ein Fünfjähriger?«

Sie startet einen neuen Versuch, an mir vorbeizukommen, aber ich blockiere die Tür. Als sie sich gegen mich drängt und mich wegschieben will, muss ich meine ganze Willenskraft aufwenden, um sie nicht einfach an mich zu reißen und zu küssen. Unsere Gesichter sind nur noch Zentimeter voneinander entfernt, als sie endlich aufgibt. Sie macht einen Schritt zurück und starrt auf den Boden. Verdammt, sie ist so sexy! Sie kann von mir aus an meinen Gefühlen zweifeln, aber die sexuelle Spannung, die zwischen uns knistert, kann sie unmöglich leugnen. Entschlossen lege ich den Zeigefinger unter ihr Kinn und hebe ihr Gesicht an, sodass ihr gar nichts anderes übrig bleibt, als mich anzusehen.

»Lake«, sage ich leise, aber bestimmt.»Ich bereue es nicht, das Batteriekabel rausgezogen zu haben. Ich würde gerade alles tun, nur um mit dir zusammen sein zu können. Ich vermisse dich.«

Lake wendet das Gesicht ab, aber ich nehme es in beide Hände und zwinge sie, mir in die Augen zu sehen. Sie versucht, meinem Griff zu entkommen, aber vergeblich. Als wir uns endlich anschauen, kommt es mir vor, als würde die Luft zwischen uns vibrieren. Ich sehe ihr an, dass sie mich jetzt am liebsten hassen würde, mich dazu aber zu sehr liebt. Leugnen ist zwecklos, ihr Blick spiegelt den Widerstreit ihrer Gefühle deutlich. Vermutlich ist sie hin- und hergerissen, ob sie mich jetzt ohrfeigen oder küssen soll.

Okay, dann nehme ich ihr die Entscheidung ab. Jetzt oder nie. Ich nutze den kurzen Moment der Schwäche, beuge mich zu ihr hinunter, lege leicht meinen Mund auf ihren und warte einfach ab. Sie stemmt zwar eine Hand gegen meine Brust und versucht halbherzig, mich wegzudrücken, löst ihre Lippen aber nicht von meinen. Und dann endlich schmilzt ihr Widerstand und sie erwidert meinen Kuss.

Ich greife in ihre Haare und erkunde mit meinen Lippen ihren Mund, lasse mich auf den Rhythmus ein, den sie vorgibt. Diesmal ist es ganz anders als sonst. Statt das Tempo unseres Kusses atemlos und voller Ungeduld immer weiter zu steigern, küssen wir uns unendlich langsam und halten alle paar Sekunden inne, um uns tief in die Augen zu sehen. Es kommt mir vor, als könnten wir beide nicht glauben, dass das jetzt gerade wirklich passiert. Und weil dieser Kuss vielleicht die letzte Möglichkeit ist, ihre Zweifel ein für alle Mal auszuräumen, lege ich alle meine Gefühle für sie hinein, meine ganze Liebe, meine ganze Sehnsucht. Sie muss einfach spüren, wie unfassbar viel sie mir bedeutet. Jetzt, wo ich sie endlich wieder in den Armen halte, würde ich sie am liebsten nie mehr loslassen.

Ohne unsere Umarmung zu lösen, dränge ich sie sanft ein paar Schritte zurück, bis sie am Trockner lehnt. Ich muss daran denken, dass wir schon einmal so eng umschlungen in einer Wäschekammer standen. Das war vor etwas über einem Jahr an dem Tag, nachdem Javi sie auf dem Parkplatz hinter dem Club N9NE geküsst hatte. Ich werde nie vergessen, wie ich mich gefühlt habe, als ich um die Ecke bog und sah, wie sie an seinem Wagen standen und er seinen Mund auf ihren presste. Brennende Eifersucht stieg in mir hoch und dazu ein so schmerzhaftes Gefühl tiefster Verletztheit, wie ich es noch nie zuvor gespürt hatte. Tja, und dann sah ich rot.

Ich hatte mich in meinem ganzen Leben noch nicht geprügelt, aber in diesem Moment war mir alles egal. Sogar dass Javi mein Schüler war. Ich rannte auf die beiden zu, riss ihn brutal von ihr weg, verpasste ihm einen Schlag in den Magen und hätte sicher noch weiter auf ihn eingeprügelt, wenn Gavin nicht rechtzeitig aufgetaucht wäre und mich von ihm weggezerrt hätte.

Als Lake am nächsten Vormittag im Büro des Schulleiters ihre Version der Ereignisse erzählte und ich begriff, dass Javi sie gegen ihren Willen geküsst hatte, kam ich mir vor wie der letzte Idiot. Ich hätte sie gut genug kennen müssen, um zu wissen, dass sie sich ihm niemals so an den Hals geworfen hätte. Aber damals war nicht der richtige Zeitpunkt, offen mit ihr über meine Gefühle für sie zu reden. Es war die Phase, in der ich sie noch glauben ließ, mir wäre mein Job wichtiger als sie. Ich war damals der festen Überzeugung, dass es so das Beste für alle sei. Aber am nächsten Abend in der Wäschekammer habe ich mich doch einen Moment lang von meinem Gefühlen überwältigen lassen. Und dann geriet ich so in Panik, dass ich fast das Schönste kaputt gemacht hätte, was mir im Leben je passiert ist.

Ich schiebe die Angst davor, sie wieder verlieren zu können, ganz weit weg und gebe mich der Intensität dieses Kusses hin. Als Lake ihre Hände in meinen Nacken legt und mich an sich zieht, laufen Schauer durch meinen Körper. Unsere Umarmung wird immer leidenschaftlicher, unser Kuss immer fordernder, und als sie sich schließlich leise stöhnend in meine Haare krallt, hält mich nichts mehr. Ich umfasse ihre Taille und hebe sie mit einem Ruck auf den Trockner. Dieser Kuss übertrifft alle bisher Dagewesenen. Ich lege meine Hände um ihre Hüfte und ziehe sie bis zur Kante vor, während sie die Beine um mich schlingt. Als meine Lippen den empfindlichen Punkt direkt unter ihrem Ohrläppchen berühren, keucht sie auf und klammert sich an mich.

Ein Räuspern in meinem Rücken lässt uns erstarren. Verdammt. Meine Großmutter hat mir gerade den schönsten Moment meines Lebens verdorben.

Lake lässt sich sofort vom Trockner gleiten, zieht ihr T-Shirt glatt und starrt betreten zu Boden, während ich mich zu meiner Großmutter umdrehe, die mit vor der Brust verschränkten Armen in der Tür steht.

»Es freut mich, dass ihr euch offensichtlich wieder versöhnt habt«, sagt sie kühl. »Wenn ihr hier fertig seid, dürft ihr euch gern zu uns an den Tisch setzen. Wir warten nur noch auf euch.« Ohne ein Hehl aus ihrer Missbilligung zu machen, wirbelt sie herum und geht.

Ich drehe mich wieder zu Lake um und nehme sie in die Arme. »Ich hab dich so vermisst, Baby.«

»Lass mich«, faucht sie und schiebt mich weg. »Lass mich einfach in Ruhe.«

»Wie meinst du das?«, frage ich verwirrt. »Du hast mich gerade geküsst, Lake, und …«

Sie sieht mich so wütend an, dass ich fast den Verdacht habe, sie ist sauer auf sich selbst. »Ich schätze, ich hatte einen *schwachen Moment*«, sagt sie.

Ich kenne den Satz. Das ist die lahme Ausrede, mit der ich mich damals in der Wäschekammer rauszureden versuchte, nachdem ich unseren leidenschaftlichen Kuss so jäh abgebrochen hatte. Wahrscheinlich habe ich diese Retourkutsche verdient.

»Lake, bitte hör auf, mir und dir das anzutun. Ich weiß, dass du mich liebst.«

Sie seufzt, als hätte sie erfolglos versucht, einem verstockten Kind etwas begreiflich zu machen. »Will, es geht nicht darum, ob *ich* dich liebe. Es geht darum, ob du *mich* wirklich liebst.« Sie geht ins Esszimmer und lässt mich in der Wäschekammer stehen. Genau wie damals.

Frustriert schlage ich mit der Faust gegen die Wand. Einen Moment lang dachte ich wirklich, ich wäre endlich zu ihr durchgedrungen.

Ich weiß nicht, wie lange ich das noch durchhalte. Allmählich werde ich richtig sauer.

»Der Braten ist wirklich unglaublich gut, Sara«, schwärmt Lake. »Sie müssen mir unbedingt das Rezept geben.«

Ich greife nach der Schüssel mit dem Kartoffelbrei und höre fassungslos zu, wie sie nach allem, was passiert ist, höfliche Konversation mit meiner Großmutter macht. Obwohl ich keinen Appetit habe, nehme ich mir eine zweite Portion. Ich kenne meine Großmutter. Wenn ich nicht genug Begeisterung für ihr Essen zeige, nimmt sie es persönlich. Nachdem ich mir noch etwas Kartoffelbrei genommen habe, klatsche ich Lake eine gigantische Portion davon auf den Teller – genau auf ihre Scheibe Braten. Lake betrachtet lächelnd den Berg Kartoffelbrei, unter dem ihr Fleisch begraben ist, und tut so, als wäre alles in bester Ordnung. Ich weiß nicht, ob sie diese Fröhlichkeitsnummer meinen Großeltern zuliebe durchzieht oder um Kel und Caulder nicht zu beunruhigen. Vielleicht trifft beides zu.

»Wusstest du, dass Grandpaul früher mal in einer Band gespielt hat, Layken?«, sagt Kel.

»Nein, das wusste ich nicht«, erwidert Lake und stutzt dann. »Sag mal, hast du Wills Großvater gerade Grand-*Paul* genannt?«

»Ja, das ist mein neuer Name für ihn. Den hab ich mir vorhin ausgedacht.«

»Der Name gefällt mir«, sagt mein Großvater. »Darf ich dich dafür En-*Kel* nennen?«

Kel grinst und nickt.

»Nennst du mich dann En-Caulder?«, fragt Caulder.

»Klar, En-Caulder«, sagt er.

»Wie hieß Ihre Band denn, Grandpaul?«, erkundigt sich Lake.

Es ist fast beängstigend, was für eine begnadete Schauspielerin sie ist. Das muss ich mir merken, damit ich mir in Zukunft nichts mehr von ihr vormachen lasse.

»Als ich jung war, habe ich sogar in mehreren Bands gespielt«, erzählt mein Großvater. »Aber nie ernsthaft, nur als Hobby. Ich war Gitarrist.«

»Wirklich? Das ist ja toll.« Lake legt ihren Braten frei und schneidet ein Stück davon ab. »Kel will auch unbedingt Gitarrespielen lernen. Ich überlege, ob ich ihn an einer Musikschule anmelden soll.« Sie tupft sich mit der Serviette den Mund ab und trinkt einen Schluck Wasser.

»Aber warum denn eine Musikschule?«, fragt mein Großvater erstaunt. »Das kann Will ihm doch beibringen.«

Lake sieht mich von der Seite an. »Ich wusste nicht, dass Will Gitarre spielen kann«, sagt sie in beinahe anklagendem Ton.

Wahrscheinlich habe ich es ihr gegenüber nie erwähnt. Es ist nicht so, als hätte ich irgendwelche Talente vor ihr verbergen wollen, ich habe einfach nur seit Jahren keine Gitarre mehr in der Hand gehabt. Aber sie denkt jetzt wahrscheinlich, das wäre ein weiteres Geheimnis, das ich vor ihr gehütet habe.

»Hast du ihr noch nie etwas vorgespielt?«, fragt mein Großvater überrascht.

Ich zucke mit den Achseln. »Ich habe gar keine Gitarre mehr.«

Lake sieht mich wütend an. »Das ist ja wirklich interessant, Will«, sagt sie. »Mir wird immer klarer, dass es so einiges gibt, was ich nicht über dich weiß.«

Ich erwidere ihren Blick ungerührt. »Ich glaube, da irrst du dich, Liebling. Du weißt mehr oder weniger alles über mich.«

Sie stützt die Ellbogen auf den Tisch, sieht mich mit zusammengekniffenen Augen an und schenkt mir dieses künstliche Lächeln, das ich allmählich zu hassen beginne. »Oh nein, du irrst dich, *Liebling*. Ich bin mir sicher, da gibt es noch eine ganze Menge, was ich nicht über dich weiß«, sagt sie spitz. »Schließlich wusste ich weder, dass du Gitarre spielst, noch hast du mir erzählt, dass du dir einen Mitbewohner zulegst. Dieser Reece scheint eine wichtige Rolle in deinem Leben gespielt zu haben, trotzdem hast du ihn mir gegenüber mit keinem einzigen Wort je erwähnt. Aber das trifft ja auch auf gewisse andere Leute zu, die in der letzten Zeit auf einmal wieder in deinem Leben auftauchen.«

Ich lege meine Gabel auf den Teller und wische mir mit der Serviette den Mund ab. Meine Großmutter, die überhaupt nichts von den Spannungen zwischen Lake und mir mitzubekommen scheint, sieht mich lächelnd an und wartet offenbar auf eine Reaktion. Okay. Du hast es nicht anders gewollt, Lake.

Ich schlinge einen Arm um ihre Taille, ziehe sie an mich und küsse sie auf die Schläfe. »Du hast völlig recht, *Layken*«, sage ich mit honigsüßer Stimme, obwohl ich genau weiß, wie wütend es sie macht, wenn ich sie mit ihrem vollen Vornamen anspreche. »Ich habe tatsächlich vergessen, dir von ein paar Menschen aus meiner Vergangenheit zu erzählen. Das bedaure ich außerordentlich. Ich schätze, das bedeutet, dass wir in Zukunft viel mehr Zeit miteinander verbringen müssen, um uns wirklich gründlich kennenzulernen.« Ich zwicke sie liebevoll ins Kinn und lächle, als sie mich anfunkelt.

»Echt? Ist Reece wieder da? Und er wohnt jetzt bei uns?«, fragt Caulder begeistert.

Ich nicke. »Aber nur für ein, zwei Monate.«

»Warum wohnt er nicht bei seiner Mutter?«, erkundigt sich meine Großmutter.

»Sie hat wieder geheiratet, während er im Ausland stationiert war, und er kommt mit ihrem neuen Mann nicht klar. Deswegen sucht er jetzt etwas Eigenes.«

Lake versucht unauffällig, meinen Arm wegzuschieben, aber ich rücke mit meinem Stuhl näher an sie heran und ziehe sie noch enger an mich. »Lake hat großen Eindruck bei ihm hinterlassen, als die beiden sich kennengelernt haben«, sage ich. »Stimmt's, Baby?«

Sie rammt mir den Absatz ihres Stiefels in den Fuß und strahlt. »Stimmt«, sagt sie. Dann rutscht sie mit ihrem Stuhl zurück und steht auf. »Entschuldigt mich bitte einen Moment.« Sie legt ihre Serviette neben den Teller und geht Richtung Toilette.

Den Mienen der anderen nach zu urteilen, hat keiner am Tisch mitbekommen, dass zwischen uns etwas nicht stimmt.

»Ihr zwei scheint euch ja wieder zusammengerauft zu haben«, bemerkt mein Großvater, nachdem sie gegangen ist. »Das freut mich für euch.«

»Ja, läuft alles super«, lüge ich und schiebe mir eine Gabel voll Kartoffelbrei in den Mund.

Lake bleibt sehr lange weg. Als sie sich schließlich wieder neben mich setzt, beteiligt sie sich kaum mehr am Gespräch. Kel, Caulder und mein Großvater unterhalten sich angeregt über Videospiele, während Lake und ich schweigend zu Ende essen.

»Will, hilfst du mir in der Küche?«, fragt meine Großmutter, als wir fertig sind.

Ich sehe sie erstaunt an, greife dann aber nach Lakes und meinem Teller, stehe auf und folge ihr. Meine Großmutter hat mich noch nie um Hilfe in der Küche gebeten. Entweder will sie, dass ich eine kaputte Glühbirne ersetze, oder ich bekomme nach der Szene in der Wäschekammer eine Standpauke.

»Also, was ist los?«, fragt sie, während ich Essensreste von den Tellern kratze und sie dann in die Spülmaschine räume.

»Was meinst du?«, frage ich und stelle mich ahnungslos.

Sie wischt sich die Hände an einem Küchentuch ab und lehnt sich gegen die Theke. »Layken ist gerade nicht sehr glücklich mit dir, Will. Ich bin vielleicht alt und habe nicht viel Ahnung von neumodischen technischen Spielereien, aber ich erkenne Spannungen in einer Beziehung, wenn ich sie sehe. Willst du darüber sprechen?«

Sie ist eine weitaus bessere Beobachterin, als ich geglaubt hatte. »Kann vielleicht wirklich nicht schaden«, sage ich und sehe sie an. »Du hast recht, sie ist ziemlich sauer auf mich. Seit Vaughn am Freitag bei mir aufgetaucht ist, zweifelt sie an mir und redet sich ein, ich wäre nur deswegen mit ihr zusammen, weil ich Mitleid mit ihr und Kel hätte.«

»Und warum *bist* du mit ihr zusammen?«, fragt meine Großmutter.

»Weil ich sie liebe«, sage ich.

»Dann schlage ich vor, dass du ihr das zeigst.« Sie greift nach einem Lappen und wischt über die Arbeitsfläche.

»Das habe ich. Ich kann gar nicht mehr zählen, wie oft ich ihr in letzter Zeit gesagt habe, dass ich sie liebe. Es ist, als würde ich gegen eine Wand laufen. Und jetzt verlangt sie von mir, dass ich ihr Freiraum gebe, damit sie nachdenken

200

kann. Vielleicht will sie auch, dass ich nachdenke. Ich weiß nur nicht, worüber. Ich verstehe das nicht. Für mich ist alles klar. Aber ihr Verhalten macht mich wahnsinnig, und ich habe keine Ahnung, was ich noch tun soll.«

Meine Großmutter schüttelt seufzend den Kopf. »Ein Mann kann einer Frau so oft sagen, dass er sie liebt, bis er blau anläuft. Für eine Frau, die zweifelt, sind Worte bedeutungslos. Du musst ihr deine Liebe *zeigen*.«

»Wie denn? Was kann ich denn noch machen? Heute habe ich sogar heimlich ihr Batteriekabel rausgezogen und ihr Auto lahmgelegt, damit sie mit mir nach Detroit fahren muss. Ich komme mir schon vor wie ein Stalker. Was soll ich denn noch tun, verdammt?«

Statt mich zu bedauern, schnalzt meine Großmutter nur missbilligend mit der Zunge. »So etwas jedenfalls nicht. Mit solchen Methoden kommt man ins Gefängnis, aber man erobert ganz bestimmt nicht das Herz eines Mädchens.«

»Ich weiß doch selbst, dass das bescheuert war. Aber ich war verzweifelt. Mir ist nichts Besseres eingefallen.«

Meine Großmutter geht zum Kühlschrank, holt einen gedeckten Apfelkuchen heraus, stellt ihn auf die Theke und schneidet ihn auf. »Als Erstes musst du in dich gehen und dich fragen, aus welchen Gründen du sie liebst. Danach überlegst du dir, wie du ihr das vermitteln kannst. Und während du darüber nachdenkst, gibst du ihr den Freiraum, den sie braucht. Ehrlich gesagt überrascht es mich, dass sie dir nicht eine runtergehauen hat, nach dem Schauspiel, das du am Tisch eben geliefert hast.«

Ich grinse. »Die Nacht ist noch jung.«

Meine Großmutter lacht, legt ein Stück Kuchen auf einen Dessertteller und schiebt ihn mir hin. »Ich mag Layken, Will. Du solltest das mit ihr nicht kaputt machen. Und Caulder tut sie auch gut.«

Ich bin überrascht. »Du magst sie? Wirklich? Ehrlich gesagt hatte ich die Befürchtung, du hättest irgendetwas gegen sie.«

Grandma bestückt einen weiteren Teller mit Kuchen. »Ich weiß, dass du das denkst, aber das stimmt nicht. Ich mag sie. Ich mag nur nicht, dass ihr die ganze Zeit rumknutschen müsst, wenn ihr zusammen seid. Manche Dinge passieren besser hinter verschlossenen Türen – und damit meine ich das Schlafzimmer, nicht die Wäschekammer.«

Das ist mir jetzt doch ein bisschen peinlich. Ich hätte nicht gedacht, dass ich Lake ständig so dermaßen unzüchtig befummle, dass ich dadurch praktisch zum öffentlichen Ärgernis werde. Aber nachdem sowohl sie als auch meine Großmutter das Thema jetzt mehrmals angesprochen haben, muss ich es wohl tatsächlich etwas übertrieben haben. Mir tut es vor allem für Lake leid, die nach dem Zwischenfall von vorhin wahrscheinlich jetzt erst recht glaubt, meine Großmutter würde sie für eine Schlampe halten.

»Äh … Grandma?« Sie hat mir keine Kuchengabel gegeben, deswegen breche ich ein Stück vom Kuchenrand ab und stecke es mir in den Mund.

»Ja?« Sie bemerkt, dass ich mit den Fingern esse, zieht die Schublade auf, nimmt Kuchengabeln heraus und reicht mir eine.

»Lake ist noch Jungfrau.«

Meine Großmutter sieht mich mit große Augen an und legt dann ein weiteres Kuchenstück auf einen Teller. »Das geht mich nichts an, Will.«

»Das stimmt«, sage ich. »Aber ich möchte, dass du es weißt. Nicht dass du sie irgendwie falsch einschätzt.«

Sie dreht sich um, reicht mir noch zwei Teller, nimmt selbst die übrigen drei und geht zur Tür. »Ach, Will. Du bist ein guter Junge. Das wird schon wieder. Du musst ihr nur ein bisschen Zeit geben.«

Als wir in den Wagen steigen, rutscht Lake schnell zu Kel auf die Rückbank, worauf Caulder sich nach vorne setzt. Die beiden Jungs erzählen auf der Rückfahrt aufgeregt, was sie in den letzten Tagen in Detroit alles erlebt haben, Lake stellt Fragen und ich sage kein Wort. Ich blende das Gespräch aus und konzentriere mich ganz auf den Verkehr.

Zu Hause angekommen, stelle ich den Wagen in die Einfahrt und folge Lake, die wortlos mit Kel in ihrem Haus verschwindet und die Tür zuknallt. Ich öffne die Motorhaube des Jeeps, stecke das Kabel wieder an die Batterie und gehe zu mir rüber.

Reece ist nicht da. Wahrscheinlich ist er noch mit Vaughn unterwegs. Weil es schon fast zehn ist, schicke ich Caulder ins Bett und setze mich ins Wohnzimmer, um noch ein bisschen fernzusehen.

Ich wundere mich, als es ein paar Minuten später an der Tür klopft. Wer kann das jetzt noch sein? Als ich sie öffne, macht mein Herz einen Satz. Lake steht draußen und zittert vor Kälte in einem dünnen hellblauen Schlafanzug. An den

Füßen trägt sie ihre dicken gefütterten Winterstiefel, was ein bisschen albern … und unwiderstehlich süß aussieht. Sie macht keinen wütenden Eindruck – das werte ich als gutes Zeichen.

»Hey, komm rein«, sage ich, vielleicht ein wenig zu eifrig. »Willst du dir einen Stern holen?« Ich trete zur Seite und lasse sie hereinkommen. »Warum hast du geklopft?«, frage ich, als ich die Tür hinter ihr schließe. Normalerweise klopft sie nie, und dass sie es jetzt gerade getan hat, ist ein unverkennbarer Beweis dafür, dass unsere Beziehung nicht mehr so unverkrampft ist, wie ich es mir wünschen würde.

Sie zuckt bloß mit den Schultern. »Kann ich mit dir reden?«

»Hallo? Ich wünsche mir seit Tagen nichts anderes«, sage ich und zeige auf die Couch. Normalerweise würde sie die Beine hochziehen und sich an mich kuscheln. Diesmal setzt sie sich ans andere Ende und presst sich in die Ecke, als würde sie versuchen, größtmöglichen Abstand zu mir zu halten. Wenn ich in den letzten Tagen etwas über mich selbst gelernt habe, dann dass ich mit Distanziertheit nur sehr schwer klarkomme. Ich brauche ihre Nähe.

Lake sieht mich an und versucht zu lächeln, was ihr aber nicht sonderlich überzeugend gelingt. Sie sieht eher aus, als würde sie mich ein bisschen bemitleiden.

»Versprich mir, dass du mir zuhörst, ohne mich gleich wieder zu unterbrechen«, sagt sie. »Ich würde gern ein vernünftiges Gespräch mit dir führen.«

»Wenn hier jemand die ganze Zeit unterbricht, bist das doch wohl du, Lake. Als ich versucht habe, dir zu erklären,

was in mir vorgeht, hast du die ganze Zeit dazwischenge-
redet.«

»Siehst du? Genau das meine ich. Bitte halt einfach mal
eine Weile die Klappe«, erwidert sie ruhig.

Ich greife nach dem Kissen neben mir und presse es mir
aufs Gesicht, um ein Stöhnen zu unterdrücken. Sie ist unmöglich. Als ich mich wieder einigermaßen beruhigt habe,
lege ich das Kissen neben mich, stütze den Ellbogen darauf
und hole tief Luft, während ich mich innerlich auf ihren Vortrag vorbereite. »Ich höre.«

»Ich glaube, du begreifst wirklich nicht, worum es mir
geht. Du hast keine Ahnung, warum ich diese Zweifel habe,
stimmt's?«

Damit trifft sie den Nagel auf den Kopf. »Nein, tu ich in
der Tat nicht. Bitte klär mich auf«, sage ich.

Sie schlüpft aus ihren Stiefeln, zieht die Beine an und setzt
sich bequemer hin. Ich habe mich geirrt. Sie ist nicht hier,
um mir einen Vortrag zu halten, das sehe ich an ihrem ernst-
haften, offenen Blick. Sie will wirklich mit mir über alles reden, also werde ich ihr ruhig zuhören und sie nicht unterbrechen.

»Ich weiß, dass du mich liebst, Will. Dass ich daran ge-
zweifelt habe, war falsch. Ich weiß, dass du es tust. Und ich
liebe dich auch.«

Ich wäre jetzt gern erleichtert, aber es ist offensichtlich,
dass das lediglich die Vorbereitung auf etwas anderes ist. Etwas, das ich nicht hören will.

»Aber nachdem du mir erzählt hast, was Vaughn zu dir gesagt hat, ist mir klar geworden, dass man unsere Beziehung

auch in einem anderen Licht betrachten kann.« Sie setzt sich im Schneidersitz mir gegenüber und sieht mich eindringlich an. »Und ich habe mir eine Frage gestellt, die ich jetzt auch dir stelle, Will. Was wäre gewesen, wenn ich letztes Jahr nicht zu dem Slam gefahren wäre und dir auf der Bühne meine Liebe gestanden hätte? Wenn ich an dem Abend gar nicht aufgetaucht wäre? Dann hättest du nicht mit deinem Text auf meinen reagiert. Du hättest den Job an der Junior High angenommen und wir wären jetzt höchstwahrscheinlich nicht zusammen. Verstehst du, warum ich angefangen habe, zu zweifeln? Krass gesagt kommt es mir so vor, als hättest du dich zurückgelehnt und abgewartet, was passiert. Du hast zu keinem Zeitpunkt um mich gekämpft. Du hättest mich einfach so gehen lassen. Nein, du *hast* mich gehen lassen.«

Es stimmt, dass ich sie gehen ließ, aber nicht aus den Gründen, die sie hier konstruiert. Bestimmt nicht aus Bequemlichkeit. Das weiß sie genau. Warum zweifelt sie es jetzt an? Ich gebe mir große Mühe, nicht ungeduldig zu klingen, als ich antworte, auch wenn in mir die unterschiedlichsten Gefühle hochkochen: Ich bin frustriert und verletzt, wütend, aber auch froh darüber, dass sie hier ist und wir endlich reden. Gleichzeitig strengt mich dieses Gespräch an. Ich hasse es, mit ihr zu streiten.

»Du *weißt*, warum ich dich gehen lassen musste, Lake. Es gab damals Wichtigeres als uns beide. Deine Mutter hat dich gebraucht. Sie wusste nicht, wie viel Zeit ihr noch bleiben würde. Hätten wir uns damals schon aufeinander eingelassen, hätten wir natürlich Zeit miteinander verbringen wollen – Zeit, die Julia, weil wir uns zurückgehalten haben, mit dir verbringen konnte. Wenn du in dieser schwierigen Phase nicht für sie da gewesen wärst, hättest du dich später dafür gehasst. Das – und *nur* das – ist der Grund, warum ich dich habe gehen lassen, und das weißt du genau.«

Sie schüttelt unwillig den Kopf.»Meinetwegen. Aber es ist nun mal eine Tatsache, dass wir beide in den letzten Jahren mehr Trauriges erlebt haben als die meisten Menschen in ihrem ganzen Leben. Natürlich hat uns das massiv beeinflusst. Als wir uns kennengelernt haben, hatten wir sofort ein Thema, das uns verbunden hat. Ich habe um meinen Vater getrauert, du um deine Eltern. Und als sich herausstellte, dass du mein Lehrer bist und wir nicht zusammen sein konnten, haben wir noch mehr gelitten. Aber ich bin mir sicher, dass wir uns dadurch, dass wir kein Paar sein durften, noch viel heftiger nach einander gesehnt haben, als wir es unter normalen Umständen getan hätten. Dass Kel und Caulder sofort die dicksten Freunde geworden sind, kam noch dazu. Ohne die beiden hätten wir uns aus dem Weg gehen können, aber so haben wir uns ständig gesehen und mussten miteinander reden, um Absprachen zu treffen. Und als meine Mutter mir dann noch eröffnet hat, dass sie Krebs hat, und ich auf einmal in genau derselben Situation war wie du und für meinen kleinen Bruder da sein musste, da waren die Parallelen perfekt. Niemand versteht so gut wie du, wie es mir geht. Und umgekehrt ist es genauso. Aber du kannst nicht leugnen, dass das alles äußere Umstände sind, die uns zusammengeführt haben. Man könnte fast sagen, dass das Leben uns einander in die Arme getrieben hat.«

Obwohl ich am liebsten laut brüllen möchte, bleibe ich ruhig und lasse sie ausreden, wie sie es gewollt hat. Ich verstehe noch nicht wirklich, worauf sie hinauswill, habe aber das ungute Gefühl, dass sie viel zu viel nachgedacht und sich damit in eine fatale Gedankenschleife manövriert hat.

»Okay, und jetzt denk dir die ganzen äußeren Umstände weg, die ich gerade aufgezählt habe«, fährt sie fort. »Nehmen wir mal an, es wäre alles ganz anders: Deine Eltern sind noch am Leben, meine Mutter auch. Kel und Caulder sind nicht miteinander befreundet und wir verspüren kein besonderes Verantwortungsgefühl ihnen gegenüber. Du warst nie mein Lehrer, wir haben nie die Qual einer erzwungenen Trennung erlebt, sondern sind einfach ein Typ und ein Mädchen, die sich ganz normal kennenlernen. Stell dir vor, das wäre unsere Realität, okay? Und jetzt sag mir, was es ist, das du an mir liebst. Warum würdest du mit mir zusammen sein wollen?«

»Das ist doch lächerlich«, murmle ich erschöpft. »Dieses Szenario, das du da gerade entworfen hast, ist nun mal nicht unsere Realität. Ich verstehe nicht, was du willst. Selbst wenn es äußere Faktoren gegeben hat, die dazu beigetragen haben, dass wir uns ineinander verliebt haben … was ist so schlimm daran? Was spielt das für eine Rolle? Liebe ist Liebe.«

Lake rutscht näher an mich heran, greift nach meinen Händen und sieht mir ernst in die Augen. »Es spielt eine Rolle, Will. Und zwar genau aus dem Grund, weil diese äußerlichen Faktoren in fünf oder zehn Jahren in unserer Beziehung keine Bedeutung mehr haben werden. Dann gibt es nämlich nur noch dich und mich. Meine größte Angst ist, dass du eines Tages aufwachst und feststellst, dass es keinen

Grund mehr für dich gibt, mit mir zusammen zu sein. Kel und Caulder werden dann nicht mehr von uns abhängig sein, sondern ihr eigenes Leben führen. Wir werden über den Tod unserer Eltern hinweg sein und beide Berufe haben, die uns erfüllen und von denen wir leben können. Aber wenn das, was ich vorhin beschrieben habe, die Basis unserer Beziehung war, wird es nichts mehr geben, das dich an mich bindet – außer deinem Pflichtgefühl. Denn du würdest das mit dir selbst ausmachen, weil du es niemals mit deinem Gewissen vereinbaren könntest, mir das Herz zu brechen.« Sie steht auf und zieht ihre Stiefel an. »Und ich will nicht der Grund dafür sein, dass du irgendwann einmal etwas bereuen musst.«

Als ich den Mund öffne, um all das, was sie gerade gesagt hat, zu widerlegen, hebt sie abwehrend die Hand. »Nicht«, sagt sie. »Ich möchte, dass du darüber nachdenkst, bevor du mir widersprichst. Es ist mir egal, ob du Tage, Wochen oder Monate dazu brauchst, aber ich will, dass du dir Gedanken machst und dich erst dann wieder bei mir meldest, wenn du eine ehrliche Antwort gefunden hast und deine Entscheidung vertreten kannst, ohne falsche Rücksicht auf meine Gefühle für dich zu nehmen. Das bist du mir schuldig, Will. Du bist es mir schuldig, dich erst dann für mich zu entscheiden, wenn du dir wirklich vollkommen sicher bist, dass du dieses Leben mit mir zusammen auch wirklich willst.«

Sie geht zur Tür hinaus und schließt sie leise hinter sich.

Monate? Hat sie gerade gesagt, dass es ihr egal ist, selbst wenn es Monate dauert?

Ja, hat sie. Sie hat Monate gesagt.

Verdammt. Alles, was sie mir gerade auseinandergesetzt hat, ist in sich völlig logisch und nachvollziehbar. Zwar liegt sie komplett daneben, aber es klingt vernünftig und ergibt definitiv Sinn. Jetzt verstehe ich. Ich verstehe, warum sie alles hinterfragt. Und warum sie an mir zweifelt. Tief in Gedanken versunken, bleibe ich auf der Couch sitzen, und es vergeht bestimmt eine halbe Stunde, bevor ich es schaffe, mich aus meiner Trance zu lösen und zu folgender Schlussfolgerung zu kommen: Meine Großmutter hat recht. Ich muss Lake zeigen, warum ich sie liebe.

Aber bevor ich mir überlege, wie ich das anstellen soll, hole ich mir Inspiration aus der Vase.

Das Leben ist hart. Und für Idioten ist es sogar noch härter.
– John Wayne

Ich seufze. Wie ich Julia und ihren Humor vermisse.

10.

Dienstag, 24. Januar

Das Herz eines Mannes,
das nicht von der Liebe einer Frau
erfüllt wird,
ist keins.
Das Herz einer Frau,
das nicht von der Liebe zu einem Mann
erfüllt wird,
ist keins.
Aber ein Herz zu haben,
das liebt und geliebt wird,
kann schmerzhafter sein,
als keines zu haben,
denn wo nichts ist,
kann auch nichts brechen.

Den größten Teil des Tages habe ich mit Lernen verbracht
und es so geschafft, mich ganz gut abzulenken und einiger-

maßen zu entspannen, aber jetzt fühle ich mich gerade, als würden mich tausend Augen beobachten. Ich habe panische Angst, dass jemand mitbekommen könnte, wie ich mich heimlich in Lakes Haus schleiche. Drinnen suche ich schnell alles zusammen, was ich brauche, dann mache ich mich wieder davon, bevor sie mit den Jungs nach Hause kommt. Als ich anschließend mit vollbepackter Tasche draußen stehe und mich gerade bücke, um den Ersatzschlüssel unter den Blumentopf neben der Haustür zurückzulegen, ertönt hinter mir eine scharfe Stimme.

»Was treibst du da?«

Vor Schreck mache ich einen solchen Satz nach hinten, dass ich das Gleichgewicht verliere und beinahe über die Bordsteinkante gestolpert wäre. Schuldbewusst sehe ich auf. Sherry steht, die Hände in die Hüften gestemmt, in Lakes Einfahrt und sieht mich fragend an. Fieberhaft suche ich nach einer guten Ausrede.

»Ich … ich hab bloß …«

»Hey, das war doch nur ein Witz.« Sie kommt lachend auf mich zu. »Du solltest dich nicht so leicht verunsichern lassen, Will.«

Ich werfe ihr einen leicht gereizten Blick zu, weil ich fast einen Herzinfarkt bekommen hätte, dann rücke ich den Topf wieder in seine ursprüngliche Position, damit Lake keinen Verdacht schöpft. »Ich hab ein paar Sachen geholt, die ich noch bei ihr hatte«, sage ich, ohne ins Detail zu gehen. »Und Sie? Was machen Sie hier draußen?«

»Nicht viel«, antwortet sie und deutet auf die Schaufel, die sie in der Hand hält. Erst jetzt fällt mir auf, dass sie einen Teil des zugeschneiten Gehwegs vor Lakes Haus freigeräumt hat. »Ich schlage die Zeit tot, bis mein Mann nach Hause kommt. Wir wollen nachher zusammen in die Stadt und ein paar Besorgungen machen.«

Ich sehe sie überrascht an. »Sie haben einen Mann?«, frage ich erstaunt, weil ich sie nie in Begleitung gesehen habe und deshalb automatisch angenommen hatte, sie wäre alleinerziehend.

Sie lacht über meine Reaktion. »Was hast du gedacht, Will? Dass meine Kinder durch unbefleckte Empfängnis entstanden sind?«

Ihr Humor erinnert mich an den meiner Mutter. Und an den von Julia und Lake. Ich liebe Frauen, mit denen man lachen kann.

»Tut mir leid«, sage ich verlegen. »Ich habe ihn nur noch nie gesehen.«

»Er ist viel geschäftlich unterwegs«, erklärt Sherry. »Aber jetzt ist er ausnahmsweise mal ganze zwei Wochen am Stück da. Ich fände es toll, wenn du ihn kennenlernen würdest.«

Mir ist nicht wohl dabei, so vor Lakes Haus herumzustehen. Sie wird bald zurückkommen, und ich will auf gar keinen Fall, dass sie mich hier sieht. »Gerne«, sage ich und gehe rückwärts ein paar Schritte über die Straße. »Wenn Kel und Kiersten eines Tages heiraten, werden Sie und Ihr Mann ja seine Schwiegereltern. In dem Fall wäre es wahrscheinlich wirklich ganz gut, wenn ich ihm vorher schon mal die Hand geschüttelt hätte.«

»Da wir gerade beim Thema sind …« Sherry rammt die Schaufel in den Schnee und geht neben mir her. Anscheinend spürt sie, dass ich mich nicht länger als nötig auf Lakes Grundstück aufhalten möchte. »Wie ist das mit dir? Hast du vor, zu heiraten?«

»Hatte ich«, sage ich. »Aber mittlerweile bin ich mir nicht mehr so sicher, was die Antwort meiner Angebeteten angeht.«

Sherry seufzt und sieht mich wieder mit diesem mitfühlenden Blick an. »Hast du kurz Zeit, mit zu mir rüberzukommen? Ich würde dir gern etwas zeigen.«

»Klar. Warum nicht?« Ich folge ihr in ihr Haus.

»Setz dich schon mal auf die Couch«, sagt sie, als wir im Wohnzimmer sind. »Ich bin gleich wieder da.«

Während sie im hinteren Teil des Hauses verschwindet, frage ich mich, was sie mir wohl zeigen möchte. Kurz darauf kommt sie mit einer DVD in der Hand zurück, schiebt sie in den Player, setzt sich neben mich und greift nach der Fernbedienung.

»Ein Video? Was denn für eins?«, frage ich.

»Kierstens Geburt in Nahaufnahme.«

Als ich aufspringe, verdreht sie die Augen und lacht. »Entspann dich, Will. Auch das war nur ein Witz.«

Ich setze mich erleichtert wieder hin. »Aber kein besonders witziger«, sage ich.

Sie drückt die Play-Taste und der Bildschirm wird einen Moment lang schwarz. Ich sehe eine sehr viel jüngere Sherry, schätzungsweise in Lakes Alter, in einer Hollywoodschaukel auf einer Veranda sitzen. Sobald sie merkt, dass sie gefilmt wird, kichert sie und schlägt die Hände vors Gesicht. Ich höre einen Mann etwa in meinem Alter – vermutlich den, der die Kamera hält – lachen. Dann geht er langsam die Stufen zur Veranda hoch, setzt sich neben sie auf die Hollywoodschaukel und dreht die Kamera so, dass beide im Bild sind. Sherry nimmt die Hände runter, schmiegt sich an ihn und lächelt.

»Warum filmst du uns, James?«, fragt sie in Richtung der Kamera.

»Weil ich möchte, dass du diesen Abend nie vergisst«, antwortet er.

Das Bild ruckelt einen Moment und kommt wieder zur Ruhe. Ich nehme an, er hat die Kamera auf einen Tisch gestellt. Jetzt kniet er vor ihr am Boden und will ihr ganz offensichtlich einen Heiratsantrag machen, aber ich sehe der Film-Sherry an, dass sie versucht, sich ihre Vorfreude nicht anmerken zu lassen, falls er doch etwas anderes vorhat. Als er eine kleine Samtschachtel aus der Tasche zieht, schnappt sie hörbar nach Luft. Er richtet sich auf, wischt ihr eine Träne aus dem Augenwinkel und küsst sie.

Dann geht er wieder in die Knie, und es sieht aus, als würde er selbst auch kurz von Rührung übermannt. »Bevor ich dich kennengelernt habe, Sherry, wusste ich nichts mit meinem Leben anzufangen. Manchmal denke ich, dass ich damals gar nicht wirklich gelebt habe. Mein Leben hat erst in dem Moment begonnen, als du kamst und meine Seele geweckt hast.« Während er spricht, sieht er sie unverwandt an, und ich kann spüren, wie ernst es ihm ist. »Ich weiß, dass ich dir niemals all das geben kann, was du verdienst«, sagt er. »Aber ich verspreche, dass ich den Rest meines Lebens alles tun werde, es zu versuchen.«

Er klappt die Schachtel auf, nimmt den Ring heraus und streift ihn ihr über den Finger. »Ich bitte dich nicht, mich zu heiraten, Sherry – ich *bestehe* darauf, dass du es tust. Weil ich ohne dich nämlich nicht leben kann, okay?«

Ihr laufen die Tränen über die Wangen, dann beugt sie sich vor und die beiden umarmen sich innig. »Ja«, schluchzt sie. Als sie ihn küsst, tastet er nach der Kamera und das Bild wird schwarz.

Sherry sitzt einen Moment still neben mir, dann schaltet sie den Fernseher aus, holt tief Luft und sieht mich an. »Das, was du im Film eben zwischen mir und James sehen konntest«, sagt sie, »diese Verbundenheit. Das ist Liebe, Will. Ich habe dich und Layken zusammen erlebt und sie liebt dich mit genau dieser Intensität. Das habe ich gespürt.«

Sie zuckt zusammen, als die Haustür aufgeht. Ein Mann kommt herein und schüttelt sich den Schnee aus den Haaren. Sherry sieht fast ein bisschen schuldbewusst aus, als sie aufspringt, die DVD aus dem Player nimmt und hastig in die Hülle zurücklegt.

»Hallo, Liebling.« Sie läuft zu ihm und umarmt ihn. Dann deutet sie auf mich. »Das ist Will, unser Nachbar von gegenüber. Er ist Caulders älterer Bruder.«

Ich stehe auf, gehe zur Tür und strecke Sherrys Mann die Hand hin. Als ich ihn aus der Nähe sehe, begreife ich, warum Sherry gerade so ertappt reagiert hat. Das ist nicht James, der eben im Film um ihre Hand angehalten hat.

»Hallo. Ich bin David. Freut mich, dich kennenzulernen. Ich hab schon viel von dir gehört.«

»Ich auch«, lüge ich.

»Ich habe Will gerade ein paar Beziehungstipps gegeben«, erklärt Sherry.

»Ach ja?« David lacht. »Du darfst nicht alles ernst nehmen, was Sherry sagt, Will. Sie hält sich für so eine Art Guru für alle Lebenslagen.« Er küsst seine Frau auf die Wange.

»Na ja, sie hat wirklich viel drauf«, sage ich.

»Das stimmt.« Er lässt sich auf die Couch fallen. »Aber lass dir bloß nicht ihre selbst gemachte Medizin andrehen. Du würdest es bereuen, glaub mir.«

Zu spät.

»Tja, ich muss jetzt gehen«, sage ich. »War nett, Sie kennengelernt zu haben, David.«

»Ich begleite dich raus«, sagt Sherry lächelnd.

Vor der Tür wird sie wieder ernst. »Ich möchte, dass du weißt, dass ich David sehr liebe, Will. Aber es gibt nicht viele Menschen, die das Glück haben, die Art von Liebe kennenzulernen, die ich mit James erleben durfte ... und du mit Layken. Ich will jetzt nicht ins Detail gehen, warum wir nicht mehr zusammen sind, aber ... glaub mir einfach, wenn ich dir sage, dass das, was euch verbindet, zu kostbar ist, um es einfach aufzugeben. Du musst um sie kämpfen, Will.«

Sie dreht sich um, geht ins Haus und schließt die Tür.

»Das versuche ich ja«, flüstere ich. »Ich versuche es.«

»Essen wir heute Pizza?«, fragt Caulder, als er zur Tür hereinkommt. »Heute ist Dienstag und da gibt es bei Getty's doch dieses Spezialangebot, wo man noch eine Umsonstpizza dazubekommt.«

»Von mir aus«, sage ich und zücke mein Handy, um Gavin eine SMS zu schreiben und ihn zu einer Runde Pizza für alle einzuladen, wenn er sie nach seiner Schicht bei uns vorbeibringt. »Ich hab heute sowieso keine große Lust, zu kochen.« Als Gavin um acht mit Eddie und einem Stapel Pizzakartons vor der Tür steht, ist die Bude voll. Kiersten und Kel sind auch rübergekommen. Außer Reece ist Lake die Einzige, die fehlt, als wir uns an den Tisch setzen.

»Willst du nicht schnell rübergehen und fragen, ob Lake auch Hunger hat?«, sage ich zu Eddie, während ich meine Pizza in Stücke schneide.

Eddie sieht mich mitfühlend an und schüttelt den Kopf. »Ich hab ihr eben eine SMS geschrieben. Sie hat gesagt, dass sie keinen Hunger hat.«

Ich betrachte das Stück, von dem ich gerade abbeißen wollte, und lasse es wieder auf den Teller fallen. Plötzlich habe ich auch keinen Appetit mehr.

»Es war echt total nett von dir, mir eine vegetarische Pizza mitzubringen«, bedankt sich Kiersten bei Gavin. »Wenigstens einer, der akzeptiert, dass ich keine toten Tiere esse.«

Leider habe ich gerade nichts zur Hand, womit ich sie bewerfen könnte, also belasse ich es bei einem bösen Blick.

Sie tut so, als würde sie ihn nicht bemerken. »Und, Will?«, fragt sie mich stattdessen. »Was macht dein Rückeroberungsplan für Donnerstag?«

Ich sehe zu Eddie rüber und hoffe, dass sie die Bemerkung nicht mitbekommen hat, aber natürlich ist sie sofort hellhörig geworden.

»Wieso? Was ist Donnerstag?«, fragt sie prompt.

»Nichts Besonderes«, weiche ich aus. Ich will auf keinen Fall, dass sie Lake vorwarnt und meine ganzen Bemühungen zunichtemacht.

Eddie sieht mich direkt an. »Ich hab zwar keine Ahnung, was du vorhast, Will, aber selbst wenn ich es wüsste, würde ich Lake kein Sterbenswort davon verraten. Niemand wünscht sich mehr als ich, dass ihr beide das wieder hinkriegt, das kannst du mir glauben.« Sie beißt herzhaft von ihrer Pizza ab.

Ich lächle dankbar, weil ich nicht damit gerechnet hätte, von ihr Rückendeckung zu bekommen.

»Er will beim Slam mitmachen und Layken mit einem selbst geschriebenen Text zurückgewinnen«, platzt Kiersten heraus.

Eddie sieht mich mit hochgezogenen Brauen an. »Echt? Aber du wirst sie niemals dazu bringen, in den Club zu gehen.«

»Muss er gar nicht«, sagt Kiersten triumphierend. »Dafür habe ich schon gesorgt. Layken fährt uns alle hin – Kel, Caulder und mich.«

Eddie sieht Kiersten anerkennend an. »Du raffiniertes kleines Biest, du. Und wie wollt ihr es schaffen, dass sie bleibt? Sobald Lake ihn«, sie zeigt auf mich, »auf der Bühne stehen sieht, haut sie doch sofort ab.«

»Ich könnte ihre Handtasche verstecken«, schlägt Kel vor. »Da ist ihr Autoschlüssel drin. Dann kann sie nicht weg.«

»Ha! Sehr gute Idee!«, entfährt es mir, aber schon im nächsten Moment würde ich mir am liebsten auf die Zunge beißen. Einen Elfjährigen dafür zu loben, dass er seine

Schwester belügen und bestehlen möchte – ich bin wirklich ein lausiges Vorbild.

»Wir könnten uns wieder in die Nische vom letzten Mal setzen«, sagt Caulder mit leuchtenden Augen. »Layken lotsen wir in die Mitte zwischen uns alle, und wenn sie rauswill, lassen wir sie einfach nicht aufstehen. Dann bleibt ihr gar nichts anderes übrig, als sich deinen Auftritt anzuschauen.«

Ich nicke begeistert. »Genial!« Vielleicht bin ich ein miserables moralisches Vorbild, aber zumindest ziehe ich clevere Kinder groß.

»Wir kommen mit.« Eddie dreht sich zu Gavin um. »Oder? Donnerstag hast du doch frei. Ich will unbedingt dabei sein, wenn Will und Layken sich versöhnen.«

»Ja, klar. Können wir machen. Aber wenn Will ›offiziell‹ nicht mitkommt, haben wir ein Problem. Mein Wagen ist Donnerstag nämlich in der Werkstatt und wir passen nicht alle in Laykens Jeep.«

»Hm.« Ich denke kurz nach. »Ihr könnt doch behaupten, du müsstest arbeiten oder so was. Dann fahren Eddie und die Kinder mit Lake hin und wir kommen später heimlich nach.«

Alle nicken begeistert, und ich spüre, wie zaghaft Hoffnung in mir aufkeimt. Wenn alle um uns herum so davon überzeugt sind, dass Lake und ich zusammengehören, und mir sogar helfen wollen, sie zurückzugewinnen, dann muss Lake das früher oder später doch auch einsehen.

Ein paar Minuten später lege ich drei Pizzastücke auf einen Teller, stehe auf und gehe damit in die Küche. Als ich mir sicher bin, dass niemand auf mich achtet, schiebe ich schnell die Cornflakesschachteln über dem Kühlschrank zur Seite, greife in die Vase und nehme einen Stern heraus. Ich lege ihn auf den Rand des Tellers, bevor ich alles in Alufolie packe.

»Könntest du schnell zu Lake rübergehen und ihr etwas von der Pizza bringen?«, bitte ich Eddie, als ich mich wieder an den Tisch setze. »Nicht dass sie heute gar nichts isst.«

»Klar. Mach ich gern.« Eddie nickt lächelnd, greift nach dem Teller und geht hinaus.

»Kel? Caulder? Kiersten?«, sage ich. »Ihr seid heute mit Aufräumen dran. Stellt die Reste der Pizza bitte in den Kühlschrank.«

Gavin und ich gehen ins Wohnzimmer, wo er sich auf eines der Sofas legt, die Augen schließt und sich den Nasenrücken massiert.

»Kopfschmerzen?«, frage ich und setze mich ihm gegenüber.

Er schüttelt den Kopf. »Stress.«

»Habt ihr denn schon was entschieden?«

Einen Moment lang ist er still, dann holt er tief Luft und atmet langsam aus. »Ich hab ihr vor ein paar Tagen gesagt, dass mich der Gedanke, ein Kind zu bekommen, ziemlich nervös macht. Dass ich finde, wir sollten gründlich darüber nachdenken und alle Möglichkeiten ausloten, bevor wir uns für irgendetwas entscheiden. Eddie ist total sauer geworden.« Er setzt sich auf, stützt die Ellbogen auf die Knie und faltet die Hände unter dem Kinn. »Sie hat mir vorgeworfen, ich würde ihr nicht zutrauen, eine gute Mutter zu sein. Da-

221

bei geht es darum überhaupt nicht. Ich bin mir absolut sicher, dass sie eine tolle Mutter wäre. Nur glaube ich eben, dass sie eine noch viel bessere Mutter sein könnte, wenn wir warten würden, bis wir wirklich bereit sind. Tja ... und damit war das Thema gegessen. Ich spüre genau, dass sie wütend auf mich ist, aber wir haben seitdem nicht mehr darüber gesprochen. Wir tun beide so, als wäre alles wie immer, als wäre das alles gar nicht passiert. Echt komisch.«

»Ihr schnitzt also Kürbisse?«, sage ich.

Gavin sieht mich an. »Ich hab den Vergleich noch nie verstanden.«

»Das bedeutet, dass man ein offensichtliches Problem lieber totschweigt, als sich damit auseinanderzusetzen«, erkläre ich. Ich würde ihm gern irgendwie helfen, aber ich weiß nicht, was ich ihm raten soll.

Kiersten kommt ins Wohnzimmer geschlendert und setzt sich neben Gavin auf die Couch. »Willst du wissen, was ich dazu meine?«, sagt sie.

Gavin stöhnt leicht genervt. »Du weißt doch noch nicht mal, worüber wir reden, Kiersten. Geh spielen.«

Sie funkelt ihn wütend an. »Ich lasse dir das jetzt mal durchgehen, weil ich weiß, dass du gerade größere Probleme hast. Aber für die Zukunft merk dir bitte eins: Ich *spiele* nicht.« Sie wartet einen Moment, um sicherzugehen, dass er darauf keine Antwort hat, dann redet sie weiter. »Jedenfalls bin ich der Meinung, dass du aufhören solltest, dir selbst leidzutun. Du benimmst dich wie eine Diva. Dabei bist du nicht mal schwanger. Was glaubst du, wie Eddie sich fühlt? Ich weiß, dass ihr Männer euch gern einredet, ihr wärt mindestens genauso schwanger wie die Frau, aber das ist totaler Quatsch. Du hättest besser aufpassen und dafür sorgen können, dass sie erst gar nicht schwanger wird, okay? Jetzt, wo es passiert ist, solltest du den Mund halten und für sie da sein. Und zwar ganz egal, wie sie sich entscheidet.« Sie steht auf und wendet sich zur Tür. »Ach so, und noch was, Gavin…« Sie dreht sich um. »Manchmal passieren im Leben Dinge, die man so nicht geplant hat. Dann bleibt einem nichts anderes übrig, als sich zusammenzureißen und seinen Plan zu ändern.« Sie geht hinaus und wirft die Haustür hinter sich zu, während Gavin und ich mit offenem Mund dasitzen.

»Hast du ihr erzählt, dass Eddie schwanger ist?«, frage ich.

Tief in Gedanken versunken starrt er auf die Tür. »Nein.« Er schüttelt den Kopf. »Verdammt!«, brüllt er dann plötzlich. »Ich bin so ein Idiot. Ich bin so ein egoistischer Idiot!« Er springt von der Couch auf und greift nach seiner Jacke. »Ich rufe dich am Donnerstag an, Will. Dann besprechen wir, wie wir es machen. Jetzt muss ich erst mal versuchen, die Sache mit Eddie wieder in Ordnung zu bringen.«

»Viel Glück«, sage ich.

In dem Moment, in dem Gavin die Haustür öffnet, um rauszugehen, kommt Reece herein. »Hallo-Reece-Gute-Nacht-Reece«, sagt Gavin und schiebt sich an ihm vorbei. Reece dreht sich um und schaut ihm stirnrunzelnd hinterher.

»Du hast echt seltsame Freunde«, stellt er fest.

Ich widerspreche ihm nicht. »Im Kühlschrank ist noch Pizza, falls du Hunger hast.«

»Danke, aber ich hab schon gegessen. Ich bin bloß gekommen, um ein paar Übernachtungsklamotten zu holen«, sagt er und verschwindet im Gästezimmer.

Ich bin beeindruckt. Dafür, dass er gestern zum ersten Mal mit Vaughn unterwegs gewesen ist, scheint ihre Beziehung schon ziemlich weit gediehen zu sein. Nicht dass ich was dagegen hätte. Ich bin bloß erstaunt.

Reece kommt mit einer Reisetasche über der Schulter zurück. »Wie läuft's bei dir? Hast du dich mit deiner Freundin wieder versöhnt?«, fragt er auf dem Weg zur Tür.

»Es geht jedenfalls voran«, sage ich und deute auf seine Tasche. »Du scheinst dich mit Vaughn ja bestens zu verstehen.«

Er grinst. »Ich hab dir doch gesagt, dass ich gewisse Talente habe.«

Nachdem er gegangen ist, lehne ich mich ins Polster zurück und durchdenke meine Situation. Mein ältester und ehemaliger bester Freund schläft mit meiner Ex-Freundin, mit der ich zwei Jahre meines Lebens zusammen war, mein neuer bester Freund hat Angst davor, Vater zu werden, meine neue Freundin spricht nicht mehr mit mir, morgen in der Uni muss ich neben besagter Ex-Freundin sitzen, die der Grund dafür ist, dass meine neue Freundin nicht mehr mit mir spricht, und meine elfjährige Nachbarin gibt meinem neuen besten Freund bessere Ratschläge als ich. Irgendwie fühle ich mich leicht überfordert. Ich lege mich hin, starre an die Decke und überlege, ob es in meinem Leben auch irgendetwas gibt, das gut läuft.

Mir ist noch nichts eingefallen, als Kel und Caulder ins

Wohnzimmer kommen und sich auf die andere Couch fallen lassen.

»Problem ein für du hast was?«, erkundigt sich Kel.

»Frage falsche. *Nicht* ich habe Problem welches?«, seufze ich.

»Ich bin zu müde, um Rückwärtsisch zu reden«, sagt Caulder. »Du, Will? Ich wollte dich was fragen. Nächsten Donnerstag ist bei uns an der Schule für alle aus unserem Jahrgang Dad Day. Da dürfen wir unsere Väter zum Mittagessen mitbringen, aber Dad ist ja tot. Kannst du dafür kommen und dich neben mich setzen?«

Ich schließe einen Moment die Augen. Es tut mir jedes Mal weh, wenn er so gleichmütig darüber redet, dass er keinen Vater mehr hat. Vielleicht sollte ich froh darüber sein. Trotzdem finde ich es schlimm für ihn. »Klar. Um wie viel Uhr werden die Daddys denn erwartet?«

»Um elf«, sagt er. Dann gähnt er und steht auf. »Ich geh ins Bett. Bis morgen, Kel.«

Nachdem Caulder in sein Zimmer gegangen ist, steht Kel auf und trottet mit hängenden Schultern zur Tür. »Nacht, Will.« Er sieht mindestens so geknickt aus, wie ich mich fühle.

Erst als die Tür hinter ihm ins Schloss fällt, begreife ich. *Du bist so ein Idiot, Will!*

Ich springe hoch, reiße die Tür auf und laufe ihm hinterher. »Kel!«, rufe ich. Er dreht sich noch einmal um und kommt zurück.

»Was ist?«

»Darf ich auch dein Ersatz-Dad sein und neben dir sitzen?«

225

Kel zuckt mit den Achseln, aber um seine Mundwinkel spielt ein Lächeln, das mich an das seiner Schwester erinnert.

»Wenn du willst«, sagt er.

Ich wuschle ihm durch die Haare. »Es wäre mir eine Ehre.«

»Danke, Will. Gute Nacht.« Er dreht sich um und verschwindet im Haus gegenüber. Als ich ihm hinterhersehe, wird mir plötzlich klar, dass ich nicht nur Lake verlieren werde, falls ich es nicht schaffe, sie von meiner Liebe zu überzeugen.

Mir graut davor, Vaughn heute sehen zu müssen. Als ich in den Hörsaal komme, ist sie zum Glück noch nicht da. Ich setze mich an meinen Platz und hoffe, dass sie vielleicht von selbst auf die Idee kommt, sich lieber von mir fernzuhalten. Nach und nach trudeln die anderen Teilnehmer ein und zuletzt auch unser Dozent, der gleich die Prüfungsbögen verteilt. Von Vaughn fehlt auch zehn Minuten nach Seminarbeginn jede Spur. Ich beginne gerade, mich zu entspannen und mir die Fragen durchzulesen, als die Tür aufgerissen wird und sie hereinplatzt. Vaughn liebt große Auftritte. Nachdem sie sich vorne das Blatt mit den Fragen geholt hat, kommt sie die Stufen herauf und setzt sich neben mich.

»Hey«, flüstert sie mir zu und lächelt glücklich. Ich kann nur hoffen, dass das ausschließlich etwas mit ihrem Date mit Reece zu tun hat und nichts mit dem, was sie zwischen mir und Lake angerichtet hat.

Ich nicke bloß finster.

»Keine Angst.« Sie verdreht die Augen. »Nächstes Mal setze ich mich woandershin.«

Immerhin hat sie endlich begriffen, dass unsere Wege sich endgültig trennen müssen.

»Ich wollte dir nur noch mal sagen, wie leid mir das tut, was letzte Woche passiert ist«, flüstert sie. »Und ich finde es echt total cool von dir, dass du kein Problem damit hast, dass Reece und ich wieder zusammen sind.« Sie stellt ihre Tasche auf den Tisch, kramt darin herum und zieht einen Stift heraus.

»*Wieder* zusammen?«

»Ja, weil wir doch gleich angefangen haben, uns zu treffen, nachdem ich mit dir Schluss gemacht hatte. Ich hatte damals eigentlich damit gerechnet, dass du ausflippst. Ehrlich gesagt …«, sie lächelt schief, »war ich fast ein bisschen beleidigt, dass du es so gelassen aufgenommen hast. Wir haben uns dann ja auch wieder getrennt, als er zur Army ist. Aber jetzt wollen wir es noch mal miteinander probieren.«

Vaughn greift nach dem Stift, beugt sich über ihren Test und merkt nicht, dass ich sie mit offenem Mund anstarre. Hat sie gerade tatsächlich gesagt, sie sei mit Reece zusammen gewesen, *bevor* er sich bei der Army verpflichtet hat? Reece ist zwei Monate nach dem Tod meiner Eltern weggezogen. Die beiden waren also zusammen, kurz nachdem Vaughn mir das Herz gebrochen hatte … In der Zeit, in der ich mich bei Reece über Vaughn ausgeheult und er so verständnisvoll getan hat, ist er gleichzeitig mit ihr im Bett herumgeturnt? Was für ein Scheißkerl. Was für ein unglaublicher Scheißkerl! Ich kann nur hoffen, dass er und Vaughn sich in den letzten Tagen wirklich gut verstanden haben, weil er sich nämlich schleunigst eine neue Bleibe suchen muss.

Eigentlich hatte ich vor, Reece zur Rede zu stellen, sobald ich nach Hause komme, aber er ist nicht da. Der Abend verläuft ziemlich ruhig. Kel und Caulder essen drüben bei Lake und schauen danach einen Film, also bin ich mit meinen Gedanken allein. Aber das ist mir ganz recht, so kann ich die Zeit nutzen, um noch einmal meinen Slam-Text für morgen zu überarbeiten.

Am Donnerstag wache ich mit der Hoffnung auf, dass Lake sich heute mit mir versöhnt. Ihr Jeep steht nicht mehr in der Einfahrt, also hat sie Kel und Caulder schon zur Schule gebracht und ist selbst in die Uni gefahren. Als ich höre, wie Reece in der Küche Kaffee macht, beschließe ich, die Gelegenheit zu nutzen, um mich bei ihm dafür zu bedanken, dass er mir in den schwersten Wochen meines Lebens so ein guter Freund gewesen ist. Das Arschloch.

Ich gehe entschlossen durch den Flur und bleibe wie erstarrt stehen. Derjenige, der sich mit dem Rücken zu mir an der Kaffeemaschine zu schaffen macht, ist nicht Reece ... es ist Vaughn. In BH und Slip. In *meiner* Küche. Vaughn steht in meiner Küche und macht Kaffee. Halb nackt.

Was ist mit meinem Leben los, verdammt?

»Was zum Teufel machst du hier, Vaughn?«

Sie zuckt zusammen und fährt herum. »Hallo, Will, ich ... ich wusste nicht, dass du da bist«, stammelt sie. »Ich bin gestern Nacht mit Reece gekommen. Er hat behauptet, du wärst nicht hier.«

Ich sehe sie wütend an und muss mich beherrschen, sie nicht zu packen und aus dem Haus zu werfen. Als ich gerade ansetzen will, etwas zu sagen, kommt Reece in Boxershorts in die Küche geschlendert.

»Verdammt, was soll die Scheiße, Reece?«, fahre ich ihn an. »Ich hab dir ganz klar gesagt, dass du sie auf keinen Fall hierher mitbringen sollst!«

»Entspann dich, Will«, sagt er und kratzt sich am Bauch. »Was soll die Aufregung? Du hast geschlafen. Du hast doch gar nicht mitbekommen, dass sie hier ist.« Er geht lässig zum Schrank und nimmt einen Kaffeebecher heraus.

Ich starre die beiden fassungslos an und spüre, dass ich kurz davor bin, zu explodieren. Wie Lake reagieren würde, wenn sie jetzt reinkäme und Vaughn in Unterwäsche in meiner Küche stehen sähe, will ich mir gar nicht ausmalen. Es fehlt nicht mehr viel, dass alles wieder gut wird, und diese beiden egoistischen Idioten sind drauf und dran, meinen ganzen Plan zu ruinieren.

»Raus hier!«, brülle ich. »Und zwar beide! Haut ab!«

Vaughn sieht Reece an und wartet anscheinend darauf, dass er etwas sagt oder tut. Reece schaut zu mir und schüttelt mitleidig den Kopf. »Hör zu, Will, ich geb dir einen guten Rat. Schieß die Alte ab. Du bist die ganze letzte Woche so mies drauf gewesen wegen ihr, dass es nicht auszuhalten war. Vergiss sie und such dir eine andere. Wenn du mich fragst, ist die Frau es echt nicht wert.«

Dass dieser Typ, der sich einen Scheißdreck für andere interessiert und nur an sich selbst denkt, es auch noch wagt, mir einen guten Rat geben zu wollen, ist die Krönung. Ich weiß selbst nicht, was genau der Auslöser ist. Vielleicht der Kommentar, dass Lake es nicht wert ist, oder das Wissen, dass er mir monatelang etwas vorgespielt hat, jedenfalls mache ich einen Satz vorwärts und verpasse ihm einen Kinnhaken. In dem Moment, in dem meine Faust auf seinen Knochen trifft, brülle ich vor Schmerz. Vaughn kreischt hysterisch auf, während ich mich vorbeuge und meine Faust halte.

Heilige Scheiße! Im Film sieht es immer so aus, als würde es nur demjenigen wehtun, der den Schlag verpasst bekommt. Dass derjenige, der zuschlägt, mindestens ebensolche Schmerzen hat, wird nicht gezeigt.

»Spinnst du?«, brüllt Reece und hält sich den Kiefer. Ich erwarte, dass er zurückschlägt, aber das tut er nicht. Vielleicht weiß er in seinem tiefsten Inneren, dass er es nicht anders verdient hat.

»Sag nie mehr, dass sie es nicht wert ist«, knurre ich, drehe mich zum Kühlschrank und hole zwei Kühlpads aus dem Eisfach. Eins werfe ich Reece zu, das andere drücke ich mir auf meine lädierten Knöchel. »Und danke, dass du mir so ein großartiger Freund warst, Reece. Als ich in meinem Leben am absoluten Tiefpunkt war, weil meine Eltern tot waren und sie …«, ich deute auf Vaughn, »mit mir Schluss gemacht hat, warst du der Einzige, der mir Halt gegeben hat. Tja, dumm nur, dass du es gleichzeitig auch ihr *gegeben* hast.«

Reece sieht Vaughn an. »Du hast es ihm erzählt?«, fragt er ungläubig.

Vaughn sieht verwirrt aus. »Ich dachte, er hätte es längst gewusst«, antwortet sie trotzig.

»Oh Mann, Will, das …«, stammelt Reece. »Das tut mir echt leid. Ich hab das damals nicht drauf angelegt, echt nicht. Es ist einfach … passiert.«

Ich schüttle den Kopf. »So was passiert nicht einfach, Reece. Seit wir zehn waren, sind wir die besten Freunde gewesen und haben zusammengehalten, egal, was war. Verdammt, damals ist meine ganze Welt innerhalb von ein paar Tagen zusammengebrochen. Du hast zwei Monate lang so getan, als würdest du mir helfen, sie zurückzugewinnen, dabei hast du sie die ganze Zeit über … *gevögelt*!« Weder er noch Vaughn schaffen es, mir in die Augen zu sehen. Ich schleudere mein Kühlpad auf die Theke und gehe in mein Zimmer. »Ich will, dass ihr beide verschwindet. Sofort.«

Ich knalle die Tür hinter mir zu und werfe mich aufs Bett. Reece ist jetzt also auch Vergangenheit. Die Freunde, die mir noch bleiben, kann ich an einer Hand abzählen, oder besser gesagt: an einem Finger. Ich starre ins Leere und frage mich, wie es sein kann, dass ich seinem Egoismus gegenüber so lange so blind gewesen bin.

Reece geht ins Gästezimmer und dann ins Bad, um seine Sachen zusammenzupacken. Ich warte, bis die Haustür ins Schloss fällt und er seinen Wagen startet, bevor ich aufstehe, in die Küche gehe und mir einen Kaffee einschenke. In Zukunft werde ich wohl wieder selbst welchen kochen müssen.

Der Tag, in den ich so viele Hoffnungen gelegt habe, hat alles andere als vielversprechend angefangen. Ich hole mir einen Stern aus der Vase und falte ihn auf.

I want to have friends that I can trust, who love me for the man I've become … not the man that I was.

– *The Avett Brothers*

Instinktiv werfe ich einen Blick über die Schulter und erwarte beinahe, Julia hinter mir stehen zu sehen, die mir zuzwinkert. Es ist geradezu unheimlich, wie treffend die Sterne sind. Fast kommt es mir so vor, als würde sie die Sprüche immer erst kurz bevor wir sie öffnen hineinschreiben.

11.

*Ich kann nur hoffen, dass sich der nächste Eintrag in diesem Tage-
buch – der nach meinem Auftritt heute Abend – ungefähr so lesen
wird:*
*Jetzt, wo ich dich wiederhabe, lasse ich dich nie wieder gehen. Das
schwöre ich. Ich lasse dich nicht noch einmal gehen.*

Gegen sieben steht auf einmal Gavin im Wohnzimmer. Es ist
das erste Mal, dass er ohne Anklopfen ins Haus gekommen
ist. Diese Unsitte ist anscheinend ansteckend.

Ich schätze, er sieht mir an, dass ich jetzt schon mit den
Nerven am Ende bin, weil er beruhigend sagt: »Hey, Will.
Alles cool, sie sind gerade gefahren. Wir sollten ihnen einen
kleinen Vorsprung geben.«

»Gute Idee.« Ich gehe noch mal durchs Haus, um mich
zu vergewissern, dass ich eingepackt habe, was ich brauche.
Aber eigentlich bin ich mir ziemlich sicher, dass ich alles
habe. Als wir kurz darauf in meinen Wagen steigen, warne

ich Gavin, dass ich auf der Fahrt bestimmt kein besonders anregender Gesprächspartner sein werde. Zum Glück hat er Verständnis. Gavin hat eigentlich immer für alles Verständnis. Ich schätze, das macht einen wirklich guten Freund aus.

Auf dem Weg nach Detroit gehe ich im Kopf immer wieder meinen Text durch, obwohl ich längst jede Silbe auswendig kann. Mit den Leuten vom Club N9NE habe ich heute auch schon telefoniert. Alles ist vorbereitet. Leider habe ich nur einen einzigen Versuch. Wenn irgendetwas schiefgeht, war es das.

Ich biege auf den Parkplatz ein und warte im Wagen, während Gavin schon mal reingeht. Kurz darauf schreibt er mir eine SMS, dass Lake und die Kids wie geplant in der Nische sitzen. Ich nehme meine Tasche von der Rückbank, hänge sie mir um und gehe mit weichen Knien zum Eingang. Drinnen warte ich in einer dunklen Ecke in der Nähe der Garderobe auf mein Stichwort. Lake darf mich jetzt auf gar keinen Fall sehen, weil sie sonst sofort aufspringen und fliehen würde, das weiß ich genau.

Die Sekunden dehnen sich zu Minuten und die Minuten fühlen sich an wie eine Ewigkeit. Es ist kaum auszuhalten. Ich war vor einem Slam noch nie so nervös. Aber normalerweise steht auch nichts auf dem Spiel, während der Auftritt heute über den weiteren Verlauf meines Lebens entscheiden wird. Ich atme tief durch und versuche, mich zu konzentrieren, als der Moderator ans Mikro tritt.

»Für den heutigen Abend hat einer unserer Stamm-Slammer etwas Besonderes geplant. Ich weiß selbst nichts Näheres, deswegen möchte ich ihn jetzt einfach ohne lange Vorrede auf die Bühne bitten ...« Er verbeugt sich und tritt ab.

Es ist so weit.

Alle im Saal schauen erwartungsvoll nach vorn, weshalb niemand auf mich achtet, als ich dicht an der Wand entlang durch den dunklen Saal gehe. Bevor ich die Bühne erreiche, werfe ich einen Blick zur Nische. Genau wie wir es besprochen hatten, sitzt Lake zwischen Kel, Caulder, Kiersten und Eddie, die sie daran hindern werden, abzuhauen. Sie schaut gerade auf ihr Handy und hat keine Ahnung, was sie gleich erwartet. Ich mache mir nichts vor. Natürlich wird sie erst mal stinksauer sein, sobald sie mich auf der Bühne sieht. Ich hoffe nur, dass sie lange genug sitzen bleibt, um mir eine Chance zu lassen, zu ihr durchzudringen. Sie ist unglaublich stur, aber sie ist nicht aus Stein.

Die Lichter im Saal erlöschen bis auf einen einzelnen Spot über dem Barhocker, den die Organisatoren für mich auf die Bühne gestellt haben. Ich mag es nicht, wenn mir das Licht so grell in die Augen scheint, dass es mich blendet, weshalb ich darum gebeten habe, die großen Scheinwerfer auszuschalten. Ich will Lakes Gesicht sehen, und ich will, dass sie mir in die Augen sehen kann, damit sie erkennt, wie ernst es mir ist.

Bevor ich die Stufen hinaufgehe, schüttle ich die Arme aus und lasse den Kopf im Nacken kreisen, um etwas von der Anspannung abzubauen, die sich in mir aufgestaut hat. Dann atme ich noch einmal tief durch und steige auf die Bühne.

Ich stelle meine Tasche auf den Boden, nehme das Mikro aus dem Ständer und setze mich auf den Barhocker. Genau in dem Moment schaut Lake von ihrem Handy auf, sieht mich und schnappt nach Luft. Sie steht halb auf, beugt sich zu Caulder, der neben ihr sitzt, sagt etwas zu ihm und zeigt dabei wütend zur Tür. Mein Bruder schüttelt nur grinsend den Kopf und weigert sich, sie aus der Nische zu lassen. Lake blickt sich hektisch nach ihrer Handtasche um, kann sie aber nicht finden. Plötzlich hält sie inne und sieht vorwurfsvoll zu Eddie, Kel und Kiersten. Anscheinend dämmert ihr, dass sie reingelegt wurde. Aber die drei machen ebenfalls keine Anstalten, sie rauszulassen, sodass sie sich schließlich frustriert in die Bank zurückfallen lässt, trotzig die Arme vor der Brust verschränkt und wieder zur Bühne schaut. Zu mir.

Ich räuspere mich. »Könntest du deine Flucht vielleicht noch ein bisschen rauszögern? Es gibt da nämlich ein paar Dinge, die ich dir sagen muss.«

Einige Leute im Publikum drehen sich verwundert um und fragen sich, mit wem ich spreche. Als Lake die neugierigen Blicke bemerkt, vergräbt sie das Gesicht in den Händen.

»Ich weiß, dass es eigentlich gegen die Regeln verstößt, bei einem Slam Requisiten zu verwenden«, sage ich, um wieder von ihr abzulenken. »Aber ich hoffe, es ist okay, dass ich trotzdem ein paar Gegenstände mitgebracht habe, weil es ohne sie heute nicht geht. Es handelt sich hier um einen Notfall.«

Ich stehe auf, bücke mich nach der Tasche und stelle sie auf den Hocker. Danach schiebe ich das Mikro wieder in die Halterung am Ständer.

»Lake?« Ich sehe sie direkt an. »Vor drei Tagen hast du mich gebeten, gründlich über all das nachzudenken, was du mir zu bedenken gegeben hast, bevor ich eine Entscheidung treffe. Drei Tage sind zwar nicht besonders lang, aber um ehrlich zu sein, habe ich nicht einmal drei Sekunden gebraucht. Statt also die letzten Tage damit zu verbringen, eine Antwort auf etwas zu finden, das ich längst weiß, habe ich beschlossen, die Zeit zu nutzen und meine Gedanken aufzuschreiben, um sie heute vorzutragen. Das hier ist keine traditionelle Slam-Poetry, aber ich habe das Gefühl, dass du das nicht so eng sehen wirst. Mein Text heißt: *Weil du du bist.*«

Ich atme aus und lächle sie an. Dann lege ich los.

»In jeder Beziehung gibt es die Momente, in denen es passiert. Momente, in denen man sich zum ersten Mal und dann immer wieder aufs Neue verliebt:

Ein Blick,
ein Lächeln,
ein Kuss,
ein Missgeschick ...«

Ich nehme Kels Darth-Vader-Hausschuhe aus der Tasche und betrachte sie versonnen.

»Die hier hattest du in einem solchen Moment an.
In einem dieser Momente, in denen ich mich in dich verliebt habe.
Was in mir drin passiert ist, als ich dich darin sah, hatte absolut nichts mit irgendjemand anderem zu tun, sondern ganz allein nur mit dir.

Ich habe mich in dich verliebt,
weil du die bist,
die du bist.
Habe mich verliebt,
weil du du bist.«

Ich stelle die Hausschuhe an den Bühnenrand und gehe zum Barhocker zurück, um den nächsten Gegenstand aus meiner Tasche zu holen. Als Lake erkennt, was es ist, schlägt sie sich die Hand vor den Mund.

»Dieser selbstzufrieden grinsende kleine Zwerg
hat dir ein Bein gestellt und mir so einen Grund geliefert,
dich zu mir nach Hause einzuladen …
und damit in mein Leben.
In den Monaten danach hast du ziemlich oft deine Wut
an ihm ausgelassen.
Ich hab vom Fenster aus gesehen, wie du ihm im Vorbeigehen jedes Mal einen Tritt verpasst hast.
Der arme kleine Kerl.
Aber andererseits war es genau diese feurige, kämpferische und trotzige Seite von dir,
die Seite, die sich von nichts und niemandem etwas bieten lässt,
nicht von einem Gartenzwerg
und auch nicht von mir,
in die ich mich verliebt habe.
Weil du so bist,
wie du bist,

habe ich mich verliebt.
Weil du du bist.«

Ich stelle den ramponierten Zwerg mit seiner abgebrochenen Mütze neben die Hausschuhe und ziehe als Nächstes die
CD aus der Tasche.

»Deine Lieblings-CD.
Du hast ›Layken's Shit‹ draufgeschrieben, aber ich weiß,
dass das keine Bewertung ist, sondern nur die Besitzver-
hältnisse klären soll.
Als ich neben dir in deinem Wagen saß und das Ban-
jo-Intro aus den Lautsprechern kam, erkannte ich meine Lieblingsband sofort.
Und als ich begriff, dass das auch deine Lieblingsband
ist, dass es dieselben Texte sind, die uns berühren,
da hab ich mich in dich verliebt.
Nicht wegen irgendjemand anderem
oder irgendwelcher Umstände,
sondern weil du es bist,
die diese Musik liebt.
Weil du so bist,
wie du bist.«

Ich lege die CD zu den anderen Sachen, greife dann wieder
in die Tasche, hole einen zerknitterten kleinen Zettel heraus
und halte ihn in die Höhe. Als ich ins Publikum schaue, sehe
ich, wie Eddie Lake gerade über den Tisch eine Packung Ta-
schentücher zuschiebt.

»Das ist der Beleg, den ich bekommen habe, als ich uns
das erste Mal Drinks an der Bar hier geholt habe.
Ich habe ihn behalten, weil das, was draufsteht, mich
zum Lachen gebracht hat.
Kakao on the Rocks?
Wer bestellt denn so was?
Aber du bist eben anders und es ist dir egal.
Du bist einfach du selbst.
Und auch das war einer der Momente,
in denen ich mich in dich verliebte.
Weil du so bist, wie du bist.
Weil du du bist.
Tja, und das hier …?«

Ich ziehe ein beschriebenes Blatt Papier aus der Tasche.

»Dazu habe ich ein etwas zwiespältiges Verhältnis.
Das ist das Slam-Gedicht, das du über mich geschrieben
hast.
Weißt du noch?
Es heißt: ›Mies‹.
Ich glaube, ich habe dir nie gesagt,
dass ich es mit null Punkten bewertet habe.
Aber obwohl ich es nicht mochte, habe ich es aufgeho-
ben, um mich für immer an all das zu erinnern, was ich
für dich niemals sein will.«

Als Nächstes hole ich ein Kleidungsstück aus der Tasche und
halte es ins Licht.

»Das ist die hässliche Bluse, die du manchmal anhast. Zu behaupten, ich hätte mich ihretwegen in dich verliebt, wäre gelogen. Ehrlich gesagt hab ich sie nur mit, weil mir spontan der Gedanke kam, sie zu klauen, als ich sie bei dir rumliegen sah.«

Der vorletzte Gegenstand, den ich aus der Tasche hole, ist ihre lila Haarspange. Lake hat mir erzählt, wie viel sie ihr bedeutet.

»Diese lila Haarspange hat tatsächlich Zauberkräfte
… genau wie dein Vater gesagt hat.
Ihr Zauber besteht darin, dass du niemals das Vertrauen in sie verlierst.
Ganz egal, wie oft du dir schon etwas von ihr gewünscht hast und sie es dir nicht erfüllt hat,
du glaubst weiter an sie.
Gleichgültig, wie oft sie dich enttäuscht,
du hältst zu ihr,
so wie du zu mir hältst.
Und genau dafür liebe ich dich.
Weil du so bist.
Weil du du bist.«

Ich lege die Spange vorsichtig auf den Boden, richte mich wieder auf und ziehe als Letztes einen schmalen Papierstreifen aus der Tasche, den ich glatt streiche.

»Deine Mutter …«

Ich sehe Lake an.

>>Deine Mutter war eine ganz besondere Frau, Lake.
Ich schätze mich glücklich, dass ich sie kennenlernen
durfte
und dass sie auch ein Teil meines Lebens wurde.
Dass ich sie zum Schluss liebte wie meine eigene Mutter
und dass sie mich und Caulder liebte, als wären wir ihre
eigenen Söhne.
Ich habe sie nicht deinetwegen geliebt, Lake,
sondern ihretwegen.
Weil sie die war, die sie war.
Danke, dass du sie mit uns geteilt hast.
Ich kenne keinen Menschen, der in Sachen Leben, Liebe, Glück und Kummer bessere Ratschläge geben und
klügere Worte finden konnte als sie.
Aber ich glaube, der beste Rat, den sie mir – nein: uns –
je gegeben hat, ist ...<<

Ich lese laut vor, was auf dem Papierstreifen steht:

>>*Manchmal müssen sich Menschen voneinander entfernen,
um zu spüren, wie sehr sie einander brauchen.*<<

Als ich den Kopf hebe und zu Lake blicke, sehe ich, dass sie
sich mit dem Handrücken über die Augen wischt. Ich lege
den Papierstreifen zu den anderen Dingen auf die Bühne
und schaue sie an.

»Der letzte Gegenstand hat nicht in meine Tasche gepasst, dazu war er ein bisschen zu groß.

Es ist der Platz, an dem du sitzt.

Unsere Nische.

Genau dort saßt du an dem Abend, an dem du deinen ersten Poetry-Slam auf dieser Bühne erlebt hast.

Ich werde niemals vergessen, wie deine Augen geleuchtet haben, während du zugehört hast.

Das war der Moment, in dem ich wusste, dass es zu spät war. Dass es kein Zurück mehr gab,

weil ich dir längst verfallen war,

und zwar rettungslos.

Der Moment, in dem ich wusste,

dass ich dich liebe,

weil du du bist.«

Ich ziehe das Mikro vom Ständer, trete einen Schritt zurück und setze mich auf den Barhocker, ohne sie aus den Augen zu lassen.

»Ich könnte den ganzen Abend so weitermachen, Lake. Ich könnte immer noch mehr Gründe aufzählen, warum ich dich liebe – dich um deiner selbst willen liebe.

Aber ich will nicht leugnen, dass es für mich tatsächlich auch noch ein paar andere Gründe gibt, dich zu lieben, die nichts mit dir und mir zu tun haben, sondern mit dem, was uns das Leben in den Weg wirft.

Ich liebe dich, weil du der einzige Mensch bist, der meine Situation wirklich versteht.

Ich liebe dich, weil wir beide wissen, wie es sich anfühlt, wenn man seine Mutter und seinen Vater verliert.

Ich liebe dich, weil du genau wie ich deinen kleinen Bruder großziehst.

Ich liebe dich für das, was du mit deiner Mutter durchgestanden hast.

Und auch dafür, dass wir es gemeinsam durchgestanden haben, liebe ich dich.

Ich liebe deine Liebe zu Kel.

Ich liebe deine Liebe zu Caulder.

Und meine Liebe zu Kel.

Ich werde mich ganz bestimmt nicht dafür entschuldigen, dass ich dich auch aus Gründen liebe, die den Umständen unseres Lebens geschuldet sind!

Und nein, ich muss nicht Tage, Wochen oder sogar Monate darüber nachdenken, warum ich dich liebe.

Die Antwort darauf fällt mir ganz leicht.

Ich liebe dich,

weil du du bist.

Wegen jeder

einzelnen

kleinen

Facette,

die

dich

zu

der

macht,

die

du
bist.«

Ich stehe auf, ohne den Blick von ihr abzuwenden, und stecke das Mikro wieder in die Halterung zurück. Sie sitzt so weit weg, dass ich mir nicht sicher bin, aber ich bilde mir ein, dass ihre Lippen sich bewegen. Kann es sein, dass sie lautlos »Ich liebe dich« flüstert? Im selben Moment gehen die großen Bühnenscheinwerfer wieder an, und ich bin so geblendet, dass ich gar nichts mehr sehe.

Hastig sammle ich die Dinge zusammen, die ich mitgebracht habe, stecke sie in die Tasche zurück und springe von der Bühne. Ohne auf irgendetwas oder irgendjemanden zu achten, gehe ich zwischen den Tischen hindurch nach hinten zur Nische. Als ich sehe, wie Kel und Caulder aufstehen und Lake sich an ihnen Richtung Ausgang vorbeidrängt, laufe ich schneller. Ist sie etwa doch sauer?

»Keine Angst«, ruft Eddie und hält Lakes Handtasche in die Höhe. »Ich hab ihren Wagenschlüssel. Vielleicht war das alles doch ein bisschen viel für sie. Sie hat gesagt, dass sie dringend an die frische Luft muss.«

Ich stelle meine Tasche auf die Sitzbank, renne zur Tür und stoße sie auf. Lake steht mit dem Rücken zu mir auf dem Parkplatz und blickt zum Himmel auf. Sie steht ganz still da und lässt die Schneeflocken auf ihr Gesicht fallen. Ich wage es nicht, sie zu stören.

Was geht in ihr vor? Habe ich ihre Reaktion womöglich falsch interpretiert und sie durch meinen Auftritt so wütend gemacht, dass sie endgültig nichts mehr mit mir zu tun haben will? Ich nehme meinen ganzen Mut zusammen, schiebe die Hände in die Hosentaschen und gehe auf sie zu. Sobald sie meine Schritte im Schnee knirschen hört, dreht sie sich um.

Der Blick in ihren Augen sagt mir alles, was ich wissen muss. Bevor ich noch einen weiteren Schritt tue, kommt sie schon mit ausgebreiteten Armen auf mich zugerannt und umarmt mich so stürmisch, dass ich fast rückwärts hinfalle.

»Es tut mir leid, Will, dass ich es dir so schwer gemacht habe. Es tut mir so leid …« Sie bedeckt mein Gesicht mit Küssen, küsst mich auf die Wangen, den Hals, die Lippen, die Nase, das Kinn. »Es tut mir so wahnsinnig leid …«

Ich umfasse ihre Taille, hebe sie hoch und drücke sie so fest an mich, wie es fester nicht geht. Als ich sie wieder absetze, stellt sie sich auf die Zehenspitzen, nimmt mein Gesicht in beide Hände und sieht mir in die Augen. Der Schmerz, den ich ihr zugefügt habe, ist aus ihrem Blick gewichen. Ich fühle mich, als hätte mir jemand eine zentnerschwere Last von der Brust genommen und ich könnte zum ersten Mal seit Tagen wieder frei atmen.

»Ich fasse es nicht, dass du den verdammten Gartenzwerg aus dem Müll gezogen hast«, flüstert sie mit rauer Stimme.

»Und ich fasse es nicht, dass du ihn weggeworfen hast«, flüstere ich.

Wir sehen uns an, unverwandt, innig, und doch mit einem letzten Rest von Unsicherheit. Vielleicht geht es ihr wie mir, und sie hat auch Angst, dass das alles womöglich gar nicht wirklich wahr ist oder gleich wieder vorbei sein wird.

»Lake?« Ich streiche ihr über die Haare, dann über ihre

Wange. »Es tut mir leid, dass ich so lange gebraucht habe, bis ich begriffen habe, worum es dir geht. Ich weiß, dass es meine Schuld ist, dass du zu zweifeln angefangen hast, und ich verspreche dir, dass von jetzt an kein Tag mehr vergehen wird, an dem ich dir nicht zeigen werde, wie viel du mir bedeutest.«

Eine Träne löst sich von ihren Wimpern. »Das verspreche ich dir auch«, wispert sie.

Mein Herz hämmert gegen meine Rippen. Aber nicht, weil ich nervös wäre. Und auch nicht, weil ich sie in diesem Moment so schmerzlich begehre wie noch nie zuvor. Sondern weil ich mir noch nie so sicher war, wie ich den Rest meines Lebens verbringen will. *Dieses Mädchen ist mein Leben.* Ich beuge mich zu ihr herunter, berühre ihre Lippen sanft mit meinen und wir küssen uns, ohne den Blick voneinander zu nehmen. Ich glaube, ihr geht es wie mir – wir wollen nicht den winzigsten Bruchteil dieses Augenblicks verpassen.

Ich fasse sie sanft an den Schultern und schiebe sie rückwärts, bis sie an meinem Wagen lehnt, der nur ein paar Meter hinter ihr steht. Obwohl unsere Lippen praktisch miteinander verschmolzen sind, gelingt es mir, ein »Ich liebe dich« zu murmeln. Wieder und immer wieder. »Ich liebe dich so sehr. Gott, wie ich dich liebe.«

Sie löst sich von mir, legt den Kopf in den Nacken und lächelt zu mir auf. Dann wischt sie mit dem Daumen eine Träne von meiner Wange, von der ich nicht einmal gemerkt habe, dass ich sie geweint habe. »Und *ich* liebe dich«, sagt sie. »Aber jetzt, wo wir das geklärt hätten … könntest du mich bitte weiterküssen?«

Und das tue ich.

Nachdem wir in uns versunken mehrere Minuten lang nachgeholt haben, was wir in der vergangenen Woche versäumt haben, beginnt sich irgendwann doch die Kälte bemerkbar zu machen. Lakes Unterlippe zittert.

»Dir ist kalt«, sage ich. »Was willst du tun? Sollen wir uns in meinen Wagen setzen und noch ein bisschen weitermachen oder wieder reingehen?« Ich hoffe, dass sie sich für den Wagen entscheidet.

Sie grinst. »Rate mal.«

Ich strecke die Hand schon nach der Fahrertür aus, als mir einfällt, dass der Autoschlüssel in der Tasche ist, die ich auf die Bank in der Nische gestellt habe. »Verdammt«, stöhne ich und umarme Lake. »Mein Schlüssel ist drinnen.«

»Dann schlag die verschmetterlingte Scheibe ein!«, stößt Lake mit klappernden Zähnen hervor. Sie zittert inzwischen am ganzen Körper, weil sie keine Jacke anhat.

»Würde ich sofort machen, aber dann wäre es im Wagen auch nicht wärmer als hier draußen.« Ich drücke sie fest an mich und versuche, sie so gut es geht gegen die Kälte abzuschirmen.

»Dann müsstest du dir eben etwas anderes ausdenken, um mich zu wärmen …«

Ich bin fast versucht, die Scheibe tatsächlich einzuschlagen, aber dann greife ich doch nach ihrer Hand und ziehe sie Richtung Eingangstür.

In dem schmalen Durchgang, der in den Club führt, drehe ich mich zu ihr um und will sie schnell noch ein letztes Mal küssen, bevor wir wieder zu den anderen gehen. Aber Lake schließt die Arme um mich, und unser Kuss wird länger und intensiver, als ich beabsichtigt hatte. Nicht dass ich etwas dagegen hätte.

»Danke, Will«, sagt sie, als wir uns schließlich voneinander losreißen. »Danke für das, was du heute getan hast. Und dass du dafür gesorgt hast, dass ich nicht abhauen konnte. Du kennst mich eben viel zu gut.«

»Danke, dass du mich angehört hast.«

Hand in Hand betreten wir den Club und gehen zur Nische, wo inzwischen auch Gavin sitzt, der sich während meines Auftritts im Hintergrund gehalten hat. Sobald Kiersten uns entdeckt, fängt sie an zu klatschen.

»Cool! Es hat geklappt!«, jubelt sie.

Alle rutschen zusammen, um Platz für mich und Lake zu machen. »Dann schuldest du mir aber noch eine Poetry-Slam-Nachhilfestunde, Will«, ruft Kiersten. »Abgemacht ist abgemacht.«

Lake sieht erst mich, dann Kiersten an. »Ich glaube, mir wird erst jetzt so richtig klar, von wie langer Hand das Ganze hier geplant war«, sagt sie. »Steckt er etwa auch dahinter, dass ich dich heute mit hierher genommen haben, Kiersten?«

Kiersten wirft mir einen gespielt schuldbewussten Blick zu und wir müssen beide lachen.

»Ich fasse es nicht«, sagt Lake. »Als du letztes Wochenende bei mir geklopft hast und er sich zu mir reingedrängt hat, war das auch schon Teil eures Plans, stimmt's?«

Statt ihr zu antworten, sieht Kiersten mich an. »Das hatte ich ja ganz vergessen. Ich finde, dafür bist du mir echt was schuldig, Will. Mit zwanzig Dollar wäre ich völlig zufrieden.« Sie hält mir die Hand hin.

»Wir hatten zwar eigentlich vereinbart, dass du kein Geld von mir bekommst, aber weißt du was?« Ich ziehe meinen Geldbeutel aus der Tasche und nehme einen Zwanzig-Dollar-Schein heraus. »Ich bin mit deinen Diensten so zufrieden, dass ich dir sogar das Dreifache gezahlt hätte.«

Kiersten nimmt das Geld und steckt es mit zufriedener Miene ein. »Und ich hätte es auch ganz ohne Bezahlung gemacht.«

»Ich fühle mich ganz mies manipuliert«, sagt Lake und schiebt die Unterlippe vor.

Ich lege einen Arm um sie und küsse sie auf die Schläfe. »Das tut mir leid, Baby. Aber du bist einfach eine echt harte Nuss. Da braucht es schon Helfer, um dich zu knacken.«

Sie dreht sich mit gespielter Empörung zu mir um und ich nutze die Gelegenheit, sie zu küssen. Ich kann einfach nicht anders. Sobald meine Lippen sich in einer bestimmten Nähe zu ihren befinden, werden sie wie magnetisch angezogen.

»Irgendwie fand ich es besser, als ihr nicht miteinander gesprochen habt«, sagt Caulder.

»Ich auch«, stimmt Kel ihm zu. »Ich hatte ganz vergessen, wie eklig dieses ständige Geknutsche ist.«

»Ich glaube, mir wird schlecht«, stöhnt Eddie.

Ich lache, weil ich denke, sie macht einen Witz, doch dann presst sie die Hand auf den Mund, und mir wird klar, dass es ihr absolut ernst ist. Lake und ich springen auf, als Eddie sich an uns vorbeidrängt und zur Damentoilette rast. Lake läuft hinter ihr her.

»Was ist denn los?«, fragt Kiersten. »Ist ihr echt schlecht?«

»Ja«, antwortet Gavin. »Die ganze Zeit.«

»Du siehst aber nicht so aus, als fändest du das sonderlich besorgniserregend«, meint Kiersten.

Gavin verdreht die Augen und antwortet nicht. Als kurz darauf die zweite Runde des Slams beginnt, lehnen wir uns zurück und sehen uns den ersten Auftritt an. Mir fällt auf, dass Gavin zwischendurch immer wieder stirnrunzelnd zur Toilette schaut. Irgendwann stößt er mich mit dem Ellbogen an.

»Lässt du mich mal raus, Will? Das dauert mir ein bisschen zu lang.«

Ich greife nach Lakes und meiner Tasche, winke Kiersten und den Jungs und wir folgen Gavin. Kiersten verschwindet in der Toilette, um zu sehen, wie es Eddie geht und ob sie Hilfe braucht.

»Alles okay«, sagt sie, als sie eine Minute später die Tür wieder öffnet. »Layken hat gesagt, dass ihr Jungs schon mal nach Hause fahren sollt. Wir drei kommen dann gleich nach. Aber sie braucht ihre Tasche.«

»Okay, alles klar«, sage ich ein bisschen enttäuscht. Nach der ganzen Aufregung der letzten Tage wäre ich gern mit Lake nach Hause gefahren, um unser Happy End zu zelebrieren, aber sie ist nun mal mit dem Jeep hergekommen, und wir passen nicht alle in meinen Wagen.

Eins ist jedenfalls klar: Heute Nacht werde ich bei ihr schlafen.

Wir gehen nach draußen zu meinem Auto. Gavin und die Jungs setzen sich schon rein, während ich erst meine Scheiben und dann die von Lakes Wagen vom Schnee befreie. Als ich fertig bin, kommen die drei Mädchen gerade aus dem Club.

»Alles okay?«, frage ich Eddie. »Du siehst ziemlich blass aus?«

Sie nickt stumm.

Ich gebe Lake noch schnell einen letzten Kuss, als die anderen schon im Wagen sitzen. Es fällt mir unglaublich schwer, mich jetzt von ihr zu trennen. »Ich fahre hinter euch her. Nur zur Sicherheit, falls Eddie sich noch mal übergeben muss und du rechts ranfahren musst.«

»Das ist lieb von dir«, sagt Lake dankbar und umarmt mich, bevor sie einsteigt.

»Die Jungs übernachten heute bei mir«, flüstere ich. »Sobald sie eingeschlafen sind, schleiche ich mich zu dir rüber. Mach mir eine Freude und zieh deine hässliche Bluse an, okay?«

»Geht nicht.« Sie grinst. »Die hast du mir geklaut. Schon vergessen?«

»Ach ja.« Ich schlage mir an die Stirn. »In dem Fall … ziehst du am besten gar nichts an. Bis gleich.« Ich zwinkere ihr zu und gehe zu meinem Wagen.

»Wie geht es Eddie? Alles okay?«, fragt Gavin besorgt, als ich den Rückwärtsgang einlege.

»Ich glaub schon«, sage ich. »Willst du lieber bei ihr mitfahren?«

Gavin schüttelt seufzend den Kopf. »Vergiss es. Das würde sie nicht wollen. Sie ist immer noch sauer auf mich.«

Ich habe ein bisschen ein schlechtes Gewissen, weil Lake

und ich uns vor Gavins und Eddies Augen gerade versöhnt haben, während die beiden mit ganz anderen Problemen zu kämpfen haben. »Ich bin mir sicher, dass sich alles wieder einrenkt«, versuche ich, ihn zu trösten, als ich vom Parkplatz fahre.

»Wozu braucht man überhaupt Freundinnen?«, fragt Kel von hinten. »Wenn ich euch so sehe, hab ich nicht das Gefühl, dass das so toll ist. Ihr streitet euch doch die ganze Zeit.«

»Irgendwann wirst du es verstehen, Kel«, brummt Gavin. »Wart's ab.«

Er hat recht. Dass ich mich mit Lake versöhnt habe, hat mich jede Sekunde dieser entsetzlichen Woche des Leidens vergessen lassen. Ich habe noch nie so deutlich gespürt, dass wir füreinander bestimmt sind, und heute Nacht wird es endlich passieren. Ohne jedes wie auch immer geartete Rückzugssignal. Plötzlich macht mich der Gedanke nervös.

»Wie sieht's aus, Kel? Willst du heute bei Caulder schlafen?«, frage ich beiläufig und hoffe, dass er meiner Stimme nicht anmerkt, dass ich Hintergedanken habe.

»Klar«, sagt er. »Aber morgen ist doch normaler Schultag und freitags fährt Layken uns immer. Warum schläft Caulder nicht bei uns?«

Ich beiße mir auf die Lippe. Verdammt, daran habe ich gar nicht gedacht. Aber im Grunde macht das nichts aus. Lake kann sich auch zu mir rüberschleichen, nachdem die beiden eingeschlafen sind. »Kann er natürlich auch«, sage ich. »Ist ja egal, wo ihr schlaft.«

Gavin lacht leise. »Ich weiß, was du vorhast«, flüstert er.

Ich lächle nur stumm.

253

Der Schneefall wird immer heftiger. Normalerweise würde ich schneller fahren, aber da ich Lake versprochen habe, hinter ihr zu bleiben, passe ich mich ihrem vorsichtigeren Tempo an, was bei diesen Witterungsverhältnissen wahrscheinlich auch besser ist. Zum Glück sitzt nicht Eddie am Steuer. Sie ist zwar eine Spitzeneinparkerin, aber nicht gerade eine sichere Fahrerin.

Wir haben etwa die Hälfte der Strecke hinter uns und bis auf das rhythmische Geräusch des Scheibenwischers ist es still im Wagen. Gavin starrt stumm aus dem Seitenfenster. Er hat kaum etwas gesagt, seit wir in Detroit losgefahren sind, und ich bin mir nicht sicher, ob er tief in Gedanken versunken oder vielleicht eingeschlafen ist, so wie die beiden Jungs auf der Rückbank.

»Hey, Gavin«, sage ich leise. »Bist du noch wach?«

Er murmelt etwas Unverständliches.

»Hast du eigentlich seit Dienstagabend noch mal in Ruhe mit Eddie gesprochen?«

Er streckt sich in seinem Sitz und gähnt, dann verschränkt er die Hände im Nacken und lehnt sich zurück. »Noch nicht so richtig. Gestern hab ich eine Doppelschicht geschoben und heute waren wir beide an der Uni. Während ihr vorhin draußen wart, hab ich zu ihr gesagt, dass ich mich später gerne noch mal mit ihr unterhalten würde, aber sie hat ganz komisch reagiert. Keine Ahnung … Vielleicht denkt sie, ich will ihr sagen, dass ich das Kind nicht möchte. Seitdem hat sie mich praktisch nicht mehr angeguckt.«

»Na ja, sie wird …«

»Achtung!«, brüllt Gavin plötzlich. Ich reiße das Steuer

nach rechts und trete auf die Bremse, obwohl ich nicht weiß, warum. Gavins Blick ist auf die Gegenfahrbahn links von uns gerichtet. Als ich den Kopf drehe, sehe ich, wie ein Sattelschlepper durch die Leitplanke bricht und den Wagen vor uns rammt.

Lakes Wagen.

Zweiter Teil

12.

Donnerstag, 26. Januar

Als ich die Augen öffne, ist um mich herum nur Schwärze. Und Stille. Ich spüre Kälte. Eiskalten Wind. Und ein Brennen im Gesicht. Benommen sehe ich an mir herunter und bemerke Glassplitter auf meinem T-Shirt. Dann höre ich Caulders Stimme. Sie ist voller Angst.

»Will!«, brüllt er.

Erschrocken drehe ich mich nach hinten. Caulder zerrt panisch an seinem Sicherheitsgurt, Kel versucht, die Tür zu öffnen. Er rüttelt weinend am Griff. Zum Glück sehen beide nicht so aus, als wären sie verletzt.

»Ganz ruhig, ihr beiden. Bleibt erst mal im Wagen sitzen.« Ich fasse mir ins Gesicht, und als ich die Hand zurückziehe, ist sie blutverschmiert.

Ich habe keine Vorstellung davon, was gerade passiert ist. Anscheinend sind wir von irgendetwas getroffen worden. Die Heckscheibe ist geborsten und überall im Wagen liegen Glassplitter. Gavin reißt die Tür auf und will aussteigen, obwohl er immer noch angeschnallt ist. Im ersten Moment begreift er nicht, was los ist, dann versucht er hektisch, den Sicherheitsgurt zu lösen, findet aber den Knopf nicht. Ich helfe ihm. Als er aus dem Wagen steigt, stürzt er vornüber, kann sich aber abfangen, richtet sich wieder auf und rennt davon. *Wo will er hin?* Ich sehe noch, wie er um einen Wagen herumläuft, der auf dem Seitenstreifen steht, dann ist er in der Dunkelheit verschwunden. Ich lehne den Kopf zurück und schließe die Augen. *Was ist passiert?*

Und dann trifft mich die Erkenntnis. »Lake!« Ich reiße die Tür auf und hänge im Sicherheitsgurt fest, genau wie Gavin eben. Sobald ich mich befreit habe, stürme ich los, ohne zu wissen, wohin. Es ist stockdunkel, ich renne durch Schneeflockengestöber, und überall stehen Autos, deren Scheinwerfer mich blenden.

»Sir? Sie müssen sich hinsetzen. Sie sind verletzt!« Ein Mann packt mich am Arm, aber ich reiße mich los und laufe weiter. Auf der Fahrbahn liegen Scherben und Metall- und Kunststoffteile herum. Ich sehe mich fieberhaft um, kann aber Lakes Jeep nirgends entdecken. Dann erst bemerke ich die zerfetzte Fahrbahnbegrenzung. Dahinter steht er – mitten auf einer schneebedeckten Wiese.

Ich renne darauf zu. Gavin ist bereits da, hat die Beifahrertür aufgerissen und zieht Eddie heraus. Sie ist kalkweiß im Gesicht und hat die Augen geschlossen, aber als ich sie an der Schulter fasse, um Gavin zu helfen, stöhnt sie auf, also ist sie bei Bewusstsein. Wir legen sie ein Stückchen weiter weg auf den Boden. Während Gavin sich um sie kümmert, laufe ich schnell zurück und spähe ins Wageninnere, kann Lake aber nirgends sehen. Die Fahrertür steht weit offen und eine Welle der Erleichterung spült über mich hinweg. Das bedeutet, dass sie anscheinend unverletzt ist. Sonst hätte sie nicht aussteigen können.

Jetzt erst bemerke ich Kiersten, die bewegungslos auf der Rückbank liegt. Ich klettere zwischen den Sitzen hindurch nach hinten und beuge mich über sie.

»Kiersten«, rufe ich. »Kiersten! Alles okay?« Erschrocken sehe ich, dass ihr helles Sweatshirt voller Blutspritzer ist, kann aber im Dunkeln nicht erkennen, wo das Blut herkommt. »Kiersten!«, rufe ich panisch, als sie nicht reagiert. Ich lege den Finger an ihr Handgelenk und versuche, nach ihrem Puls zu tasten.

Gavin beugt sich in den Wagen und sieht mich mit schreckgeweiteten Augen an. »Was ist los?«

»Sie lebt. Ich kann den Puls spüren«, sage ich und versuche, ruhig zu bleiben. »Hilf mir, sie hier rauszuholen.«

Während Gavin Kierstens Sicherheitsgurt öffnet, schiebe ich ihr vorsichtig die Hände unter die Achseln und ziehe sie dann über den vorgeklappten Vordersitz. Gavin packt sie an den Beinen und hilft mir, sie aus dem Wagen zu heben und neben Eddie auf den Boden zu legen. Von allen Seiten kommen Leute, die angehalten haben und helfen wollen.

»Wo ist Lake?« Ich richte mich auf und sehe mich um. »Bleib du hier, ich muss Lake finden. Wahrscheinlich sucht sie Kel.«

Gavin sieht auf und nickt stumm.

Ich komme an mehreren Wagen vorbei und schließlich auch an einem Sattelschlepper – oder besser gesagt, an dem, was davon übrig ist. Mehrere Menschen stehen um die eingedrückte Fahrerkabine herum und rufen dem Truckfahrer zu, dass er sitzen bleiben soll, bis Hilfe kommt.

»Lake!« Ich stehe mitten auf der Fahrbahn, lege die Hände wie einen Trichter an den Mund und rufe ihren Namen. Wo kann sie nur sein? Als ich zu unserem Wagen zurücklaufe, sitzen Kel und Caulder immer noch auf der Rückbank.

»Geht es Layken gut?«, fragt Kel ängstlich. »Geht es ihr gut?« Er weint.

»Ja, ich glaube schon. Sie war nicht im Wagen … Ich kann sie nicht finden, wahrscheinlich sucht sie nach uns. Ihr bleibt hier. Ich bin gleich wieder zurück.«

Auf dem Rückweg zum Jeep höre ich endlich Sirenen. Flackernde blaue Lichter nähern sich, zucken über das Wrack des Sattelschleppers und verstärken den gespenstischen Eindruck der Szenerie. Gavin kniet neben Eddie und Kiersten am Boden. Die Sirenen verstummen und plötzlich nehme ich alles um mich herum wie in Zeitlupe wahr.

Ich höre nur noch den Klang meines eigenen Atems und spüre, wie mein Herz gegen die Rippen hämmert.

Ein Krankenwagen hält neben mir und in dem rotierenden Licht auf dem Dach des Fahrzeugs sehe ich für den Bruchteil einer Sekunde ein paar Meter weiter im Schnee einen Menschen liegen. *Lake!* Im nächsten Moment wandert das Licht weiter, und wo sie lag, ist nur noch Dunkel. Ich renne.

Ich will ihren Namen rufen, doch kein Ton dringt aus meiner Kehle. Da sind Leute, die mir im Weg stehen, ich stoße sie zur Seite und dränge mich an ihnen vorbei. Da! Jetzt sehe ich sie wieder. Ich renne, so schnell ich kann, und trotzdem fühlt es sich an, als würde sich der Abstand zwischen uns eher vergrößern als verkleinern.

»Will!«, höre ich Gavin hinter mir rufen.

Und dann bin ich endlich bei ihr. Sie liegt mit geschlossenen Augen auf dem Rücken, den Kopf zur Seite geneigt, und sieht aus, als würde sie schlafen. Ihre Haare sind mit Blut verklebt und der Schnee ringsum hat sich rot verfärbt. Ihr ist bestimmt viel zu kalt. Ich reiße mir meine Jacke vom Körper und lege sie über sie. Dann zerre ich mir auch noch das T-Shirt über den Kopf, tupfe ihr behutsam das Blut von der Schläfe und suche verzweifelt nach der Wunde, um die Blutung zu stoppen.

»Lake! Nicht! Bitte nicht! Bitte nicht, Lake!« Ich lege meine Hand an ihre Wange, aber sie reagiert nicht. Sie fühlt sich so kalt an. Ich will sie in meinen Schoß ziehen, will sie mit meinem Körper wärmen, da packt mich jemand von hinten und reißt mich von ihr weg. Sanitäter kommen angerannt, beugen sich über Lake und machen sich an ihr zu schaffen. Es sind so viele, dass ich sie nicht mehr sehen kann. Ich kann sie nicht sehen!

»Will!« Gavin steht vor mir, krallt sich in meine Schultern und schüttelt mich. »Will! Wir müssen ins Krankenhaus. Die bringen sie ins Krankenhaus. Wir müssen los.«

Er versucht, mich von ihr wegzuziehen. Ich bringe kein Wort hervor, schüttle nur immer wieder den Kopf und schiebe ihn zur Seite. Ich muss wieder zu Lake. Aber er hält mich fest. »Will, nicht. Lass die Sanitäter in Ruhe arbeiten. Sie wollen ihr helfen.«

»Nein!« Ich versetze ihm einen Stoß und reiße mich los. Als ich wieder bei ihr bin, haben sie sie gerade auf eine Rolltrage gehoben und schnallen sie fest. »Lake!«

Einer der Sanitäter schiebt mich zur Seite, als sie die Trage in den Krankenwagen laden.

»Aber ich muss zu ihr!«, rufe ich. »Lassen Sie mich zu ihr!« Die Türen werden zugeknallt und der Wagen fährt mit heulenden Sirenen los. Als seine Rücklichter in der Dunkelheit verschwinden, falle ich auf die Knie.

Ich bekomme keine Luft.

Ich bekomme keine Luft mehr.

13.

Ich mache die Augen auf und sofort wieder zu, weil das Licht so blendet. Ich zittere. Zittere am ganzen Körper. Aber dann merke ich, dass nicht ich es bin, der zittert, sondern alles um mich herum.

»Will? Bist du wach?«

Ich erkenne Caulders Stimme, öffne die Augen wieder und sehe ihn neben mir sitzen. Jetzt begreife ich. Wir befinden uns in einem fahrenden Krankenwagen. Caulder weint. Ich versuche, mich aufzurichten, um ihn zu umarmen, aber jemand drückt mich wieder herunter.

»Bleiben Sie liegen. Sie haben eine ziemlich große Platzwunde, die ich gerade versorge.«

Der Sanitäter, der das sagt, ist derselbe, der mich vorhin zur Seite gedrängt hat.

»Geht es ihr gut?«, stoße ich hervor, und in mir steigt wieder Panik auf. »Wo haben Sie meine Freundin hingebracht? Ist sie okay?«

Er legt eine Hand auf meine Schulter, um mich ruhig zu halten, und drückt eine Mullkompresse über mein linkes Auge. »Ich würde Ihnen gern sagen, wie es ihr geht, aber leider weiß ich es nicht. Jetzt kümmere ich mich erst mal darum, Ihre Wunde zu versorgen und die Blutung zu stillen. Sobald wir im Krankenhaus sind, werden Sie darüber informiert, was mit Ihrer Freundin ist.«

Ich sehe mich im Wagen um. »Wo ist Kel?«

»Er und Gavin sind in einem anderen Krankenwagen«, sagt Caulder. »Aber ich glaub, den beiden geht es gut.«

Ich lege den Kopf zurück, schließe die Augen und bete.

Sobald die Türen aufgerissen werden, springe ich von der Trage und laufe auf das Klinikgebäude zu.

»Hey, bleiben Sie hier. Die Wunde muss genäht werden!«

Aber ich renne weiter – meine Verletzung ist mir völlig egal. Ich werfe einen kurzen Blick über die Schulter und vergewissere mich, dass Caulder mir hinterherläuft. Als ich die Eingangstür zur Notaufnahme aufstoße, sehe ich Gavin und Kel an der Anmeldetheke stehen.

»Kel!« Er rennt auf mich zu, ich hebe ihn hoch, und er schlingt die Arme um meinen Hals. »Wo sind sie?«, frage ich Gavin außer Atem. »Wo ist Lake. Wo haben sie sie hingebracht?«

»Ich habe keine Ahnung. Hier ist niemand, den man fragen kann«, sagt Gavin verzweifelt. Im nächsten Moment entdeckt er eine Schwester, die gerade um die Ecke biegt, und läuft auf sie zu. »Entschuldigung! Wir suchen drei Mädchen, die gerade eingeliefert worden sein müssen ...«

Sie zögert einen Moment, sieht mich und die beiden Jungen an, dann tritt sie hinter die Theke, auf der ein Computermonitor steht. »Sind Sie Angehörige?«

Gavin wirft mir einen kurzen Seitenblick zu. »Ja«, lügt er. »Ja, sind wir.«

Die Schwester macht ein Gesicht, als wäre sie sich nicht sicher, ob sie ihm glauben soll, greift dann aber zum Telefon. »Die Angehörigen sind jetzt hier ... Ja. In Ordnung, mache ich.«

Sie legt auf und geht um die Theke herum. »Wenn Sie mir bitte folgen würden.« Sie führt uns einen Gang entlang, an dessen Ende sich ein kleiner Warteraum befindet. »Nehmen Sie bitte Platz. Der zuständige Arzt wird so bald wie möglich zu Ihnen kommen.«

Ich lade Kel auf einem der Stühle ab, Caulder setzt sich neben ihn. Gavin sieht mich mit hochgezogenen Augenbrauen an, dann zieht er seine Jacke aus und hält sie mir hin. Im ersten Moment verstehe ich nicht, was er will, dann wird mir klar, dass ich mit nacktem Oberkörper dastehe.

Mehrere Minuten vergehen, ohne dass etwas passiert. Irgendwann ertrage ich die Ungewissheit nicht mehr.

»Ich geh sie jetzt suchen«, sage ich und wende mich zur Tür.

Gavin hält mich am Arm zurück. »Jetzt warte doch noch ein paar Minuten, Will. Vielleicht kommt gleich jemand mit Informationen, und dann weiß ich nicht, wo du steckst.«

Kel, der bis jetzt kein einziges Wort gesagt hat, sieht mich mit angstvoll geweiteten Augen an. Als er leise zu schluchzen beginnt, gehe ich vor ihm in die Hocke und umarme ihn.

»Hey, es geht ihr bestimmt gut, Kel. Mach dir keine Sorgen.«

Es *muss* ihr gut gehen. Alles andere ist einfach nicht vorstellbar.

Nach einer Weile stehe ich wieder auf. »Ich muss dringend zur Toilette, ich bin gleich wieder da.«

Der Waschraum ist auf der gegenüberliegenden Seite des Flurs. Sobald ich die Tür hinter mir zugezogen habe, wird mir speiübel. Über die Schüssel gebeugt, würge ich, bis ich am ganzen Körper zittere und mir der kalte Schweiß auf der Stirn steht. Als ich das Gefühl habe, nichts mehr im Magen zu haben, stehe ich auf, wanke zum Waschbecken und spüle mir den Mund aus. Das Keramikbecken umklammernd, betrachte ich im Spiegel mein kalkweißes Gesicht und die geröteten Augen und atme tief durch. Ich muss mich beruhigen. Kel darf mir auf keinen Fall ansehen, was für eine wahnsinnige Angst ich habe.

Der Verband, den mir der Sanitäter angelegt hat, ist schon wieder durchgeblutet. Ich ziehe ein paar Papiertücher aus dem Spender und wische das rote Rinnsal weg, das darunter hervorsickert. Jetzt könnte ich gut eine von Sherrys Beruhigungspillen gebrauchen.

Sherry!

Ich reiße die Tür auf. »Gavin! Wir müssen unbedingt Kierstens Mutter benachrichtigen!«, brülle ich, während ich über den Flur laufe. »Hast du dein Handy dabei?«

Gavin klopft seine Taschen ab. »Das ist in meiner Jacke. Gib es danach mir. Ich muss Joel anrufen.«

Ich greife in seine Jackentasche und ziehe das Handy heraus. »Verdammt, ich weiß Sherrys Nummer nicht auswendig. Die ist in meinem Handy gespeichert.«

»Ich kenne die Nummer. Gib mal her«, sagt Kel und streckt die Hand nach dem Telefon aus. Er wischt sich über die Augen, dann tippt er die Ziffern ein und gibt mir das Handy zurück. Als ich es mir ans Ohr halte und das Freizeichen höre, wird mir wieder schlecht. Was soll ich nur sagen?

Sherry meldet sich nach dem zweiten Klingeln mit einem fröhlichen: »Hallo?«

Ich bekomme kein Wort heraus.

»Hallo?«, fragt sie noch einmal.

»Sherry ...«, presse ich hervor, dann bricht mir die Stimme.

»Will?«, ruft sie erschrocken. »Will, bist du das? Was ist passiert?«

»Sherry ...« Ich hole tief Luft. »Wir ... wir sind im Krankenhaus ... Wir hatten einen ...«

»Ist Kiersten okay?«, unterbricht sie mich. »Geht es ihr gut?«

Ich kann nicht antworten, weil mir wieder schlecht wird. Ich drücke Gavin das Handy in die Hand und stürze zurück zur Toilette.

Ich sitze mit geschlossenen Augen, den Kopf an die Wand gelehnt, auf dem Boden des Waschraums. Irgendwann klopft es an der Tür, aber ich reagiere nicht. Erst als die Tür geöffnet wird, sehe ich auf. Es ist der Sanitäter von vorhin.

»Endlich haben wir Sie gefunden. Kommen Sie mit, die

Wunde muss genäht werden«, sagt er und streckt mir die Hand hin. »Der Schnitt ist ziemlich tief.«

Ich lasse mich von ihm auf die Füße ziehen und folge ihm in einen Behandlungsraum.

»Legen Sie sich bitte dort hin.« Er deutet auf eine Liege. »Ihr Freund hat mir erzählt, dass Sie sich übergeben haben. Wahrscheinlich haben Sie eine Gehirnerschütterung. Bleiben Sie jetzt erst mal ruhig liegen. Die Ärztin wird gleich bei Ihnen sein.«

Nachdem die Wunde genäht worden ist, schärft mir die Ärztin ein, dass ich mich wegen der leichten Gehirnerschütterung, die ich erlitten habe, die nächsten Tage unbedingt schonen soll. Anschließend werde ich zur Anmeldung geschickt, um die Formalitäten zu erledigen. »Können Sie mir auch noch den Namen Ihrer Frau nennen«, sagt die Schwester, als sie mir das Klemmbrett reicht. »Dann mache ich ihre Unterlagen auch gleich fertig.«

Ich sehe sie erstaunt an. »Meine Frau?« Dann fällt mir wieder ein, dass Gavin vorhin behauptet hat, wir seien Angehörige. Wahrscheinlich ist es besser, bei der Lüge zu bleiben, sonst bekommen wir womöglich gar keine Informationen. »Sie heißt Layken Cohen ...«, sage ich und schiebe hastig hinterher: »Cooper, meine ich. Layken Cohen Cooper.«

»Gut. Wenn Sie die Formulare ausgefüllt haben, bringen Sie sie mir bitte gleich wieder.« Sie reicht mir ein zweites Klemmbrett. »Das ist für Ihren Freund. Was ist mit dem Mädchen? Ist sie auch mit Ihnen verwandt?«

270

»Nein«, sage ich. »Das ist die Tochter einer Nachbarin. Ihre Mutter ist schon auf dem Weg hierher.«

Ich greife nach den Klemmbrettern und gehe zurück ins Wartezimmer. »Gibt's was Neues?«, frage ich Gavin, als ich ihm seine Formulare reiche, aber er schüttelt nur stumm den Kopf. »Verdammt, wir sind jetzt bestimmt schon eine Stunde hier. Das gibt es doch nicht!« Ich schleudere mein Klemmbrett auf einen Tisch, auf dem Zeitschriften liegen, und lasse mich neben Kel in einen Stuhl fallen.

Kurz darauf kommt ein Arzt in einem weißen Kittel in den Raum, dicht gefolgt von einer völlig aufgelösten Sherry. Ich stehe auf und lege tröstend einen Arm um sie.

»Wo ist sie?«, schluchzt Sherry. »Wo ist Kiersten? Ist sie verletzt?«

Ich sehe den Arzt fragend an.

»Sind Sie die Mutter des Mädchens?«

Sherry nickt.

»Machen Sie sich keine Sorgen. Sie hat sich den Arm gebrochen und ein Schleudertrauma erlitten. Nichts wirklich Schlimmes. Wir warten noch auf ein paar Untersuchungsergebnisse, aber Sie können ruhig schon zu ihr. Sie liegt auf Zimmer 212. Die Schwester an der Anmeldung wird Ihnen erklären, wie Sie zur Station kommen.«

»Ich danke Ihnen!« Sherry lächelt unter Tränen und geht eilig aus dem Raum. Ich atme erleichtert aus. Vielleicht ist es bei Lake und Eddie auch glimpflich ausgegangen.

»Und zu wem von Ihnen beiden gehört die junge Frau?«, erkundigt sich der Arzt. Gavin und ich sehen uns verwundert an.

»Aber es sind zwei!«, entfährt es mir. »Es müssen zwei junge Frauen eingeliefert worden sein!«

Der Arzt sieht mich an und versteht anscheinend nicht, warum ich ihn so anschreie. »Tut mir leid, auf meine Station ist nur eine gebracht worden. Es kommt auf den Grad und die Art der Verletzungen an, wo die Patienten versorgt werden. Die junge Dame, die bei mir liegt, ist jedenfalls blond.«

»Das ist Eddie«, ruft Gavin. »Geht es ihr gut?«

»Ihr Zustand ist stabil. Wir führen noch ein paar abschließende Untersuchungen durch, dann können Sie zu ihr.«

»Aber sie ist schwanger! Geht es dem Baby gut?«

»Genau das untersuchen wir gerade. Sobald wir Ergebnisse haben, komme ich Sie holen.«

Er dreht sich um und geht in den Flur hinaus. Ich stehe einen Moment wie versteinert da, dann laufe ich ihm hinterher. »Hey, warten Sie!«, rufe ich. »Was ist mit ... meiner Frau? Der anderen Patientin? Wieso sagt mir keiner, wo sie ist? Wird sie vielleicht gerade operiert?«

Sein mitleidiger Blick macht mich wütend. Ich will kein Mitleid – ich will endlich wissen, was los ist!

»Es tut mir sehr leid, aber mehr weiß ich wirklich nicht. Ich habe nur die anderen beiden Patientinnen versorgt. Ich verspreche Ihnen, dass ich mich nach Ihrer Frau erkundige und Ihnen Bescheid gebe.« Er geht hastig davon.

Warum sagt mir niemand etwas? Ich lehne mich gegen die Wand, lasse mich langsam zu Boden rutschen, ziehe die Knie an und begrabe mein Gesicht in den Händen.

»Will?«

Als ich hochschaue, steht Kel vor mir.

»Warum sagen die uns nicht, was mit Layken los ist?«, fragt er mit zitternder Stimme.

Ich greife nach seiner Hand, ziehe ihn zu mir herunter und lege ihm einen Arm um die Schultern. »Ich weiß es nicht, Kel«, sage ich, drücke ihn an mich und küsse ihn auf die Haare. Es ist das, was Lake tun würde. »Ich weiß es nicht.« Ich halte ihn einfach nur fest, während er leise weint. Obwohl ich am liebsten schreien, toben und gegen die Wände schlagen möchte, versuche ich, Ruhe auszustrahlen. Für Kel, gerade mal elf Jahre alt, ist alles noch viel schlimmer. Lake ist der einzige Mensch, den er auf dieser Welt noch hat. Ich drücke ihn an mich und presse meine Lippen in seine Haare, bis er sich irgendwann in den Schlaf geweint hat.

»Will?«

Ich hebe den Kopf. Sherry steht vor mir. Ich will aufstehen, aber sie hält mich davon ab, indem sie auf Kel deutet, der in meinem Schoß schlummert. Stattdessen setzt sie sich neben mich auf den Boden.

»Wie geht es Kiersten?«, frage ich leise.

»Abgesehen von dem gebrochenen Arm erstaunlich gut. Sie schläft jetzt. Vielleicht kann ich sie nachher schon mit nach Hause nehmen.« Sherry streichelt Kel über die Haare. »Gavin hat mir erzählt, dass ihr noch nichts von Layken gehört habt?«

Ich schüttle den Kopf und halte krampfhaft meine Tränen zurück. »Nein. Kein einziges Wort.« Ich sehe sie an. »Warum sagen die mir nichts, Sherry? Wir warten jetzt schon fast zwei Stunden hier, und ich weiß noch nicht einmal, ob sie überhaupt …« Ich schaffe es nicht, den Satz zu beenden, und hole tief Luft, um nicht loszuheulen.

Sherry legt mir eine Hand auf den Unterarm. »Will … wenn das, was du denkst, der Fall wäre, hätten sie es dir gesagt. Ich bin mir sicher, dass sie alles tun, was ihnen möglich ist.«

Sie meint es gut, aber die Vorstellung, dass Lake irgendwo hier in diesem Gebäude liegt und Ärzte womöglich jetzt, genau in diesem Moment, um ihr Leben kämpfen, ist zu viel für mich. Ich hebe den schlafenden Kel hoch, trage ihn in den Warteraum zurück und lege ihn neben Gavin auf eine Reihe von Stühlen.

»Ich bin gleich wieder da«, flüstere ich und gehe zur Anmeldung, die nicht besetzt ist. Als ich versuchsweise gegen die Türen drücke, die in die Notaufnahme führen, stelle ich fest, dass sie sich nicht öffnen lassen. Ich sehe mich nach einer Schwester um, aber außer ein paar Leuten, die im großen Wartebereich sitzen, ist niemand da. Schließlich gehe ich einfach hinter die Theke und suche nach dem Knopf, mit dem sich die Türen öffnen lassen. Als ich ihn tatsächlich finde, drücke ich ihn und springe dann mit einem Satz über den Anmeldetresen, um durch die Tür zu flitzen, bevor sie sich wieder schließt.

»Kann ich Ihnen helfen?«, fragt eine Schwester, der ich im Flur begegne, aber ich laufe wortlos an ihr vorbei, als wüsste ich genau, wo ich hinwill. An der nächsten Ecke gabelt sich der Flur. Rechts geht es auf eine Bettenstation, links zu den Operationssälen. Ich wende mich nach links und drücke den Knopf an der Wand neben den Doppeltüren, die in den

OP-Bereich führen. Sie öffnen sich, doch als ich gerade hindurchwill, kommt mir ein Mann in weißem Kittel entgegen.

»Stopp. Sie dürfen hier nicht rein«, sagt er.

»Lassen Sie mich. Ich suche jemanden, der da drin ist!«, rufe ich und versuche, mich an ihm vorbeizudrängen.

Er packt mich an den Schultern, schiebt mich gegen die Wand und betätigt den Knopf, um die Türen zu schließen. »Im OP-Bereich ist nur medizinisches Personal zugelassen«, sagt er ruhig. »Wen suchen Sie denn?« Er lässt mich los und tritt einen Schritt zurück.

»Meine Freundin«, keuche ich und spüre, wie mir wieder schwindelig wird. Ich beuge mich vor, stemme die Hände auf die Oberschenkel und atme tief durch. »Niemand sagt mir, was los ist. Ich muss wissen, wie es ihr geht.«

»Ich habe eine Patientin, die vor etwa zwei Stunden nach einem Verkehrsunfall mit einem Schädel-Hirn-Trauma hier eingeliefert worden ist. Ist das Ihre Freundin?«

Ich nicke. »Ist sie okay?«

Der Arzt schiebt die Hände in die Taschen seines Kittels und sieht mich ernst an. »Wir haben uns zunächst darauf konzentriert, sie zu stabilisieren, und anschließend eine Computertomografie durchgeführt, bei der ein epidurales Hämatom festgestellt wurde, das schnellstmöglich operiert werden muss, bevor der Druck weiter zunimmt.«

Panik steigt in mir auf. »Ein epi… was? Was bedeutet das? Wie schlimm ist es?«

»Ihre Freundin hat durch den Aufprall Kopfverletzungen erlitten, die eine Gehirnblutung ausgelöst haben«, erklärt er. »Mehr kann ich Ihnen zum gegenwärtigen Zeitpunkt leider nicht sagen. Wir wissen erst nach dem Eingriff, welche Areale betroffen sind und wie schwerwiegend die Blutung ist. Ich wollte gerade die Angehörigen informieren. Was ist mit den Eltern Ihrer Freundin? Sind sie hier oder können Sie mir eine Telefonnummer nennen, unter der ich sie erreichen kann?«

Ich schüttle den Kopf. »Ihre Eltern sind tot. Außer mir hat sie niemanden.«

Er nickt nachdenklich, dann drückt er auf den Knopf, der die Türen öffnet. »Wie heißen Sie?«, fragt er, bevor er wieder in den OP-Bereich geht.

»Will. Will Cooper.«

»Okay. Ich bin Dr. Bradshaw«, sagt er. »Hören Sie, Will, ich verspreche Ihnen, dass ich alles für Ihre Freundin tun werde, was in meiner Macht steht. Setzen Sie sich bitte ins Wartezimmer und versuchen Sie, ruhig zu bleiben. Ich werde zu Ihnen kommen, sobald ich mehr weiß.« Er dreht sich um und die Türen gleiten hinter ihm zu.

Ich drehe mich benommen um und versuche zu begreifen, was ich eben erfahren habe.

Sie lebt.

Als ich ein paar Minuten später in den Warteraum zurückkomme, sitzen nur noch Kel und Caulder da.

»Wo ist Gavin?«, frage ich.

»Joel hat gerade angerufen, dass er gleich da ist. Gavin ist raus, um ihn am Eingang abzuholen«, sagt Caulder.

Kel sieht mich ängstlich an. »Hast du was herausgefunden?«, fragt er.

Ich nicke. »Sie wird gleich operiert.«

»Dann ist sie also nicht tot?« Er springt vom Stuhl auf und umarmt mich. »Sie lebt!«

Ich drücke ihn fest an mich. »Ja. Ja, sie lebt«, flüstere ich, und mir steigen die Tränen in die Augen, als mir klar wird, dass dieser tapfere kleine Junge dieselben furchtbaren Gedanken hatte wie ich, aber kein Wort darüber verloren hat. Ich führe ihn sanft zu einem Stuhl, knie mich vor ihn hin und fasse ihn an den Händen. »Sie ist ziemlich schwer verletzt, Kel. Es ist noch zu früh, um etwas zu sagen, aber … sie informieren uns, sobald sie wissen, wie es weitergeht, okay?« Ich nehme eine Schachtel Kleenex vom Tisch und gebe sie ihm. Kel zieht sich ein Tuch heraus und putzt sich die Nase.

Danach setze ich mich zwischen ihn und Caulder und wir sitzen eine Weile einfach so da, ohne zu reden. Ich schließe die Augen, rekapituliere das Gespräch mit dem Arzt und frage mich, ob sich aus seinem Gesichtsausdruck oder dem Tonfall seiner Stimme irgendwelche Rückschlüsse auf Lakes Zustand ziehen lassen. Natürlich weiß er mehr, als er mir gesagt hat, und dieser Gedanke macht mir höllische Angst. Was, wenn bei dieser Operation etwas schiefgeht oder sie irgendwelche Schäden zurückbehält? Aber darüber kann, will und darf ich jetzt nicht nachdenken. Ich konzentriere mich nur darauf, dass sie alles gut überstehen wird. Sie *muss* es überstehen. Es kann nicht sein, dass ich nach meinen Eltern noch einen geliebten Menschen durch einen Autounfall verliere. Das *kann* einfach nicht sein.

»Hey. Gibt es irgendwas Neues?«, fragt Gavin, als er kurz darauf mit Eddies Pflegevater Joel in den Raum kommt. Er hält mir eine Tüte hin. »Hier. Ich habe Joel gebeten, dir was zum Anziehen mitzubringen.«

»Danke.« Ich gebe ihm seine Jacke zurück und ziehe mir das Sweatshirt über den Kopf, das in der Tüte war. »Lake wird gerade operiert. Sie hat eine Kopfverletzung, eine Blutung im Gehirn. Mehr konnten sie mir nicht sagen. Was ist mit Eddie? Wie geht es dem Baby?«

Gavin wird blass.

»Welchem Baby?«, ruft Joel. »Wovon spricht er, Gavin?«

»Wir ... wir wollten es dir erzählen, Joel«, stammelt Gavin. »Aber ... wir wissen es selbst erst seit ein paar Tagen und ... wir hatten noch keine Gelegenheit.«

Joel stürmt hinaus. Gavin wirft mir einen Blick zu und läuft ihm dann hinterher.

Ich bin so ein Idiot.

»Dürfen wir zu Kiersten?«, fragt Kel.

»Wahrscheinlich ja, aber fragt lieber an der Anmeldung. Die sagen euch, wo sie liegt. Und bleibt nicht zu lange. Sie braucht Ruhe.«

Die beiden Jungs springen auf und stürmen hinaus.

Als ich allein bin, schließe ich die Augen und lehne den Kopf gegen die Wand. Ich hole tief Luft, aber der Druck in meiner Brust wird immer größer. Ich versuche, den Schmerz in mir zu behalten und nicht rauszulassen, wie Lake es immer tut, aber es gelingt mir nicht. Ich schlage die Hände vors Gesicht und dann fließen die Tränen. Ich weine nicht nur, ich wimmere. Ich schluchze. Ich schreie.

14.

Donnerstagnacht, 26. Januar, vielleicht auch schon
Freitag, der 27.

*Jetzt, wo ich dich wiederhabe, lasse ich dich nie wieder gehen. Das
schwöre ich. Ich lasse dich nicht noch einmal gehen.*

Während ich im Waschraum bin und mir kaltes Wasser ins
Gesicht spritze, höre ich draußen im Flur Stimmen. Ich stoße
die Tür auf, um zu sehen, ob es vielleicht Dr. Bradshaw ist,
aber da stehen bloß Gavin und Joel. Ich will die Tür gerade
wieder zumachen, als Gavin die Hand hebt und mich zu sich
winkt.

»Will? Deine Großeltern sind da. Sie suchen dich.«

»Meine Großeltern? Wie … Aber woher wissen sie …?«

»Ich habe sie angerufen«, sagt er. »Ich dachte, sie könnten
vielleicht Kel und Caulder mit zu sich nehmen.«

»Wo sind sie?«

»Vorne bei der Anmeldung«, antwortet er.

Ich laufe los. Mein Großvater hat seinen gefalteten Mantel über dem Arm hängen und sagt gerade etwas zu meiner Großmutter, als er mich entdeckt.

»Will!« Die beiden kommen mir entgegen.

»Mein Gott, bist du verletzt?« Grandma deutet besorgt auf meinen Kopfverband.

»Das ist nichts«, wehre ich ab. »Nur eine kleine Schnittwunde.«

Sie umarmt mich. »Gavin hat uns erzählt, dass Layken operiert wird. Weißt du schon mehr?«

Ich schüttle stumm den Kopf.

»Wo sind die Jungs?«

»Bei Kiersten«, sage ich.

»Kiersten? Sie war auch dabei?«

Ich nicke.

»Die Schwester an der Anmeldung hat gefragt, ob du die Unterlagen für die Versicherung schon ausgefüllt hast«, sagt mein Großvater. »Wenn du sie mir gibst, kann ich sie ihr schnell bringen.«

»Ich hab noch nicht mal angefangen, sie auch nur durchzulesen. Sorry, aber irgendwelche Formulare sind im Moment das Letzte, was mich interessiert. Kommt ihr mit in den Warteraum?«, frage ich. »Ich muss mich hinsetzen.«

Als ich an Gavin vorbeikomme, fällt mir zum ersten Mal auf, dass er seinen linken Arm in einer Schlinge trägt. »Alles okay mit dir?«, frage ich.

»Ja, ja«, sagt er. »Nur eine Schulterprellung, aber die haben darauf bestanden, mir dieses Ding zu verpassen.«

Er und Joel kommen mit in den Warteraum. Ich lege die Füße auf einen der niedrigen Tische und lehne den

Kopf an die Wand. Meine Großeltern setzen sich mir gegenüber. Niemand sagt etwas, aber ich habe auf einmal das Gefühl, dass alle mich beobachten und auf irgendetwas warten. Worauf? Dass ich heule? Durchdrehe? Um mich schlage?

»Was?«, entfährt es mir plötzlich gereizt. Meine Großmutter zuckt zusammen und ich bekomme sofort ein schlechtes Gewissen, trotzdem entschuldige ich mich nicht. Dazu fehlt mir die Kraft. Ich schließe die Augen und versuche, mich zu erinnern, was der Auslöser dafür war, dass mein Leben von einer Sekunde zur nächsten komplett aus den Fugen geraten ist. Ich weiß noch, dass ich mit Gavin über Eddie gesprochen habe, als er plötzlich aufschrie. Auch daran, dass ich gebremst habe, erinnere ich mich, aber alles, was danach kam, ist aus meinem Gedächtnis gelöscht … Ich weiß bloß, dass ich irgendwann die Augen aufgemacht habe und wir auf dem Seitenstreifen standen.

Ich nehme die Füße vom Tisch und wende mich an Gavin. »Was ist eigentlich genau bei dem Unfall passiert? Ich erinnere mich an nichts.«

»Ein Sattelschlepper, der aus der entgegengesetzten Fahrtrichtung kam, ist durch die Leitplanke gebrochen, hat Lakes Jeep getroffen und quer über die Straße auf die Wiese katapultiert«, erzählt er müde. »Du konntest zum Glück ausweichen und hast sofort gebremst, sodass wir nicht auch noch auf sie draufgeknallt sind. Dafür hat uns der von hinten kommende Wagen seitlich gestreift und wir sind an den Straßenrand geschoben worden. Ich bin raus und sofort zu Laykens Wagen gerannt. Als ich gesehen habe, dass sie aussteigt und weggeht, dachte ich, es geht ihr gut und sie will zu dir, und hab mich deswegen erst mal um Eddie gekümmert.«

»Du hast gesehen, wie sie ausgestiegen ist? Sie ist nicht rausgeschleudert worden?«

Er schüttelt den Kopf. »Nein. Sie war zwar etwas wackelig auf den Beinen, aber sie ist ausgestiegen. Wahrscheinlich ist sie ein Stück gelaufen und hat dann das Bewusstsein verloren.«

Irgendwie beruhigt mich die Vorstellung, dass sie noch in der Lage war, auszusteigen und ein paar Schritte zu gehen. Vielleicht heißt das, dass alles nicht so schlimm ist.

»Will?« Mein Großvater beugt sich in seinem Stuhl zu mir vor. »Ich weiß, dass du dich nicht mit den Formularen beschäftigen willst, aber die Ärzte brauchen so viele Informationen über Layken, wie du ihnen geben kannst. Im Moment kennen sie nicht einmal ihren Namen. Sie müssen wissen, ob sie irgendwelche Allergien oder Unverträglichkeiten hat und ob und wo sie versichert ist. Wenn du ihnen ihre Sozialversicherungsnummer gibst, können sie darüber vielleicht mehr herausfinden.«

Ich seufze. »Ich kenne ihre Sozialversicherungsnummer nicht. Ich weiß nicht, ob sie krankenversichert ist. Ich weiß nicht mal, ob sie irgendwelche Allergien hat. Ich weiß überhaupt nichts!« Auf einmal schäme ich mich dafür, dass wir nie über diese Dinge gesprochen haben. Lake hat niemanden außer mir, aber ich weiß nicht das Geringste über sie! Genauso wenig wie sie über mich. Haben wir denn gar nichts aus dem Tod unserer Eltern gelernt? Ich vergrabe mein Gesicht in den Händen. Kann es sein, dass sich alles, was ich hinter mir zu haben glaubte, jetzt wiederholt? ... *Unvorbereitet* und *überfordert*.

Mein Großvater steht auf, setzt sich neben mich und legt mir einen Arm um die Schulter. »Na komm, Will. Ich helfe dir, die Formulare auszufüllen.«

Eine weitere Stunde tickt vorbei, ohne dass wir irgendetwas Neues erfahren. Auch Eddies Arzt lässt sich nicht noch mal blicken. Joel und meine Großeltern gehen mit Kel und Caulder in die Cafeteria, um etwas zu essen. Gavin bleibt mit mir im Warteraum zurück.

Irgendwann steht er wortlos auf und legt sich auf den Boden. Ich kann auch nicht mehr sitzen, also mache ich es genauso. Ich falte die Hände im Nacken, starre an die Decke und lege die Füße auf einen der Stühle.

»Ich versuche, es die ganze Zeit zu verdrängen, Will«, sagt Gavin nach einer Weile mit rauer Stimme. »Aber falls irgendwas mit dem Baby ist, wird Eddie ...«

»Gavin ... nicht. Zerbrich dir nicht den Kopf darüber, das hat keinen Zweck. Ich versuche auch, nicht daran zu denken, was mit Lake ist. Wir machen uns nur verrückt.«

»Du hast ja recht ...«, murmelt er.

Wir schweigen beide, aber ich bin mir sicher, dass sich seine Gedanken genauso im Kreis drehen wie meine.

»Heute Morgen habe ich Reece rausgeschmissen«, erzähle ich, um uns beide etwas abzulenken.

Gavin richtet sich erstaunt auf und sieht mich an. »Warum das denn? Ich dachte, ihr seid beste Freunde?« Ich höre seiner Stimme an, dass er erleichtert ist, über etwas anderes reden zu können.

»Das waren wir. Aber die Dinge haben sich geändert. Auch Freundschaften verändern sich. Manche Freunde verliert man, dafür findet man andere«, sage ich.

»Das stimmt wohl.«

Wir schweigen beide eine Weile, und meine Gedanken wandern wieder zu Lake, weshalb ich mich dazu zwinge, weiterzureden. »Ich hab ihm eine reingehauen«, sage ich. »So richtig mit Schwung. Weil ... na ja, ich hatte meine Gründe. Und weißt du was? Das hat echt verdammt gutgetan. Ich wünschte, du wärst dabei gewesen.«

Gavin lacht. »Ehrlich gesagt hab ich den Typen noch nie gemocht. Schon damals in der Schule nicht.«

»Ich weiß gar nicht, ob ich ihn noch wirklich gemocht habe«, sage ich nachdenklich. »Manchmal fühlt man sich bestimmten Menschen einfach verbunden, weil man sie schon so lange kennt. Vielleicht war es mehr Gewohnheit als echte Freundschaft ...«

»Das kann auf Dauer nicht gut gehen«, sagt Gavin.

Wir schweigen wieder. Von Zeit zu Zeit geht im Flur draußen jemand vorbei und wir heben den Kopf, aber niemand kommt zu uns herein. Ich beginne gerade wegzudämmern, als mich eine Stimme wieder in die Realität zurückreißt.

»Entschuldigung?«, sagt eine Schwester, die plötzlich in der Tür steht. Gavin und ich springen auf.

»Sie können jetzt zu ihr«, informiert sie Gavin. »Ihre Frau liegt in Zimmer 207.«

»Ist sie okay? Geht es dem Baby gut?«

»Mutter und Kind geht es gut«, beruhigt ihn die Schwester lächelnd, aber da ist Gavin auch schon an ihr vorbeigestürmt. »Dr. Bradshaw lässt ausrichten, dass Ihre Freundin noch im OP ist«, wendet sie sich an mich. »Es ist noch zu früh, um Genaueres zu sagen, aber er wird Sie informieren, sobald er mehr weiß.«

Ich nicke müde. »Danke.«

Eine halbe Stunde später kommen meine Großeltern mit Kel und Caulder zurück. Grandpa und Kel versuchen, die Formulare für Lake auszufüllen. Kel weiß kaum mehr über sie als ich, die meisten Fragen müssen sie unbeantwortet lassen. Mein Großvater bringt die Unterlagen zur Anmeldung und kommt mit einer Plastikkiste zurück, die er vor mich hinstellt.

»Das sind die persönlichen Gegenstände, die in den Wagen gefunden wurden«, sagt er. »Du sollst herausnehmen, was dir und Layken gehört.«

In der Kiste liegt meine Umhängetasche. Meine Jacke ist ebenfalls darin, das Handy steckt in der Brusttasche. Lakes Tasche ist auch da, nur ihr Handy fehlt. Aber das muss nicht heißen, dass es beim Unfall verloren gegangen ist. So wie ich sie kenne, hat sie es im Club N9NE liegen lassen. Ich klappe ihre Tasche auf, nehme das Portemonnaie heraus und gebe es meinem Großvater. »Vielleicht sind ja irgendwelche Versicherungskarten drin.«

Mehr ist nicht in der Kiste. Anscheinend hat Gavin Eddies Sachen schon herausgenommen.

»Es ist spät«, sagt meine Großmutter. »Ich schlage vor,

dass wir die beiden Jungs zu uns bringen. Kann ich noch irgendetwas für dich tun, bevor wir fahren?«

Ich schüttle den Kopf.

»Ich will aber nicht weg«, sagt Kel leise.

»Du bist völlig übermüdet, Kel«, sagt sie liebevoll. »Ihr habt einen langen Abend hinter euch und hier kannst du nirgends schlafen.«

Kel sieht mich flehend an.

»Er kann bei mir bleiben«, sage ich.

»Na gut.« Meine Großmutter nimmt ihren Mantel und ihre Tasche und auch mein Großvater und Caulder stehen auf. Ich begleite die drei noch in die Eingangshalle.

»Ich rufe euch an, sobald ich mehr weiß«, verspreche ich und drücke Caulder kurz an mich. Meine Großeltern umarmen mich und verabschieden sich dann. Während ich ihnen nachsehe, schießt mir durch den Kopf, dass das meine komplette Familie ist, die da gerade geht. Plötzlich fühle ich mich sehr allein.

Kaum bin ich eingeschlafen, rüttelt mich jemand an der Schulter. Ich schrecke hoch, sehe mich um und hoffe, dass es der Arzt ist, der mir endlich sagt, wie es Lake geht, aber es ist Kel.

»Ich hab Durst«, sagt er.

Ich werfe einen Blick auf meine Uhr. Mittlerweile ist es schon nach eins. Ist Lake etwa immer noch im OP? Ich ziehe meinen Geldbeutel aus der Tasche und drücke Kel ein paar Münzen in die Hand. »In der Eingangshalle gibt es einen Automaten. Hol dir, was du willst, und bring mir einen Kaffee mit.« In dem Moment, in dem Kel zur Tür rausgeht, kommt Gavin zurück. Er sieht mich fragend an, aber ich schüttle nur frustriert den Kopf.

»Geht es Eddie gut?«, frage ich, als er sich neben mich setzt.

»Ja.« Er lächelt erleichtert. »Abgesehen von ein paar blauen Flecken ist alles in Ordnung. Sie hat unglaubliches Glück gehabt.«

Ich nicke nur erschöpft.

»Eddie ist weiter, als wir dachten«, sagt Gavin. »Schon in der sechzehnten Woche. Die haben einen Ultraschall gemacht und ich hab das Baby gesehen. Die Ärztin meinte, dass es wahrscheinlich ein Mädchen ist.«

»Echt? Wow«, sage ich zurückhaltend. Ich weiß nicht, wie er inzwischen zu der Schwangerschaft steht, weshalb ich ihn lieber nicht überschwänglich beglückwünsche. Abgesehen davon habe ich aber auch nicht das Gefühl, dass das hier der richtige Ort und Zeitpunkt ist.

»Ich konnte sehen, wie ihr Herz schlägt«, sagt er.

»Wessen Herz? Das von Eddie?«

Er schüttelt den Kopf und lächelt versonnen. »Nein, das von meiner Tochter.« Seine Augen glitzern und er wendet den Blick ab.

»Hey!« Ich klopfe ihm auf die Schulter. »Gratuliere, Daddy.«

Kel kommt mit zwei Kaffeebechern ins Zimmer, gibt mir einen, lässt sich in einen Stuhl fallen und nippt an dem anderen.

»Trinkst du etwa Kaffee?«, frage ich verblüfft.

Er nickt. »Wehe, du versuchst, ihn mir wegzunehmen. Ich renne davon.«

Ich lache. »Wie du meinst.« Als ich meinen Becher gerade an die Lippen heben will, kommt Dr. Bradshaw in den Raum. Ich springe so hastig auf, dass ich den halben Kaffee verschütte.

»Will? Kommen Sie kurz mit?« Der Arzt deutet in den Flur.

»Du wartest hier, Kel. Ich bin gleich wieder da.« Ich stelle den Becher mit dem Rest meines Kaffees auf den Tisch und folge Dr. Bradshaw nach draußen.

Erst als wir am Ende des Flurs angekommen sind, dreht er sich zu mir um, und meine Knie werden plötzlich so weich, dass ich mich an die Wand lehnen muss.

»Ihre Freundin hat die OP gut überstanden, allerdings heißt das noch nicht, dass wir wirklich aufatmen können. Die Blutung war ziemlich stark, und das Hirn ist angeschwollen, sodass wir zur Druckentlastung eine kleine Öffnung in den Schädel bohren mussten … Jetzt bleibt uns nichts anderes übrig, als sie zu beobachten und abzuwarten.«

Mein Herz hämmert gegen die Rippen. Es fällt mir schwer, mich auf das, was er sagt, zu konzentrieren, weil mir tausend Fragen auf einmal durch den Kopf schießen. »Was heißt das konkret? Was kann passieren? Worauf genau warten wir?«

Dr. Bradshaw lehnt sich mir gegenüber gegen die Wand und betrachtet seine Füße, als wolle er es vermeiden, mir in die Augen zu sehen. Ich kann mir vorstellen, wie schlimm es für ihn ist, in solchen Fällen mit den Angehörigen reden zu müssen, und schaue ebenfalls zu Boden. Vielleicht fällt es ihm dann leichter, mir die Wahrheit zu sagen.

»Das Gehirn ist das empfindlichste Organ im menschlichen Körper, Will«, seufzt er. »Leider verrät uns die Computertomografie nicht im Detail, welche Areale verletzt wurden. Wir haben Ihre Freundin jetzt erst einmal in ein künstliches Koma versetzt, damit sie sich erholen kann. Morgen früh wissen wir hoffentlich mehr.«

»Darf ich zu ihr?«

Er schüttelt den Kopf. »Noch nicht. Sie liegt momentan im Beobachtungsraum im OP-Bereich und braucht völlige Ruhe. Ich werde Sie informieren, sobald sie auf die Intensivstation verlegt wird.« Er richtet sich wieder auf und schiebt die Hände in die Taschen seines Kittels. »Haben Sie sonst noch irgendwelche Fragen, Will?«

Jetzt sehe ich ihm in die Augen. »Eine Million«, sage ich, aber ich weiß natürlich, dass er sie mir nicht beantworten kann.

Er versteht, nickt und geht.

Als ich in den Warteraum zurückkomme, springt Kel, der neben Gavin sitzt, auf und läuft auf mich zu. »Wie geht es ihr?«

»Sie ist operiert worden und schläft jetzt«, antworte ich. »Mehr können sie noch nicht sagen. Morgen wissen wir mehr.«

»Worüber wissen wir dann mehr?«, fragt Kel.

Ich lasse mich auf einen Stuhl fallen und gebe ihm mit einem Nicken zu verstehen, dass er sich neben mich setzen soll. Kel sieht mich erwartungsvoll an, während ich einen Moment nachdenke und nach den richtigen Worten suche. Ich will es ihm so erklären, dass er es versteht.

»Sie hat sich bei dem Unfall den Kopf gestoßen und dabei wurde ihr Gehirn verletzt. Aber wie schwer die Verletzung ist und ob sie vielleicht irgendwelche Schäden davontragen wird, kann man erst sagen, wenn sie aus der Narkose aufwacht.«

Gavin steht auf. »Ich gehe zu Eddie und sage ihr, dass die OP wenigstens schon mal gut gelaufen ist. Sie dreht sonst noch völlig durch.«

Eigentlich hatte ich gehofft, dass ich mich nach dem Gespräch mit dem Arzt erleichtert fühlen würde, so als wäre mir eine zentnerschwere Last von den Schultern genommen, aber das ist nicht der Fall. Das Warten geht weiter. *Gott, wenn ich doch nur zu ihr könnte!*

»Will?«, sagt Kel leise.

»Ja?«, sage ich, zu müde, um ihn anzusehen. Ich schaffe es kaum, meine Augen offen zu halten.

»Was wird mit mir? Ich meine, wenn Layken … wenn sie sich nicht mehr um mich kümmern kann. Wo komme ich denn dann hin?«

Meine Müdigkeit ist wie weggeblasen. Ich drehe mich zu ihm und sehe, dass ihm Tränen übers Gesicht laufen. »Du kommst nirgendwohin, Kel«, sage ich, lege den Arm um ihn und ziehe ihn an mich. »Du bleibst bei mir. Wir stehen das gemeinsam durch, du und ich.« Ich beuge mich zu ihm herunter und sehe ihm fest in die Augen. »Das verspreche ich dir, Kel. Ganz egal, was passiert.«

15.

Ich weiß nicht, was passieren wird, Kel. Verdammt, ich wünschte, ich wüsste es.

Im Gegensatz zu dir war ich immerhin schon neunzehn, als meine Eltern gestorben sind. Du warst erst neun, als du deinen Vater verloren hast, und zehn, als deine Mutter starb. Bis du erwachsen bist, hast du noch ein paar Jahre vor dir.

Aber ganz egal, was passiert … Ganz egal, in welche Richtung es geht, wenn wir dieses Krankenhaus verlassen, wir werden den Weg gemeinsam gehen.

Natürlich kann ich deinen Vater nicht ersetzen. Aber ich möchte, dass du weißt, dass ich immer versuchen werde, für dich da zu sein.

Ich weiß nicht, was passieren wird, Kel. Verdammt, ich wünschte, ich wüsste es.

Aber ganz egal, was passiert … Ich werde dich lieben und an deiner Seite sein. Das kann ich dir versprechen.

»Will.«

»Hm?« Ich versuche, die Augen aufzumachen, kann aber nur das rechte öffnen, das in unerträgliche Helligkeit starrt. Es ist die Deckenlampe. Offenbar liege ich wieder auf dem Boden des Warteraums. Kel liegt zusammengerollt neben mir. Ich habe höllische Kopfschmerzen und schließe das Auge schnell wieder.

»Will?«

Stöhnend setze ich mich auf, stütze mich an einem der Stühle ab und ziehe mich daran hoch. Das linke Auge lässt sich immer noch nicht öffnen. Ich setze mich, schirme das rechte mit der Hand ab und drehe den Kopf, um zu sehen, wer etwas von mir will.

»Will, ich muss mit dir reden.«

Jetzt erkenne ich, dass es Sherry ist, die vor mir steht. »Was ist?«, flüstere ich. Lauter kann ich nicht reden, weil ich das Gefühl habe, dass sonst mein Kopf explodiert. Vorsichtig befühle ich die Bandage und stelle dabei fest, dass mein linkes Auge komplett zugeschwollen ist. Kein Wunder, dass ich es nicht aufbekomme. Ich stöhne. »Kopfschmerzen ...«

»Gott, du siehst aber auch schlimm aus! Ich suche gleich eine Schwester, die dir ein Schmerzmittel geben soll. Außerdem musst du dringend etwas essen. Hör zu, ich wollte dir sagen, dass ich Kiersten nach Hause nehmen darf. Ich bringe sie schnell zum Wagen und komme dann wieder, um Kel zu holen. Er kann bei uns schlafen und ich fahre ihn dann morgen wieder her, okay? Gibt es irgendetwas, das ich dir von zu Hause mitbringen kann? Außer frischen Sachen zum Wechseln?«

Ich will den Kopf schütteln, aber das tut zu weh. »Nein«, flüstere ich. »Ich brauche nichts.«

»Na gut«, sagt Sherry skeptisch. »Aber wenn dir noch etwas einfällt, rufst du mich an, ja?«

Ich nicke. »Sherry?«, sage ich dann, aber offenbar ist meine Stimme so leise, dass sie mich nicht hört. »Sherry?«, sage ich noch einmal etwas lauter und verziehe das Gesicht vor Schmerzen. Warum nur tut mir der Kopf auf einmal so weh?

»Ja?« Sie dreht sich um.

»In dem Fach über dem Kühlschrank steht eine Glasvase mit bunten Papiersternen. Könnten Sie mir die mitbringen?«

»Na klar. Mache ich.« Sie nickt und wendet sich zum Gehen.

Als sie weg ist, bücke ich mich zu Kel hinunter, lege eine Hand auf seine Schulter und rüttle ihn sanft. »Kel, wach auf. Sherry kommt gleich wieder und dann fährst du mit ihr und Kiersten nach Hause. Ich hole mir was zu trinken«, sage ich. »Möchtest du auch was?«

Er richtet sich auf und nickt verschlafen. »Cola.«

Als ich kurz darauf an der Anmeldetheke vorbeikomme, ruft jemand meinen Namen. »Mr Cooper?«

»Ja?« Ich gehe ein paar Schritte zurück und sehe die Schwester fragend an, worauf sie mir einen Plastikbecher mit Wasser und zwei Tabletten in die Hand drückt. »Hier. Gegen die Schmerzen«, sagt sie. »Ihre Mutter hat mir gesagt, dass Sie etwas brauchen.«

Ich lache. Meine *Mutter*. Dann spüle ich die Tabletten mit dem Wasser herunter und mache mich auf den Weg zum Getränkeautomaten. Als ich in der Eingangshalle an der Tür vorbeikomme, die nach draußen führt, öffnet sie sich automatisch und ein Kälteschwall trifft mich. Vielleicht würde es mir guttun, ein bisschen an die frische Luft zu gehen.

Der Parkplatz und sämtliche Wagen sind unter einer dicken Schneeschicht begraben und es schneit immer noch weiter. Ich frage mich, wie tief unsere Einfahrt wohl zugeschneit ist, wenn Lake und ich nach Hause kommen.

Was, wenn sie stirbt?, schießt es mir plötzlich durch den Kopf. Wer kümmert sich dann um ihre Konten, die Versicherungen, die unbezahlten Rechnungen … Ich habe keinerlei Vollmachten, weil wir nicht verheiratet sind, und Kel ist erst elf. Ich habe ihm leichtfertig versprochen, immer für ihn da zu sein, dabei weiß ich nicht einmal, ob das rechtlich überhaupt möglich ist. Aber dann ärgere ich mich über mich selbst und schiebe den Gedanken weit weg. Es ist völlig idiotisch, über etwas nachzudenken, das nicht eintreffen wird. Um mich abzulenken, gehe ich schnell wieder rein.

Als ich mit zwei Dosen Cola in den Warteraum zurückkomme, sitzt Dr. Bradshaw neben Kel und erzählt ihm gerade eine Geschichte. Die beiden bemerken mich nicht, deshalb bleibe ich erst einmal in der Tür stehen und höre zu.

»… und dann kam mir die Idee, es mit einer Herzmassage zu versuchen, wie ich es in einer Krankenhausserie im Fernsehen gesehen hatte. Das Kätzchen machte tatsächlich die Augen auf und miaute. Und als meine Mutter mit dem Schuhkarton zurückkam, um es zu beerdigen, habe ich ihr gesagt, dass wir den jetzt nicht mehr brauchen, weil ich das Kätzchen geheilt hätte«, sagt Dr. Bradshaw. »In diesem Moment habe ich beschlossen, dass ich Arzt werden will, wenn ich groß bin.«

»Dann haben Sie dem Kätzchen also wirklich das Leben gerettet?«, fragt Kel ehrfürchtig.

»Na ja, nicht für sehr lange«, räumt Dr. Bradshaw ein. »Ein paar Minuten später ist es dann doch gestorben. Aber da stand mein Entschluss schon fest.«

Kel lacht. »Gut, dass Sie nicht Tierarzt geworden sind.«

»Stimmt, für Tiere bin ich offensichtlich ungeeignet.«

»Gibt es Neuigkeiten?« Ich trete in den Raum und drücke Kel eine der Dosen in die Hand.

Dr. Bradshaw steht auf. »Sie ist zwar nicht bei Bewusstsein, aber wir konnten trotzdem schon ein paar neurologische Tests durchführen. Ich warte noch auf die Resultate. Wenn Sie möchten, dürfen Sie jetzt ein paar Minuten zu ihr.«

»Wir können zu ihr? Jetzt sofort?« Ich sehe Kel an. »Los, komm.«

Dr. Bradshaw hebt die Hand. »Nur Sie, Will.« Er sieht Kel bedauernd an. »Tut mir leid, Kumpel. Aber weißt du, normalerweise sind im OP-Bereich gar keine Besucher zugelassen. Ich schmuggle Will praktisch hinein.«

Am liebsten würde ich ihn bitten, nicht nur eine, sondern zwei Ausnahmen zu machen, aber ich weiß, dass er uns ohnehin schon einen großen Gefallen tut. Ich stelle meine Dose auf den Tisch und lege Kel tröstend einen Arm um die Schulter. »Sherry kommt gleich und holt dich ab. Du schläfst dich bei ihr aus und morgen bringt sie dich wieder her.«

»Okay«, sagt er tapfer. Eigentlich habe ich erwartet, dass

er protestiert und im Krankenhaus bleiben will. Dass er so verständig reagiert, erfüllt mich mit Stolz.

»Wenn es irgendetwas Neues gibt, rufe ich dich gleich an, versprochen.«

Er nickt wieder und ich umarme ihn zum Abschied. Dann beuge ich mich zu meiner Tasche hinunter, nehme die lila Haarspange heraus und folge Dr. Bradshaw, der bereits im Flur wartet.

Wir gehen am Empfang vorbei durch die Doppeltüren den Gang hinunter und dann nach links zum OP-Bereich. Bevor wir ihn betreten, führt Dr. Bradshaw mich in einen Waschraum, in dem wir unsere Hände desinfizieren und ich einen Schutzkittel anziehe. Als wir kurz darauf vor der Tür zu dem Zimmer stehen, in dem Lake liegt, klopft mir das Herz bis zum Hals.

Dr. Bradshaw legt mir eine Hand auf den Unterarm. »Erschrecken Sie nicht, wenn Sie Ihre Freundin sehen. Es sieht schlimmer aus, als es ist. Ich habe Ihnen bereits gesagt, dass wir sie in ein medikamentös herbeigeführtes Koma versetzt haben, deswegen wird sie im Moment künstlich beatmet. Erwarten Sie bitte nicht, dass sie aufwacht oder auf Sie reagiert, das ist schlicht nicht möglich. Ich erlaube Ihnen, ein paar Minuten bei ihr zu bleiben, aber dann müssen Sie leider wieder gehen. Okay?«

Ich nicke stumm.

»Gut.« Er öffnet die Tür und lässt mich eintreten.

Als ich Lake inmitten der blinkenden und summenden Maschinen so schmal und bleich daliegen sehe, bleibt mir im ersten Moment die Luft weg, weil mich die Realität ihrer schweren Verletzung zum ersten Mal mit aller Wucht trifft. Das Beatmungsgerät scheint mit seinem monotonen Schlürfen nicht nur den Sauerstoff aufzusaugen, sondern auch jegliche Hoffnung.

Ich gehe zum Bett und greife nach ihrer Hand, die eiskalt ist. Ich küsse sie auf die Stirn. Wieder und wieder. Küsse sie gefühlt eine Million Mal und würde mich am liebsten zu ihr legen und sie in den Armen halten. Aber da sind zu viele Kabel und Schläuche an ihrem Körper, um ihr wirklich nah sein zu können. Also ziehe ich einen Stuhl heran und verschränke nur meine Finger mit ihren. Mit dem Ärmel wische ich mir die Tränen weg, die mir in die Augen steigen.

»Ich liebe dich, Lake«, flüstere ich und küsse immer wieder ihre Hand. »Ich liebe dich. Ich liebe dich.«

Sie trägt ein weißes Krankenhausnachthemd, ihre Arme liegen rechts und links auf der dünnen weißen Decke. Der Kopf ist dick bandagiert, aber ich bin erleichtert, dass ihre langen Haare darunter hervorschauen. Also haben sie ihr für die OP nicht den kompletten Kopf rasiert. Ich weiß genau, dass sie ausflippen würde, wenn sie das getan hätten. Da der Schlauch des Beatmungsgeräts in ihrem Mund steckt, kann ich sie nur auf die Wange küssen.

»Lake?« Obwohl ich weiß, dass sie mich nicht hören kann, spreche ich mit ihr. »Lake, du wirst das alles durchstehen, hörst du? Du *musst* es durchstehen!« Ich streichle ihre Hand. »Ohne dich kann ich nämlich nicht leben.« Ich drücke meine Lippen auf die zarte Haut ihrer Handinnenfläche und lege sie mir an die Wange. Es schmerzt und tut gleichzeitig gut, sie zu spüren. Erst jetzt kann ich mir eingestehen, wie viel Angst ich hatte, ihr nie wieder so nah sein zu dürfen. Ich schließe die Augen und bedecke ihre Hand wieder mit Küssen, während mir die Tränen übers Gesicht laufen.

Dr. Bradshaw, der an der Tür stehen geblieben ist, räuspert sich. »Es ist Zeit, Will.«

Widerstrebend stehe ich auf und drücke Lake einen letzten Kuss auf die Stirn. Nachdem ich mich bereits zum Gehen gewandt habe, drehe ich mich um und küsse noch einmal ihre Hand. Ich gehe zwei Schritte zur Tür, dann kehre ich zurück und küsse sie auf die Wange.

Dr. Bradshaw nimmt mich am Arm. »Wir müssen jetzt wirklich gehen, Will.«

Auf dem Weg zur Tür fällt mir plötzlich etwas ein. »Einen Moment noch.« Ich ziehe die lila Haarspange aus der Hosentasche, gehe zum Bett zurück und lege sie Lake in die Hand. Dann schließe ich die Finger darum und küsse sie noch ein letztes Mal auf die Stirn, bevor ich mich endgültig von ihr losreiße.

Der Rest der Nacht und des Morgens dehnen sich ins Endlose. Am Vormittag wird Eddie entlassen. Sie will unbedingt bleiben und mit mir warten, bis Lake aufwacht, aber Gavin und Joel bestehen darauf, sie nach Hause zu bringen. Jetzt bin ich ganz allein und mir bleibt nichts anderes zu tun, als hier zu sitzen und abzuwarten. Dasitzen, abwarten und denken. Das ist alles, was ich tun kann. Alles, was ich tue.

Irgendwann halte ich es nicht mehr aus, stehe auf und wandere durch die Flure dieses Krankenhauses, in dem ich in meinem Leben schon viel zu viel Zeit verbracht habe.

Nach dem tödlichen Unfall meiner Eltern saß ich sechs Tage auf der Kinderstation an Caulders Bett. Die Erinnerung daran ist verschwommen. Wir standen damals beide unter Schock und konnten noch nicht wirklich das Ausmaß dessen begreifen, was passiert war. Caulder hatte sich bei dem Unfall eine leichte Gehirnerschütterung zugezogen und das Schlüsselbein gebrochen. Ich kann nicht beurteilen, ob seine Verletzungen wirklich so schlimm waren, dass sie einen einwöchigen Krankenhausaufenthalt nötig machten. Möglicherweise haben die Schwestern uns auch länger hierbehalten, weil sie es nicht übers Herz brachten, zwei gerade zu Vollwaisen gewordene Jungen einfach so in die Welt hinauszuschicken.

Caulder war damals erst sieben, und das Schwierigste für mich war, ihm seine vielen Fragen so zu beantworten, dass er damit umgehen konnte. Wie sollte ich ihm klarmachen, dass wir unsere Eltern nie mehr wiedersehen würden? Ich glaube, dass es diese sechs Tage im Krankenhaus waren, die dazu geführt haben, dass mir das Mitleid anderer Menschen so zuwider ist. Jeder – wirklich absolut jeder –, mit dem ich in dieser Zeit etwas zu tun hatte, war von Mitleid erfüllt. Ich konnte es in den Augen lesen und in den Stimmen hören. Die Hilflosigkeit der anderen ließ mich meine eigene nur umso stärker empfinden.

Letztes Jahr verbrachten Lake und ich während der letzten Lebensmonate ihrer Mutter noch einmal viel Zeit hier, wenn auch in einem anderen Teil des Klinikkomplexes. An den Wochenenden fuhren wir Kel und Caulder zu meinen Großeltern, gingen zu Julia und blieben oft über Nacht bei ihr. Wir brachten eine Luftmatratze mit, auf der wir abwechselnd schliefen. Weil die Schwestern sich beschwerten, bliesen wir sie abends auf und ließen morgens die Luft wieder heraus, um sie unter dem Bett zu verstauen.

Aber ich habe die Atmosphäre in diesem Krankenhaus noch nie als so bedrückend empfunden wie diesmal. Vielleicht hat es etwas mit der Ungewissheit zu tun, in der wir schweben. Als ich nach dem Tod meiner Eltern bei Caulder saß, hatte ich eine Vorstellung von dem, was uns zu Hause erwarten würde. Die Situation, so fürchterlich sie auch war, warf keine Fragen auf: Unsere Eltern waren tot. Ich befand mich nicht in diesem lähmenden Zustand zwischen Bangen und Hoffen. Auch bei Julia war klar, dass sie sterben würde. Wir wurden nicht mit Fragen allein gelassen, sondern wussten relativ genau, was auf uns zukam.

Nicht zu wissen, was sein wird, ist die Hölle auf Erden.

Ich bin so erschöpft, dass mir immer wieder die Augen zufallen. Irgendwann am späten Vormittag muss ich wohl eingedöst sein, jedenfalls zucke ich zusammen, als sich Dr. Bradshaw neben mich setzt.

»Wir haben sie jetzt in ein Einzelzimmer auf der Intensivstation verlegt. In einer Stunde ist offizielle Besuchszeit, dann können Sie zu ihr. Die Ergebnisse der Computertomografie sehen gut aus. Wir werden jetzt ganz behutsam die Medikamente absetzen, um sie aus dem Koma zu holen, und sehen dann weiter. Aber sie ist noch nicht über den Berg, Will. Im Moment kann noch alles Mögliche passieren. Fürs Erste konzentrieren wir uns darauf, sie dazu zu bringen, auf uns zu reagieren.«

Erleichterung durchflutet mich, gleichzeitig kriechen neue Ängste in mir hoch. »Wie sind ihre …« Meine Stimme bricht. Ich greife nach der Wasserflasche, die neben mir auf dem Tisch steht, trinke einen Schluck und setze dann noch einmal an. »Wie sind ihre Chancen?«, frage ich. »Wird sie wieder ganz gesund oder bleiben Schäden zurück?«

Er massiert sich die Nasenwurzel. »Das kann ich Ihnen nicht beantworten. Die Untersuchungen zeigen eine normale Gehirnaktivität und die Schwellung ist zurückgegangen. Aber wirkliche Gewissheit haben wir erst, wenn sie aufgewacht ist.« Er steht auf. »Sie liegt auf der Intensivstation in Zimmer fünf. Gehen Sie aber bitte nicht vor ein Uhr zu ihr.«

Ich nicke. »Alles klar. Danke.«

Sobald er um die Ecke verschwunden ist, greife ich nach meiner Tasche und laufe so schnell ich kann in die entgegengesetzte Richtung zur Intensivstation. Die Schwester stellt keine Fragen, als ich an ihr vorbei zu dem Zimmer gehe, in dem Lake liegt.

Sie wird immer noch künstlich beatmet und von ihrer linken Hand führt ein dünner Schlauch zu einem Infusionsständer. Ohne zu überlegen, ob es erlaubt ist, klappe ich das Seitengitter des Betts herunter, lege mich ganz dicht neben Lake und schmiege mein Gesicht an ihres.

»Will?« Ich öffne die Augen und sehe Sherry auf der anderen Seite des Betts stehen.

»Hey«, flüstere ich, setze mich aufrecht hin und strecke mich.

»Ich habe dir frische Sachen zum Wechseln mitgebracht

und die Vase mit den Sternen.« Sie deutet auf den Tisch. »Kel ist vorhin wieder eingeschlafen, deswegen habe ich ihn zu Hause gelassen. Er soll sich erst mal von dem ganzen Schock erholen. Ich bringe ihn heute Abend noch mal her, wenn er aufgewacht ist.«

»Wie viel Uhr ist es denn?«

Sie wirft einen Blick auf ihre Armbanduhr. »Fast fünf«, sagt sie. »Die Schwester hat gesagt, dass du schon seit einigen Stunden schläfst.«

Ich sehe Lake an, die ganz ruhig daliegt und nichts von all dem mitbekommt, was um sie herum vorgeht. Behutsam ziehe ich die Decke über ihrem Oberkörper zurecht und schüttle meine Arme aus, die eingeschlafen sind.

»Eigentlich dürfen Besucher nur eine Viertelstunde bleiben«, sagt Sherry lächelnd. »Sieht ganz so aus, als hättest du bei den Krankenschwestern einen Stein im Brett.«

»Die sollen ruhig versuchen, mich rauszuschmeißen«, sage ich mit schiefem Grinsen und reibe mir den Rücken. Warum muss Krankenhausmobiliar nur immer so schrecklich unbequem sein? Die Betten sind zu schmal für zwei und die Stühle so hart, dass es niemand lange darauf aushält. Wenn es wenigstens Liegen gäbe, auf denen man sich ausruhen könnte, fände ich es hier nicht ganz so unerträglich.

»Hast du heute überhaupt schon etwas gegessen?«, fragt Sherry besorgt.

Ich schüttle den Kopf.

»Komm mit mir in die Cafeteria. Ich lade dich ein.«

»Nein, das geht nicht. Ich möchte sie jetzt nicht allein lassen«, wehre ich ab. »Die Ärzte haben die Medikamente abgesetzt, die sie in ein künstliches Koma versetzt haben, und sie könnte jeden Moment aufwachen.«

»Gut, aber du musst trotzdem etwas essen, sonst klappst du zusammen. Ich hole etwas und bringe es dir hierher.«

»Das ist wirklich nett von Ihnen, Sherry«, sage ich dankbar. Sie lächelt und wendet sich zum Gehen.

»Sherry?«, rufe ich sie noch einmal zurück. »Bitte bringen Sie mir keinen Hamburger, okay?«

»Keine Sorge!« Sie lacht.

Nachdem sie gegangen ist, nehme ich einen Stern aus der Vase auf dem Nachttisch und setze mich dicht an Lakes Bett auf einen Stuhl. »Der hier ist für dich.« Ich falte ihn auf und lese laut vor:

Man sollte niemals – und zwar unter gar keinen Umständen – abends ins Bett gehen und gleichzeitig ein Schlaf- und ein Abführmittel nehmen.

Ich verdrehe die Augen. »Gott, Julia! Das ist jetzt wirklich nicht der richtige Zeitpunkt für schlechte Witze!« Dann greife ich noch einmal in die Vase. »Okay, Baby. Zweiter Versuch.«

Stärke erwächst nicht aus körperlicher Kraft, sondern vielmehr aus einem unbeugsamen Willen. – Mahatma Gandhi

»Hörst du?«, flüstere ich ihr ins Ohr. »Genau so einen unbeugsamen Willen hast du, und er ist einer der Gründe, warum ich dich liebe.«

Ich muss kurz wieder eingeschlafen sein, denn plötzlich steht eine Schwester neben mir und rüttelt mich wach. »Entschuldigung. Könnten Sie bitte für einen Moment den Raum verlassen?«

Dr. Bradshaw kommt ins Zimmer. »Was ist los?«, frage ich ihn erschrocken.

»Nichts Schlimmes«, beruhigt er mich. »Wir wollen nur das Beatmungsgerät entfernen. Gehen Sie bitte für ein paar Minuten in den Gang. Ich verspreche Ihnen, dass wir Sie wieder reinlassen.« Er lächelt.

Er lächelt! Sie entfernen das Beatmungsgerät! Er sieht mir zum ersten Mal richtig in die Augen! *Das sind gute Zeichen!* Ich gehe in den Flur hinaus und warte ungeduldig.

Nachdem ich eine Viertelstunde lang unruhig hin und her getigert bin, kommen Dr. Bradshaw und die Schwester endlich aus dem Zimmer. »Alles bestens. Sie atmet selbstständig. Jetzt muss sie nur noch aufwachen.« Er klopft mir beruhigend auf die Schulter und geht.

Ich kehre ins Zimmer zurück, schmiege mich wieder zu Lake ins Bett, halte mein Ohr an ihren Mund und lausche ihren ruhigen Atemzügen. In diesem Moment gibt es für mich kein schöneres Geräusch auf der ganzen Welt. Und dann küsse ich sie. Natürlich küsse ich sie. Ich höre gar nicht mehr auf, sie zu küssen.

Sherry bringt mir ein warmes Abendessen aus der Cafeteria und überredet mich, danach zu duschen. Gegen sechs kommen Gavin und Eddie und bleiben eine Stunde. Eddie sitzt auf dem Stuhl, hält Lakes Hand und schluchzt so sehr, dass

Gavin sie nach einer Weile besorgt drängt, wieder nach Hause zu fahren. Kurz vor Ende der Besuchszeit kommt Sherry noch einmal mit Kel. Er weint zwar nicht, als er Lake sieht, aber ich merke ihm an, dass ihn der Anblick seiner vollkommen reglos im Bett liegenden Schwester aufwühlt. Sherry legt ihm nach einer Weile sanft einen Arm um die Schulter und sagt, dass es Zeit sei, zu gehen. Meinen Großeltern schicke ich regelmäßig SMS mit Lageberichten, obwohl in allen das Gleiche steht. Es ändert sich ja nichts.

Mittlerweile ist es Mitternacht geworden und ich sitze immer noch hier und warte. Warte und denke. Ich lasse Lake nicht aus den Augen. Immer wieder bilde ich mir ein, ihre Zehen hätten sich bewegt oder ein Finger hätte gezuckt. Wacht sie auf? Irgendwann lehne ich mich zurück und versuche, mich zu entspannen, weil ich spüre, dass ich sonst verrückt werde. Meine Gedanken wandern. Was ist eigentlich mit unseren Wagen passiert? Hat die Polizei sie abschleppen lassen und wenn ja, wohin? Wahrscheinlich sollte ich die Versicherung anrufen und den Unfall melden. Bei meinen Dozenten habe ich mich nicht abgemeldet, obwohl ich Vorlesungen gehabt hätte. Ist heute überhaupt Freitag oder schon Samstag? Nächste Woche werde ich wohl auch nicht hingehen können. Auch Lakes Dozenten müssen erfahren, dass sie einen schweren Unfall hatte. Hat eigentlich irgendjemand die Jungs in der Schule entschuldigt? Vielleicht hat Sherry die Schulleitung informiert, als sie wegen Kiersten dort angerufen hat. Ich weiß nicht, wann ich Kel zumuten kann, wieder zur Schule zu gehen. Aber andererseits hat er gerade schon eine ganze Woche Unterricht verpasst, und ich will auf gar keinen Fall, dass er den Anschluss verliert. Und was ist mit Caulder? Wer kümmert sich um die Jungs, solange ich hier bin? Für mich steht fest, dass ich das Krankenhaus nicht ohne Lake verlassen werde. Aber wenn sie entlassen wird, brauche ich meinen Wagen. Wo ist mein Wagen?

»Will.«

Ich sehe zur Tür, aber da ist niemand. Vor lauter Erschöpfung und Gedankenspiralen halluziniere ich schon. Jetzt wäre es toll, eine von Sherrys Beruhigungspillen zu haben, um eine Weile zu entspannen. Vielleicht hat sie mir ja ein paar davon dagelassen. Ich würde ihr durchaus zutrauen, dass sie mir heimlich welche in meine Tasche geschmuggelt hat.

»Will.«

Da, schon wieder. Nein, das ist keine Einbildung. Ich richte mich im Stuhl auf und sehe Lake an, die mit geschlossenen Augen im Bett liegt und sich nicht rührt. Aber ich weiß, dass irgendjemand meinen Namen gesagt hat. Ich weiß es genau! Ich beuge mich über sie und lege meine Hand an ihre Wange.

»Lake?«

Ihre Lider flattern.

»Lake!«

»Will?«

Sie hat gesprochen. Sie hat eindeutig gesprochen!

Ich haste zur Tür und schalte das große Deckenlicht aus, damit es sie nicht blendet. Auch die Leselampe über dem Bett knipse ich aus.

»Lake«, flüstere ich. Dann klappe ich das Gitter am Bett wieder herunter und klettere zu ihr. Ich küsse sie auf die Lippen, auf die Wangen, auf die Stirn. »Du musst nicht sprechen, wenn es wehtut. Alles ist gut. Ich bin bei dir.« Ihre Finger zucken und ich nehme ihre Hand in meine. »Spürst du, dass ich deine Hand halte?«

Sie nickt – zwar ist es ein sehr schwaches Nicken, aber doch eindeutig ein Nicken.

»Es geht dir gut«, sage ich. Ich sage es immer und immer wieder, während mir die Tränen übers Gesicht laufen. »Es geht dir gut.«

Die Tür wird geöffnet und eine Schwester wirft einen Blick ins Zimmer.

»Sie hat meinen Namen gesagt!«, rufe ich.

Die Schwester sieht mich mit großen Augen an und stürzt davon, um Dr. Bradshaw zu holen.

»Stehen Sie auf, Will«, sagt er, als er ins Zimmer kommt. »Wir müssen ein paar Untersuchungen machen. Danach dürfen Sie wieder zu ihr.«

»Sie hat meinen Namen gesagt«, sage ich immer noch ganz fassungslos, als ich vom Bett rutsche. »Sie hat meinen Namen gesagt.«

Er lächelt mich an. »Jetzt machen Sie, dass Sie rauskommen.«

Während ich draußen stehe, überlege ich, ob ich alle benachrichtigen soll, entscheide mich dann aber dagegen. Obwohl ich mir sicher bin, dass ich mir nicht eingebildet habe, dass sie meinen Namen gesagt hat, brauche ich die Bestätigung des Arztes, dass alles okay ist. Eine halbe Stunde vergeht, ohne dass etwas passiert, ohne dass jemand den Raum betritt oder verlässt. Irgendwann halte ich es nicht mehr aus und klopfe. Die Schwester öffnet die Tür, allerdings nur einen Spaltbreit, sodass ich nichts erkennen kann, als ich an ihr vorbeizuspähen versuche.

»Ein paar Minuten dauert es noch«, sagt sie leicht ungeduldig.

Endlich kommen die beiden aus dem Zimmer.

»Ist alles in Ordnung?«, frage ich Dr. Bradshaw. »Dass sie mich erkannt und meinen Namen gesagt hat, ist doch ein gutes Zeichen, oder? Sagen Sie mir bitte, wie es ihr geht!«

»Beruhigen Sie sich, Will, und lassen Sie uns unsere Arbeit tun. Sonst muss ich Sie leider bitten, woanders zu warten.«

Ich soll mich beruhigen? Er hat keine Ahnung, wie ruhig ich äußerlich bin, wenn man bedenkt, was in meinem Inneren vor sich geht!

»Sie hat auf uns reagiert und es scheint ihr tatsächlich den Umständen entsprechend gut zu gehen«, sagt er. »Körperlich ist alles in Ordnung. An den Unfall hat sie keinerlei Erinnerung, und es ist durchaus möglich, dass sie auch noch andere Gedächtnislücken hat. Sie braucht jetzt vor allem Ruhe, Will. Ich erlaube Ihnen, sich wieder zu ihr zu setzen, aber nur wenn Sie mir versprechen, dass Sie ihr die Ruhe geben, die sie benötigt, um sich zu erholen.«

»Das werde ich, Dr. Bradshaw. Das werde ich. Darauf können Sie sich verlassen.«

»Schon gut. Gehen Sie zu ihr«, sagt er und klopft mir auf die Schulter.

Als ich die Tür öffne, sieht Lake mir mit einem kleinen Lächeln entgegen, das so tapfer und gleichzeitig so kläglich wirkt, dass es mir fast das Herz bricht.

»Hey«, flüstere ich.

»Hey«, flüstert sie.

»Hey.« Ich gehe zum Bett und streiche ihr über die Wange.

»Hey«, sagt sie noch einmal.

»Hey.«

»Hör auf damit.« Lake versucht zu lachen, was ihr aber offensichtlich Schmerzen bereitet. Sie schließt gequält die Augen.

Ich setze mich neben sie, nehme ihre Hand in meine, schmiege mein Gesicht in die Mulde zwischen ihren Schultern und ihrem Hals und weine.

Die nächsten Stunden verbringt Lake in einer Art Dämmerzustand. Jedes Mal, wenn sie aufwacht, sagt sie meinen Namen. Und jedes Mal, wenn sie meinen Namen sagt, sage ich ihr, dass sie die Augen schließen und weiterschlafen soll, was sie auch jedes Mal tut.

Dr. Bradshaw schaut im Laufe der Nacht ein paarmal vorbei, um nach ihr zu sehen und die Dosis des Beruhigungsmittels, das ihr intravenös verabreicht wird, weiter zu verringern.

Um sieben Uhr morgens komme ich gerade von der Toilette, als sie zum ersten Mal etwas anderes sagt als meinen Namen.

»Was … was ist passiert?«, fragt sie heiser.

Ich ziehe den Stuhl an ihr Bett und setze mich. Lake dreht den Kopf und sieht mich an. Ich stütze das Kinn auf das Seitengitter und streichle ihren Arm. »Wir hatten einen Autounfall.«

Sie sieht einen Moment verwirrt aus, dann weiten sich ihre Augen und ihr Blick wird panisch. »Die Kinder …!«

»Denen geht es gut«, beruhige ich sie schnell. »Allen geht es gut.«

Sie atmet erleichtert aus. »Wann war das? Was für ein Tag ist heute?«

»Samstag. Es ist Donnerstagabend passiert. Was ist das Letzte, woran du dich erinnern kannst?«

Als sie die Augen schließt, knipse ich das Licht über dem Bett aus. Während ich draußen auf der Besuchertoilette war, hat es anscheinend eine Schwester wieder angemacht. Ich weiß nicht, warum sie das tun. Kein Mensch, der krank ist, will von einem grellen Licht angestrahlt werden, das ein paar Zentimeter über seinem Kopf hängt.

»Ich weiß noch, wie ich mit Eddie und den Kindern zum Slam gefahren bin«, sagt Lake. »Und daran, dass du plötzlich auf der Bühne standst, erinnere ich mich auch … Aber danach …« Sie öffnet die Augen und sieht mich an. »Habe ich dir verziehen?«

Ich lache. »Ja, du hast mir verziehen. Und du liebst mich. Sogar sehr.«

Sie lächelt. »Das ist gut.«

»Du hast eine ziemlich schlimme Kopfverletzung und musstest operiert werden.«

»Ja, ich weiß. Das hat mir der Arzt gesagt.«

Ich streiche ihr mit dem Handrücken ganz zart über die Wange.

»Ich erzähle dir nachher ganz genau, was passiert ist, okay?«, verspreche ich. »Aber du musst dich jetzt ausruhen.

Ich lasse dich ein bisschen schlafen und rufe die anderen an, um ihnen zu sagen, dass es dir gut geht. Kel macht sich wahnsinnige Sorgen. Eddie auch. Ich bin gleich wieder da, ja?«

Sie nickt und schließt die Augen.

Ich beuge mich zu ihr herunter und küsse sie auf die Stirn. »Ich liebe dich, Lake«, sage ich und stehe auf.

»Noch mal«, flüstert sie.

»Ich liebe dich.«

Als später die Besuchszeit gekommen ist, muss ich wie alle anderen im Warteraum sitzen, bis ich an der Reihe bin. Es kann jeweils immer nur einer zu ihr. Eddie und Gavin waren die Ersten, die hier waren, deshalb durfte Eddie auch als Erste zu Lake. Kel und Sherry treffen fast gleichzeitig mit meinen Großeltern und Caulder ein.

»Darf ich sie sehen?«, fragt Kel.

»Natürlich darfst du. Sie hat mich schon gefragt, wann du endlich kommst. Ein bisschen musst du noch warten, weil Eddie gerade bei ihr ist. Auf der Intensivstation ist immer nur ein Besucher zugelassen, der auch nur eine Viertelstunde bleiben darf. Aber du gehst als Nächster zu ihr, versprochen.«

»Ist sie wach und redet? Kann sie sich an mich erinnern?«

»Aber sicher erinnert sie sich an dich«, sage ich lachend. »Es geht ihr richtig gut.«

Mein Großvater legt Kel eine Hand auf die Schulter. »Komm, En-Kel, wir nutzen die Wartezeit, um in der Cafeteria einen kleinen Snack zu uns zu nehmen.«

»Gute Idee. Könnt ihr mir auch was mitbringen?«, bitte

311

ich ihn. Zum ersten Mal seit Tagen verspüre ich wieder Appetit.

Als meine Großeltern mit Kel und Caulder verschwunden sind, macht Gavin mir einen Vorschlag. »Hey, was hältst du davon, wenn Eddie und ich für ein paar Tage zu euch ziehen, um uns um die beiden Jungs zu kümmern?«

»Das ist total nett von dir, aber meine Großeltern haben schon angeboten, sie für ein paar Tage zu sich zu nehmen«, sage ich. »Andererseits will ich natürlich auch nicht, dass sie zu viel Unterricht verpassen ...«

»Sie können doch bei uns wohnen«, meint Sherry. »Ich schicke Kiersten nächste Woche wieder in die Schule. Wenn deine Großeltern die beiden zu uns bringen, können sie bei uns bleiben, bis Layken entlassen wird.«

»Das wäre toll«, sage ich dankbar.

Kurz darauf kommt Eddie zurück. Der Besuch bei Lake scheint sie ziemlich mitgenommen zu haben. Sie sieht aus, als hätte sie geweint. Gavin springt auf, fasst sie am Arm und führt sie zu einem Stuhl.

»Jetzt übertreib doch nicht so!«, schimpft sie und verdreht die Augen. »Ich bin schwanger, nicht todkrank.«

»Entschuldige, Baby«, sagt Gavin und setzt sich neben sie. »Ich mache mir nur Sorgen um dich.« Er beugt sich vor und küsst sie auf den Bauch. »Um euch beide.«

Eddie legt lächelnd den Arm um ihn.

Es ist schön zu sehen, dass er seine Rolle als zukünftiger Vater akzeptiert hat. Ich weiß, dass es nicht einfach werden wird, aber den beiden traue ich zu, es zu schaffen. Vielleicht sollten Lake und ich die Sterne, die wir bereits geöffnet haben, für sie recyceln – sie werden den ein oder anderen guten Rat bestimmt gebrauchen können.

»Was hattest du für einen Eindruck?«, frage ich. »Wie geht es ihr?«

»Beschissen«, antwortet Eddie achselzuckend. »Aber was will man anderes erwarten? Die haben ihr den Schädel aufgebohrt. Außerdem hat sie ein total schlechtes Gewissen, weil sie am Steuer saß, als der Unfall passiert ist. Ich hab ihr tausendmal gesagt, dass sie absolut nichts dafür konnte, aber sie meinte, ihr wäre es trotzdem lieber, du wärst gefahren, dann könnte sie behaupten, du wärst dran schuld.«

Ich lache. »Von mir aus kann sie mir für alles die Schuld geben, wenn sie sich dann besser fühlt.«

Eddie greift nach ihrer Tasche. »Wir kommen später noch mal«, sagt sie, nimmt Gavins Hand und steht auf. »Dann bringe ich meine Schminksachen mit und verpasse ihr eine kleine Beautybehandlung. Die hat sie dringend nötig. Ist zwei Uhr okay? Oder ist der Termin schon vergeben?«

Ich schüttle den Kopf. »Dann sehen wir uns also nachher.«

Bevor die beiden gehen, nimmt Eddie mich in die Arme und drückt mich lange. Sehr lange.

Nachdem sie weg sind, werfe ich einen Blick auf die Uhr. Kel geht als Nächster zu ihr, danach vielleicht Sherry, und meine Großmutter will Lake bestimmt auch sehen. Wahrscheinlich muss ich bis nach dem Mittagessen warten, bis sie mich wieder zu ihr lassen.

»Ihr habt großes Glück, solche tollen Freunde zu haben«, sagt Sherry.

»Ja? Finden Sie sie nicht ein bisschen seltsam?«, frage ich. »Die meisten Leute finden sie seltsam.«

»Doch, aber genau das ist ja gerade das Tolle«, sagt sie.

Ich lächle, rutsche in meinem Stuhl herunter, bis mein Hinterkopf auf der Rückenlehne liegt, und schließe die Augen. »Na ja, Sie sind ja auch nicht gerade un-seltsam, Sherry.«

Sie lacht. »Eben. Genauso wenig wie du.«

Weil ich auf dem harten Stuhl einfach keine bequeme Position finde, lege ich mich kurzerhand wieder auf den Boden. Ich strecke die Arme über den Kopf und seufze, während ich mich entspanne. Eigentlich liegt man hier unten gar nicht mal so schlecht. Jetzt, wo ich weiß, dass Lake das Schlimmste überstanden hat, finde ich das Krankenhaus nicht mehr so furchtbar.

»Will?«, sagt Sherry leise.

Ich öffne die Augen, drehe den Kopf und sehe sie an. Sie hat die Beine übereinandergeschlagen und zupft an einem Faden, der aus dem Saum ihrer Jeans hängt.

»Was ist?«, frage ich.

»Ich wollte dir nur sagen, dass du das alles ganz großartig meisterst«, sagt sie und sieht mich ernst an. »Obwohl du dir unglaubliche Sorgen um Lake gemacht hast, hast du dich um die Jungen gekümmert und daran gedacht, mich zu benachrichtigen. Ich kann mir vorstellen, dass dir dieser Anruf nicht leichtgefallen ist. Dafür, dass du noch so jung bist, trägst du eine große Verantwortung und beweist immer wieder, dass du ihr gewachsen bist. Du machst das wirklich toll, Will. Ich hoffe, du weißt das. Deine Eltern wären stolz auf dich.«

Ich schließe die Augen und hole tief Luft. Bis zu diesem

Moment habe ich nicht gewusst, wie sehr ich es gebraucht habe, dass mir das jemand sagt. Manchmal genügen schon ein paar anerkennende Worte, um einem die größten Ängste zu nehmen. »Danke.«

Sherry steht auf und streckt sich neben mir auf dem Boden aus. Als ich den Kopf drehe, sehe ich, dass sie mit geschlossenen Augen daliegt. Ihre Lider zittern, als würde sie versuchen, Tränen wegzublinzeln.

Eine Weile liegen wir schweigend nebeneinander. Ich höre, wie sie schluckt. »Er ist im Jahr darauf gestorben. Ein Jahr, nachdem er um meine Hand angehalten hat. Bei einem Verkehrsunfall«, sagt sie irgendwann leise.

Ich drehe mich zur Seite und lege meinen Kopf auf den angewinkelten Arm. Weil ich nicht weiß, was ich sagen soll, sage ich gar nichts.

»Es ist lange her«, sagt sie, sieht mich an und lächelt tapfer. »Und es geht mir wieder gut. Ich liebe meine Familie und möchte sie für nichts in der Welt eintauschen. Aber manchmal tut es noch weh. In Momenten wie diesen …«

Sie richtet sich auf, setzt sich im Schneidersitz neben mich und beginnt wieder, an dem Faden an ihrer Jeans zu zupfen. »Ich hatte solche Angst … um deinetwillen, Will, verstehst du? Ich hatte Angst, dass sie es womöglich nicht schafft. Es hat so viele schmerzhafte Erinnerungen in mir wachgerufen, mitansehen zu müssen, was du durchmachst. Das war auch der Grund, warum ich nicht hierbleiben konnte, sondern nach Hause fahren musste.«

Der Ausdruck in ihren Augen und der Schmerz in ihrer Stimme sind mir sehr vertraut. Ich kenne ihn und weiß genau, wie schwer es ihr fällt, darüber zu reden. »Das ist völlig okay«, sage ich. »Ich habe gar nicht erwartet, dass Sie hierbleiben. Sie hatten doch auch Kiersten, um die Sie sich Sorgen gemacht haben und für die Sie da sein mussten.«

»Ich weiß, dass du das nicht erwartet hast. Ich wäre dir sicher auch keine große Hilfe gewesen. Aber ich habe mir nicht nur Sorgen um Kiersten, sondern auch um dich gemacht. Um euch alle. Um Kel und Caulder und dich und Layken. Und jetzt habe ich auch noch eure tollen seltsamen Freunde kennengelernt, und so wie ich mich kenne, werde ich mir bald auch noch um sie Sorgen machen«, sagt sie mit ersticktem Lachen.

Ich sehe sie an.

»Es ist schön zu wissen, dass es jemanden gibt, der sich Sorgen um einen macht, Sherry. Danke.«

16.

Sonntag, 29. Januar

Ich habe etwas über mein Herz gelernt.
Es kann brechen.
Es kann zerreißen.
Es kann zu Eis erstarren.
Es kann aufhören zu schlagen. Und zwar vollkommen.
Es kann in eine Million Stücke zerspringen.
Es kann explodieren.
Es kann sterben.
Aber es gibt etwas, das es zum Leben erweckt.
Der Moment, in dem du die Augen aufschlägst.

Lake hat beinahe den ganzen restlichen Nachmittag durch-
geschlafen. Sie hat auch den Stylingtermin mit Eddie verpasst, was wahrscheinlich besser so ist. Ich kann mir nicht
vorstellen, dass sie große Lust gehabt hätte, sich schminken
zu lassen. Zum Mittagessen gab es Hühnersuppe. Ich habe
sie gefüttert und sie hat fast den ganzen Teller leer gegessen.

In den wachen Momenten hat sie mich mit Fragen zum Unfallhergang gelöchert – vor allem aber wollte sie in allen Einzelheiten beschrieben haben, wie wir uns wieder versöhnt haben. Ich habe versucht, ihr detailliert und möglichst wahrheitsgetreu zu schildern, wie schön dieser Moment war. Okay, es kann sein, dass ich die Kussszene etwas ausgeschmückt habe ...

Die Tatsache, dass Lake im Krankenhaus liegt und eine schwere Schädeloperation hinter sich hat, hält sie nicht davon ab, ihr übliches Sonntagsritual zu zelebrieren. Als ich zurückkomme und die Tüte mit dem Fresskram und den Filmen auf den Tisch stelle, die ich besorgt habe, ist gerade eine Krankenschwester bei ihr.

»Oh, gut, Sie kommen genau richtig«, sagt sie, während sie den Infusionsschlauch entfernt und die Kanüle verschließt, die in Lakes Hand steckt. »Sie möchte nicht im Bett gewaschen werden, sondern lieber duschen. Ich wollte ihr gerade dabei helfen, aber jetzt sind Sie ja da und können das übernehmen.«

Lake und ich sehen uns erschrocken an. Es ist nicht so, als hätte ich sie noch nie nackt gesehen, aber ... nie in einer solchen Situation. Und nie bei grellem Neonlicht!

»Ich ... ich weiß nicht«, murmle ich und sehe Lake Hilfe suchend an. »Würdest du das denn wollen?«

Lake zuckt mit den Schultern. »Es wäre jedenfalls nicht das erste Mal, dass du mich unter eine Dusche stellst. Wobei ich sehr hoffe, dass du mir diesmal dabei hilfst, mich vorher auszuziehen.« Sie lacht über ihren eigenen Witz, verzieht aber im nächsten Moment vor Schmerz das Gesicht.

Die Schwester sieht uns leicht verunsichert an. »Es tut mir leid, wenn ich etwas Falsches gesagt habe. In den Krankenakten steht, Sie wären verheiratet, deshalb dachte ich ...«

»Ach so ... ja«, sage ich schnell. »Das war ein Versehen. Wir sind nicht verheiratet. Noch nicht.«

»Kein Problem.« Die Schwester lächelt. »Sie können gern auch wieder in den Warteraum gehen, und ich hole Sie, sobald wir hier fertig sind.«

»Nein!«, ruft Lake. »Ich möchte, dass er mir hilft.« Sie sieht mich an. »Machst du doch, oder?«

Die Schwester sieht mich ebenfalls an. Als ich nicke, greift sie nach dem Tablett, das auf dem Nachttisch steht, und verlässt das Zimmer.

»Fühlst du dich denn schon fit genug, um aufzustehen?«, frage ich besorgt und halte ihr meinen Arm hin, damit sie sich daran hochziehen kann.

Sie nickt. »Ja. Zwischen den Besuchen heute Vormittag bin ich ein bisschen im Flur auf und ab gelaufen. Ich fühle mich auch schon viel besser als gestern. Mir ist nur noch etwas schwindelig.«

Die Schwester kehrt mit einem Stapel Handtücher, einem Waschlappen und einem Stück Seife zurück. »Achten Sie bitte darauf, dass ihr Kopfverband auf keinen Fall nass wird. Vielleicht wäre es das Beste, wenn sie nicht duscht, sondern lieber badet«, sagt sie im Hinausgehen.

Ich bringe Lake ins Badezimmer und schließe die Tür hinter uns.

»Gott, ist das peinlich«, sagt sie.

»Aber du wolltest doch, dass ich dir helfe. Soll ich lieber die Schwester holen?«

»Nein. Es ist nur ... ich müsste vorher mal pinkeln.«

»Oh. Okay.« Ich führe sie zur Toilette und stütze sie, während sie sich hinsetzt.

»Dreh dich um«, sagt sie und klammert sich an dem Griff fest, der an der Wand befestigt ist.

Ich wende ihr den Rücken zu und betrachte die weißen Kacheln. »Baby, wenn ich jetzt schon nicht hinsehen darf, wird es schwierig, dir in die Badewanne zu helfen. Du bist noch nicht mal nackt.«

»Das ist aber etwas anderes. Ich will nicht, dass du mir beim Pinkeln zusiehst.«

Ich lache. Und warte. Und warte noch ein bisschen. Nichts passiert.

»Vielleicht solltest du mich doch kurz allein lassen«, sagt Lake schließlich kläglich.

»Wie du meinst.« Ich gehe zur Tür. »Aber bitte versuch nicht, allein aufzustehen. Ich möchte nicht riskieren, dass du hinfällst.« Ich lasse die Tür einen Spalt offen stehen, damit ich es höre, wenn sie Hilfe braucht. Sobald die Toilettenspülung rauscht, gehe ich wieder ins Bad und helfe ihr.

»Duschen oder baden?«, frage ich.

»Baden. Ich weiß nicht, ob ich es schaffe, lange zu stehen.«

Ich lasse Wasser in die Wanne laufen, prüfe, ob die Temperatur angenehm ist, und lege den Waschlappen und die Seife bereit. Zum Glück ist die Wanne mit zwei breiten gemauerten Stufen ausgestattet, um den Patienten den Einstieg zu erleichtern.

»So«, sage ich, als ich mich wieder aufrichte. »Dann ziehe ich dich jetzt aus, ja?« Ich drehe sie mit dem Rücken zu mir und streiche ihr die Haare nach vorn, um die Schleifen am Nachthemd zu öffnen. Als der Stoff auseinandergleitet, ziehe ich erschrocken die Luft ein. Ihr gesamter Rücken ist mit unregelmäßigen bläulich-roten Blutergüssen übersät.

Lake beugt sich ein Stück vor und lässt das Hemd über die Arme gleiten und zu Boden fallen. Ich drehe mich um und tauche die Hand ins Wasser, um noch einmal die Temperatur zu prüfen.

»Alles klar, du kannst jetzt rein«, sage ich so lässig, als würde ich ihr ständig beim Baden helfen. Danach reiche ich ihr meinen Arm, damit sie in die Wanne steigen kann. Sie setzt sich schnell hin, zieht die Beine an die Brust, schlingt die Arme darum und sieht zu mir auf.

»Danke, dass du die Situation nicht schamlos ausgenutzt hast.« Sie grinst.

Ich grinse zurück. »Bedank dich nicht zu früh. Wir haben gerade erst angefangen.« Dann tauche ich den Lappen ins Wasser und hocke mich neben die Wanne, um sie zu waschen. Allerdings ist es wegen der Stufen gar nicht so leicht, an sie heranzukommen, und ich stelle mich vermutlich auch nicht besonders geschickt an, jedenfalls nimmt sie mir den Waschlappen irgendwann aus der Hand und beginnt, sich damit abzureiben.

»Es ist komisch, wie viel Kraft man für die einfachsten Sachen braucht«, sagt sie. »Mein Arm fühlt sich an, als würde er hundert Kilo wiegen.«

Ich wickle das Stück Seife aus dem Papier und reiche es ihr, aber es gleitet ihr aus den Fingern und fällt ins Wasser. Sie tastet den Boden der Wanne ab, bis sie es wiederfindet, und seift dann den Waschlappen ein.

»Was glaubst du, wie lange ich noch hierbleiben muss?«, fragt sie.

»Wenn wir Glück haben, darfst du schon am Mittwoch gehen«, antworte ich. »Dr. Bradshaw hat gesagt, dass es unterschiedlich lange dauert, bis man sich von einer solchen Verletzung erholt hat. Manche Patienten brauchen Wochen. Du bist zum Glück schon nach ein paar Tagen wieder fit.«

Lake runzelt die Stirn. »Ich fühle mich aber nicht besonders fit.«

»Doch, du machst das toll«, sage ich.

Sie legt lächelnd den Waschlappen weg und schlingt wieder die Arme um die Knie. »Ich glaube, ich brauche eine kleine Pause«, sagt sie. »Um den Rest kümmere ich mich gleich.«

Sie schließt die Augen und sieht plötzlich unglaublich müde aus. Ich beuge mich über sie und drehe den Hahn zu. Dann stehe ich auf und ziehe leise mein T-Shirt und die Schuhe aus. Die Jeans behalte ich an. »Mach mal ein bisschen Platz«, flüstere ich.

Lake rutscht in der Wanne ein Stück nach vorn und ich lasse mich hinter ihr ins Wasser gleiten. Ich strecke links und rechts von ihr die Beine aus und ziehe sie dann behutsam an mich, bis ihr Kopf auf meinem Brustkorb liegt. Danach greife ich nach dem Waschlappen und reibe damit sanft über ihre Arme.

»Du spinnst«, sagt sie.

Ich küsse sie auf den Kopf. »Du auch.«

Wir sprechen kein Wort, während ich sie wasche. Sie lehnt sich gegen meine Brust, bis ich sie bitte, sich nach vorne zu beugen, damit ich ihr auch den Rücken waschen kann.

Behutsam streiche ich mit dem Waschlappen über ihre mit Blutergüssen übersäte Haut. »Du hast jede Menge Prellungen abbekommen. Tut dir der Rücken sehr weh?«

»Mir tut alles weh.«

Ich wasche sie so vorsichtig, wie ich nur kann, weil ich ihr auf keinen Fall noch mehr Schmerzen bereiten möchte. Nachdem ich jeden Zentimeter ihrer Haut eingeseift und abgewaschen habe, beuge ich mich vor und küsse den blauen Fleck auf ihrem Schulterblatt. Dann den gleich darunter. Den daneben. Ich küsse mich von Bluterguss zu Bluterguss, und als sie sich gegen meine Brust lehnt, hebe ich ihren rechten Arm und küsse auch noch die Prellungen, die sie dort hat. Danach küsse ich die auf dem anderen Arm. Erst als ich sämtliche Verletzungen geküsst habe, die ich auf ihrer Haut entdecken konnte, lasse ich ihren Arm sanft wieder ins Wasser gleiten.

»Siehst du?« sage ich. »So gut wie neu.« Ich küsse sie auf die Wange. Lake schließt die Augen und wir sitzen eine Weile einfach so da, schweigend.

»So habe ich mir unser erstes gemeinsames Bad eigentlich nicht vorgestellt«, sagt sie schließlich.

Ich lache. »Echt nicht? Komisch. Ich hatte es mir ganz genau so vorgestellt. Mit Jeans und allem Drum und Dran.«

Lake holt tief Luft, schmiegt den Kopf an meine Brust und sieht zu mir auf. »Ich liebe dich, Will.«

Ich küsse sie auf die Stirn. »Sag es noch mal.«

»Ich liebe dich, Will.«

»Noch mal.«

»Ich liebe dich.«

Nach fünf Tagen im Krankenhaus wird Lake am Dienstag entlassen – sogar noch einen Tag früher, als ich gehofft hatte. Gestern habe ich mich endlich mit den Kfz-Versicherungen in Verbindung gesetzt und weiß jetzt, dass Lakes Jeep einen Totalschaden hat und verschrottet werden muss. Mein eigener Wagen ist zwar nicht so stark beschädigt, muss aber wegen der gesplitterten Heckscheibe in die Werkstatt. Zum Glück bekomme ich für die Übergangszeit einen Leihwagen gestellt.

Dr. Bradshaw ist sehr zufrieden mit Lakes Fortschritten, hat sie aber nur unter der Bedingung entlassen, dass sie die nächsten vier Wochen strenge Bettruhe hält. In zwei Wochen will er sie noch einmal untersuchen.

Lake ist wahnsinnig aufgeregt und redet die ganze Zeit davon, wie sehr sie sich darauf freut, vier Wochen lang in meinem gemütlichen Bett schlafen zu dürfen. Und ich freue mich darauf, sie ganze vier Wochen lang in meiner Nähe haben zu dürfen.

Ich habe sie für dieses Semester von der Uni abgemeldet. Sie war zwar im ersten Moment sauer, aber Dr. Bradshaw meinte auch, dass sie sich jetzt erst einmal darauf konzentrieren sollte, wieder ganz gesund zu werden. Diese Woche werde ich zu Hause bleiben, um mich ganz um sie kümmern zu können, und erst ab nächstem Montag wieder in die Uni gehen. Ich weiß auch schon, unter welches Motto wir die Woche stellen werden: Filme und Fresskram. Das haben wir uns verdient.

Kel und Caulder tragen ihre Teller mit Pommes und frittiertem Hähnchen ins Wohnzimmer und stellen sie auf den Couchtisch. Solange Lake liegen muss, werden wir immer hier essen und nicht am großen Tisch.

»Okay, Zuckerstück und Säurebad«, sagt Caulder und hockt sich im Schneidersitz auf den Boden, sodass wir in einem Halbkreis um Lake sitzen, die auf der Couch liegt. »Mein Säurebad ist, dass ich morgen wieder in die Schule muss, und mein Zuckerstück ist jetzt, weil Layken endlich wieder zu Hause ist.«

Sie lächelt. »Das ist lieb, Caulder. Danke.«

»Jetzt ich«, ruft Kel. »Mein Säurebad ist, dass ich morgen wieder in die Schule muss, und mein Zuckerstück ist jetzt, weil Layken endlich wieder zu Hause ist.«

Sie lacht. »Du alter Nachmacher!«

»Aber wenn es doch stimmt!«, verteidigt sich Kel.

»Mein Säurebad war, dass mein Zuckerstück mich gezwungen hat, sechs Johnny-Depp-Filme anzusehen«, sage ich. »Und mein Zuckerstück bist du.« Ich beuge mich vor und küsse Lake auf die Stirn.

Kel und Caulder verzichten diesmal darauf, lautstark ihren Ekel kundzutun. Anscheinend gewöhnen sie sich langsam an unsere Zärtlichkeiten. Vielleicht sind sie aber auch einfach nur erleichtert, dass Lake endlich wieder bei uns ist.

»Mein Säurebad ist nicht schwer zu erraten«, sagt Lake, die als Letzte dran ist. »Die haben mir den Kopf aufgebohrt und wieder zugeschraubt.« Sie sieht mich an und lächelt, dann wandert ihr Blick zu Kel und Caulder, die sich hungrig über ihr Essen hermachen.

»Und dein Zuckerstück?«, fragt Caulder mit vollem Mund.

Lake betrachtet ihn einen Moment lang. »Meine Zuckerstücke seid ihr«, sagt sie dann. »Ihr alle drei.«

Einen Moment lang herrscht Schweigen, dann wirft Kel eine Fritte auf seine Schwester. »Igitt, Kitschalarm!«, ruft er.

Lake schleudert sie zu ihm zurück. »Aber wenn es doch stimmt!«

In diesem Moment geht die Tür auf. »Hallo«, sagt Kiersten. »Sorry für die Verspätung.« Als sie in die Küche geht, bereite ich mich innerlich darauf vor, dass sie mich gleich dafür fertigmachen wird, dass ich kein Extraessen für sie gekocht habe. Sie wird wieder Brot mit Pommes essen müssen.

»Soll ich dir helfen?«, rufe ich, weil ihr Arm ja vergipst ist. Aber sie scheint es gut allein zu schaffen.

»Geht schon«, sagt sie, kommt mit ihrem Teller ins Wohnzimmer und stellt ihn auf den Tisch. Wir starren sie alle sprachlos an, weil mitten auf dem Pommesberg ein Riesenstück frittierte Hähnchenbrust liegt, von der sie sich ein Stück abreißt und in den Mund schiebt.

»Oh mein Gott, schmeckt das gut!«, sagt sie und kaut genüsslich.

»Kiersten, äh … das ist Huhn. Du isst gerade *Fleisch*«, informiere ich sie.

Sie nickt. »Total verrückt, ich weiß. Aber ich hab mich schon die ganze Zeit darauf gefreut, dass ihr wieder zurück seid, damit ich endlich mal Fleisch probieren kann.« Sie nimmt noch einen Bissen von der Hähnchenbrust. »Köstlich«, stöhnt sie, steht dann auf und geht in die Küche. »Schmeckt das auch mit Ketchup?« Sie kommt mit der Flasche zurück und drückt sich einen Klecks auf den Teller.

»Wie kommt es zu diesem plötzlichen Meinungsumschwung?«, fragt Lake.

Kiersten schluckt den Bissen, den sie gerade kaut, herunter. »Als dieser Sattelschlepper auf uns zugerast ist, war mein einziger Gedanke, dass ich sterben würde, ohne jemals zu wissen, wie Fleisch schmeckt. Das wäre das Einzige gewesen, was ich echt bereut hätte.«

Wir lachen, als sie sich auch noch ein Stück Hähnchen von Kels Teller nimmt.

»Kommst du am Donnerstag eigentlich trotzdem zum Dad Day an die Schule?«, fragt Caulder.

Lake sieht mich an. »Dad Day?«

»Ich weiß es nicht, Caulder. Eigentlich möchte ich Lake noch nicht allein lassen«, sage ich.

»Was ist das, der Dad Day?«, fragt Lake noch einmal.

»Da gibt es ein Büfett in der Sporthalle und alle aus unserem Jahrgang dürfen ihre Väter mitbringen«, erklärt Kiersten. »Nächsten Monat ist dann Mom Day.«

»Aber was ist mit den Kindern, die keine Väter oder älteren Brüder haben?«, sagt Lake. »Wen sollen die mitbringen? Das ist irgendwie blöd.«

»Die bringen einfach auch Will mit«, sagt Kel.

Lake sieht mich an.

»Ich habe Kel gefragt, ob ich auch als sein Ersatz-Dad mitkommen darf«, erkläre ich.

»Kann ich mich dann auch zu euch an den Tisch setzen?«, fragt Kiersten. »Mein Vater kommt nämlich erst am Samstag wieder.«

Ich nicke. »Klar. Falls ich hingehe.«

»Natürlich gehst du hin«, sagt Lake bestimmt. »Ich kann ohne Probleme einen Vormittag allein bleiben. Ich bin doch kein Baby.«

Ich beuge mich zu ihr vor und küsse sie auf die Stirn. »Doch bist du. Du bist *mein* Baby.«

Ich weiß nicht, aus welcher Richtung der Angriff kommt. Jedenfalls hagelt es im nächsten Moment Pommes auf mich.

Ich helfe Lake ins Bett und decke sie zu. »Soll ich dir noch was zu trinken bringen?«

Sie lächelt. »Nein danke. Ich habe alles, was ich brauche.«

»Okay.« Nachdem ich die Nachttischlampe ausgeknipst habe, gehe ich um das Bett herum und schlüpfe selbst unter die Decke. Ich rutsche ganz nah an sie heran, lege den Kopf auf ihr Kissen und schlinge einen Arm um ihre Taille.

Der Verband wird erst beim nächsten Termin im Krankenhaus abgenommen. Lake ist deswegen schon ziemlich nervös, weil sie nicht weiß, wie groß die Narbe sein wird und wie viele Haare ihr abrasiert wurden. Ich bin mir sicher, dass sie sich keine Sorgen machen muss. Dr. Bradshaw hat gesagt, dass die Operationswunde ganz klein ist und sich außerdem am Hinterkopf befindet, wo man sie kaum sehen wird.

Lake liegt auf der Seite und wendet mir das Gesicht zu, deshalb sind ihre Lippen so nah, dass ich sie einfach küssen muss. Danach lege ich den Kopf wieder aufs Kissen und streiche zärtlich über ihre Wange.

Die Woche, die hinter uns liegt, war die Hölle. Seelisch und körperlich, aber besonders seelisch. Ich hätte sie um ein Haar verloren. Es war so knapp, so verdammt knapp. In den stillen Momenten, wenn meine Gedanken wandern, frage ich mich manchmal, was gewesen wäre, wenn sie gestorben wäre. Wie ich es hätte schaffen sollen, danach noch weiterzuleben. Aber dann denke ich ganz schnell daran, dass es ihr gut geht. Dass es allen gut geht.

Alles, was Lake und ich im letzten Monat durchgemacht haben, hat dazu geführt, dass ich sie noch mehr liebe – auch wenn ich nicht für möglich gehalten hätte, dass das überhaupt geht. Ein Leben ohne sie kann ich mir nicht mehr vorstellen. Ich muss an das Video denken, das Sherry mir gezeigt hat, und daran, wie James zu ihr gesagt hat: »Mein Leben hat erst begonnen, als du kamst und meine Seele geweckt hast.«

Genau das ist passiert, als ich Lake kennengelernt habe. Sie hat meine Seele geweckt.

Ich beuge mich noch einmal zu ihr und küsse sie, länger diesmal, aber auch nicht zu lang. Sie kommt mir immer noch so zart und verletzlich vor.

Sie öffnet die Augen. »Das ist echt hart, weißt du das?«,

sagt sie. »Ist dir klar, wie schwer es für mich ist, mit dir zusammen in einem Bett zu schlafen und nichts tun zu dürfen? Bist du dir sicher, dass er von einem ganzen Monat gesprochen hat? Dass ich einen *ganzen* Monat komplette Ruhe brauche?«

»Na ja, er hat nicht von einem Monat gesprochen, sondern von vier Wochen«, sage ich und streichle ihren Arm. »Wir können es ja wörtlich nehmen, dann sind es nur achtundzwanzig Tage.«

»Siehst du?«, sagt sie vorwurfsvoll. »Du hättest mein Angebot damals annehmen sollen, als du die Chance dazu hattest. Jetzt müssen wir noch mal ganze vier Wochen warten!«
Sie stöhnt. »Wie lange war das dann insgesamt?«

»Fünfundsechzig Wochen«, antworte ich ein bisschen zu schnell. »Nicht dass ich mitzähle. Die vier Wochen sind am 28. Februar vorbei. Aber das ist bloß Zufall, dass ich das weiß.«

Sie lacht. »Und es ist auch bloß Zufall, dass ich weiß, dass der 28. ein Dienstag ist. Aber wer will schon an einem ganz normalen Wochentag seine Jungfräulichkeit verlieren? Wie wäre es mit dem Freitag davor? Das ist der 24. Wir können deine Großeltern bitten, auf Kel und Caulder aufzupassen.«

»Nichts da. Wir müssen die vier Wochen abwarten. Ärztlichen Anordnungen widersetzt man sich nicht«, sage ich. »Was hältst du davon, wenn wir es auf den 2. März verschieben?«

»Aber der 2. März ist ein Donnerstag!«

»Irrtum, Baby, wir haben ein Schaltjahr.«

»Okay. Dann also am Freitag, den 2. März«, sagt sie.

»Aber ich will eine Suite in einem Hotel. Eine richtig luxuriöse Suite mit allem Drum und Dran.«

»Sollst du haben.«

»Mit einem Blumenstrauß und einer Schachtel Pralinen.«

»Bekommst du beides«, sage ich, hebe den Kopf, küsse sie und rolle mich dann zur Seite.

»Und einen Früchtekorb. Mit Erdbeeren.«

»Kriegst du auch«, gähne ich und ziehe mir die Decke über den Kopf.

»Und so flauschige Hotelbademäntel. Für uns beide. Die ziehen wir dann das ganze Wochenende nicht aus.«

»Ganz egal, was du haben willst, Lake, du wirst es bekommen. Aber jetzt schlaf. Du musst dich erholen.«

Sie tut seit fünf Tagen nichts anderes, als zu schlafen, deshalb überrascht es mich nicht, dass sie hellwach ist. Aber im Gegensatz zu ihr habe ich während dieser Tage kaum geschlafen, weshalb mir heute immer wieder die Augen zugefallen sind. Es ist unglaublich schön, wieder zu Hause in meinem Bett zu liegen. Und noch schöner, dass Lake neben mir liegt.

»Will?«, flüstert sie.

»Ja?«

»Ich muss pinkeln.«

»Bist du sicher, dass ich dich allein lassen kann?«, frage ich Lake zum wahrscheinlich zehnten Mal an diesem Vormittag.

»Absolut sicher«, sagt sie und winkt mit dem Handy, um mir zu zeigen, dass sie es griffbereit hat.

»Okay. Sherry ist zu Hause, falls du irgendwas brauchst.

Ich bin in zwei Stunden wieder da. So ein Schulessen kann ja nicht ewig dauern.«

»Mach dir keine Sorgen. Es geht mir gut.«

Ich küsse sie auf die Stirn. »Ich weiß.«

Ich weiß ja wirklich, dass es ihr gut geht. Sogar sehr gut. Sie ist so fest entschlossen, schnell wieder gesund zu werden, dass sie viel zu viel allein macht. Auch Dinge, die sie nicht allein machen sollte. Und genau das ist es, worum ich mir Sorgen mache. Ihr unbeugsamer Wille, in den ich mich verliebt habe, treibt mich manchmal auch in den Wahnsinn.

In der Sporthalle sind Tische aufgebaut, auf denen bunte Papiertischdecken liegen. An einigen Plätzen sitzen bereits Väter mit ihren Kindern, Schüler und Lehrer laufen herum, schenken Getränke ein und stellen Essen auf ein langes Büfett, das an der Seite aufgebaut ist. Ich suche nach den Jungs, kann aber nur Caulder entdecken, der mir zuwinkt.

»Wo sind Kel und Kiersten?«, frage ich, als ich mich neben ihn setze.

»Mrs Brill hat sie wieder weggeschickt«, erzählt er niedergeschlagen.

»Warum denn das?« Ich sehe mich nach Mrs Brill um.

»Weil sie keinen Vater und auch keinen älteren Bruder haben. Sie glaubt, dass Kiersten und Kel den Dad Day bloß als Ausrede benutzen, um freizubekommen. Jetzt ist gerade große Pause und sie sind in der Cafeteria, aber danach müssen sie in die Schulbücherei und Stillarbeit machen. Kel hat ihr schon gesagt, dass du bestimmt sauer bist, wenn du das hörst.«

»Und damit hat er völlig recht«, sage ich. »Bleib hier sitzen. Ich bin gleich wieder da.«

Als ich die Türen zur Cafeteria aufstoße, platzt mir fast das Trommelfell. Ich hatte ganz vergessen, wie laut Kinder sein können. Leider erinnert mich der Lärm auch daran, dass ich immer noch Kopfschmerzen habe. Alle Tische sind besetzt und in dem Meer von Schülern kann ich Kel und Kiersten nirgends entdecken. Ich gehe auf eine Frau zu, die so aussieht, als würde sie hier die Aufsicht haben.

»Entschuldigung, ich suche Kel Cohen. Können Sie mir vielleicht sagen, wo er sitzt?«

»Wie bitte?«, fragt sie. »Es ist zu laut, ich kann Sie nicht verstehen.«

»Kel Cohen!«, sage ich etwas lauter.

»Ah.« Sie nickt und deutet auf einen Tisch am anderen Ende des Raums. Als ich darauf zugehe, entdeckt Kel mich, steht auf und winkt. Kiersten, die neben ihm sitzt, wischt sich gerade mit einer Papierserviette über ihr T-Shirt.

»Hast du dir etwas über dein Shirt gekippt?«, frage ich, als ich bei den beiden bin.

Sie sieht Kel an und schüttelt den Kopf. »Ich nicht«, antwortet sie und deutet auf den Nachbartisch. Als ich mich umdrehe, sehe ich drei Jungs, die etwas älter sind als sie und Kel und feixend die Köpfe zusammenstecken.

»Die da waren das?«

Kiersten verdreht die Augen. »Ja, die Vollidioten. Aber ich bin schon dran gewöhnt. Wenn es kein Kakao ist, ist es Apfelmus oder Pudding oder Götterspeise.«

»Eigentlich ist es meistens Götterspeise«, sagt Kel.

»Aber das ist nicht so schlimm. Wie gesagt, ich bin daran gewöhnt und hab für solche Fälle immer ein frisches T-Shirt zum Wechseln im Rucksack.«

»Wie bitte? Das findest du nicht schlimm?«, sage ich entgeistert. »Aber das *ist* schlimm. Warum tut niemand was dagegen? Hast du schon mit einem Lehrer darüber gesprochen?«

Kiersten nickt. »Aber die machen nichts, weil sie es ja nie mitkriegen. Seit Kel und Caulder den Typen gedroht haben, ist es schlimmer geworden. Jetzt passen sie auch noch besser auf, sich nicht erwischen zu lassen. Aber die sind mir egal. Echt. Ich habe Abby und Kel und Caulder. Mehr Freunde brauche ich gar nicht.«

Ich bin stinksauer und kann nicht glauben, dass die Schulleitung es zulässt, dass sie jeden Tag von diesen Primitivlingen gequält wird. »Welcher von denen ist der, von dem ihr erzählt habt? Der Fiesling?«, frage ich.

Kel deutet auf einen kräftigen Jungen, der am Kopfende des Tischs sitzt.

»Ihr wartet hier.« Ich drehe mich um und gehe auf die drei zu. Sobald sie mich bemerken, hören sie auf zu lachen und sehen mir irritiert entgegen. Ich greife mir einen Stuhl, drehe ihn um und setze mich umgekehrt darauf. »Hey«, sage ich. Der Fiesling sieht erst mich und dann seine Freunde an.

»Kann ich Ihnen irgendwie helfen?«, fragt er, jetzt wieder mit dreckigem Grinsen. Seine Freunde lachen.

»Ja, kannst du«, sage ich. »Wie heißt du?«

Er lacht und macht einen auf Supermacker, den nichts und niemand einschüchtern kann. Ich kenne solche Typen – und ich weiß, dass ihr Gehabe in Wirklichkeit nur ihre Nervosität kaschieren soll.

»Mark«, sagt er. »Ich heiße Mark.«

»Hallo, Mark. Ich bin Will«, sage ich und strecke ihm die Hand hin. Er schüttelt sie widerwillig.

»Okay. Jetzt wo wir uns offiziell vorgestellt haben, können wir ja ganz offen und ehrlich miteinander sprechen, oder wie siehst du das, Mark? Kannst du die Wahrheit vertragen?«

Er lacht unsicher. »Klar, ich vertrag so einiges.«

»Gut. Siehst du das Mädchen da drüben?« Ich deute auf Kiersten.

Mark wirft einen Blick über die Schulter zu ihr, dann sieht er mich an und nickt.

»Ich sag es dir, wie es ist, Mark. Okay? Dieses Mädchen ist mir wichtig. Sehr wichtig. Und wenn andere den Menschen, die mir wichtig sind, schlimme Sachen antun, reagiere ich empfindlich. Ich schätze, man könnte sagen, dass ich dann leicht die Nerven verliere.« Ich rutsche mit meinem Stuhl näher an seinen heran und sehe ihm direkt in die Augen. »Da wir gerade so schön ehrlich sind, Mark, kann ich dir ja auch sagen, dass ich mal Lehrer war. Weißt du, warum ich es nicht mehr bin, Mark?«

Er schüttelt stumm den Kopf.

»Ich bin kein Lehrer mehr, weil ein Idiot einem anderen Schüler, der mir wichtig ist, etwas angetan hat. Ich sag nur so viel: Der Typ hat nicht mehr so toll ausgesehen, als ich mit ihm fertig war.«

Die drei Jungs starren mich mit großen Augen an.

»Wenn du willst, kannst du das ruhig als Drohung auffassen, Mark. Obwohl ich natürlich nicht vorhabe, dir irgendwie wehzutun. Du bist ja auch erst zwölf. Normalerweise achte ich darauf, dass die Leute, mit denen ich mich prügle, mindestens vierzehn sind. Insofern hast du Glück. Aber dass du andere Leute terrorisierst … noch dazu ein Mädchen, das jünger ist als du …« Ich schüttle angewidert den Kopf. »Das beweist, was für ein erbärmlicher Mensch du bist. Allerdings gibt es Menschen, die sind noch schlimmer.« Ich wende mich an die Jungs, die bei ihm sitzen. »Leute, die zu einem so erbärmlichen Wurm wie dir auch noch aufschauen. Leute, die schwach genug sind, sich so einen wie dich als Anführer zu suchen, die sind schlimmer als erbärmlich.«

Ich drehe mich wieder zu Mark um und lächle. »War nett, mit dir zu plaudern.« Dann stehe ich auf, stelle den Stuhl wieder richtig hin und stemme die Hände auf die Tischplatte. »Wir bleiben in Kontakt.«

Ich sehe allen dreien in die Augen, dann drehe ich mich um und schlendere zu Kiersten und Kel zurück. »Lasst uns rübergehen. Caulder wartet auf uns.«

Die beiden folgen mir in die Sporthalle, wo wir uns zu meinem Bruder an den Tisch setzen. Es dauert keine zwei Minuten, da marschiert Mrs Brill mit zusammengepressten Lippen auf uns zu. Bevor sie den Mund öffnen kann, um etwas zu sagen, stehe ich auf und strecke ihr die Hand hin. »Hallo, Mrs Brill«, sage ich mit breitem Lächeln. »Es ist wirklich wahnsinnig nett von Ihnen, dass Sie mir erlauben, heute mit Kiersten und den beiden Jungs am Tisch zu sitzen. Das ist ein tolles Signal für alle anderen, dass Sie anerkennen, dass es da draußen viele verschiedene Formen von Familie gibt, nicht nur die traditionellen. Ich liebe diese Kinder, als wären sie meine eigenen. Und die Tatsache, dass Sie unsere Beziehung zueinander respektieren, obwohl ich nicht ihr leiblicher Vater bin, beweist mir, dass Sie eine wirklich großartige, weltoffene Schulleiterin sind. Dafür möchte ich Ihnen gern meinen Respekt aussprechen.«

Mrs Brill lässt meine Hand sinken und tritt einen Schritt zurück. Sie sieht Kiersten und Kel an und dann wieder mich. »Ja, das … das freut mich. Danke«, sagt sie. »Dann wünsche ich Ihnen allen noch einen schönen Dad Day.« Sie dreht sich um und geht ohne ein weiteres Wort davon.

»Wow«, sagt Kel. »Das war definitiv mein Zuckerstück heute.«

17.

Donnerstag, 16. Februar

Nur noch ein Tag ...

»Und? Sieht es sehr schlimm aus?«, fragt Lake.

»Was meinen Sie?«, fragt Dr. Bradshaw zurück. »Die Narbe?« Er schneidet behutsam den Verband um ihren Kopf auf.

»Meine Haare«, sagt sie. »Wie viel mussten Sie wegrasieren?«

»Nun ja.« Er verbeißt sich ein Lächeln. »Sie wissen ja, dass wir ein Loch in Ihren Schädelknochen bohren mussten. Selbstverständlich haben wir versucht, so viele Ihrer schönen Haare zu retten wie möglich, aber letzten Endes standen wir vor der Entscheidung, entweder Ihre Haare zu retten ... oder Ihr Leben.«

Lake lacht. »Na gut, dann vergebe ich Ihnen.«

Sobald wir nach Hause kommen, verschwindet sie im Bad, um zu duschen und endlich wieder ihre Haare zu waschen.

Mittlerweile mache ich mir keine Gedanken mehr, wenn Lake allein zu Hause ist, deswegen fahre ich noch einmal los, um die Jungs von der Schule abzuholen. Erst als ich dort bin, fällt mir ein, dass morgen Abend die Talentshow stattfindet und Caulder und Kiersten eine Stunde länger bleiben. Die beiden haben sich angemeldet, uns aber nicht verraten, was sie vorhaben. Von Kiersten weiß ich zwar, dass sie einen Slam-Text vortragen will, aber ich habe keine Ahnung, worum es gehen wird. Sie hat von mir verlangt, dass ich ihr alle meine jemals geschriebenen Gedichte aushändige, weil sie sie zu Übungszwecken brauche. Ich habe gehorcht. Kiersten hat etwas an sich, das einen lieber tun lässt, was sie von einem will.

Ich warte mit Kel auf dem Schulhof, während die beiden in der Sporthalle ihren Auftritt proben. Als wir endlich nach Hause kommen, ist Lake immer noch im Bad. Obwohl ich weiß, dass sie es nicht mag, wenn ich sie wie eine Kranke behandle, beschließe ich, nach ihr zu schauen. Als ich an die Tür klopfe, ruft sie, ich soll weggehen. Aber das tue ich nicht.

»Lake, mach auf«, sage ich und rüttle am Knauf. Die Tür ist abgeschlossen.

»Lass mich, Will. Ich brauche noch ein paar Minuten«, ruft sie mit erstickter Stimme.

Sie weint.

»Lake. Mach sofort die Tür auf!« Jetzt mache ich mir wirklich Sorgen. So stolz und trotzig, wie sie ist, würde sie es mir sicher verheimlichen, falls sie sich irgendwie verletzt hat. »Mach auf!« Ich schlage gegen die Tür und rüttle wieder am Knauf.

Stille. Sie reagiert nicht. »Lake!«, brülle ich.

Jetzt dreht sich der Knauf und die Tür geht langsam auf. Lake steht vor mir, starrt zu Boden und weint. »Alles okay. Es geht mir gut«, sagt sie und wischt sich mit einem Stück Toilettenpapier über die Augen. »Du musst wirklich aufhören, dich immer so schnell aufzuregen, Will.«

Ich umarme sie. »Warum weinst du?«

Sie löst sich von mir, schüttelt den Kopf und setzt sich auf die zugeklappte Toilette. »Es ist total albern und bescheuert«, sagt sie.

»Hast du Schmerzen? Tut die Narbe weh?«

Sie schüttelt den Kopf und tupft sich wieder die Augen. Dann löst sie das Gummi von ihrem Pferdeschwanz und lässt die Haare über ihre Schulter fallen. »Es geht um meine Haare.«

Ihre Haare. Sie weint nur wegen ihren *Haaren*! Ich atme erleichtert aus. »Sie wachsen wieder, Lake.« Ich ziehe sie von der Toilette hoch und drehe sie um. Hinter ihrem rechten Ohr gibt es einen kreisrunden Bereich, der rasiert wurde. Allerdings fällt es kaum auf, wenn sie die Haare zum Pferdeschwanz bindet.

»Weißt du was? Ich glaube, kurze Haare würden dir total gut stehen. Warte, bis sie ein Stück nachgewachsen sind, und dann kannst du sie alle abschneiden.«

Sie schüttelt den Kopf. »Das dauert doch ewig, bis die Stelle zugewachsen ist. So gehe ich nirgendwohin«, sagt sie heftig. »Ich bleibe mindestens noch den ganzen nächsten Monat zu Hause.«

Ich weiß, dass sie das nicht wirklich ernst meint, aber es tut mir trotzdem wahnsinnig leid für sie, dass sie das so unglücklich macht.

»Ich finde die Narbe sogar richtig schön«, sage ich leise und streiche behutsam darüber. »Nur ihretwegen bist du noch am Leben.« Dann bücke ich mich kurz entschlossen und öffne den Schrank unter dem Waschbecken.

»Was hast du vor?«, fragt sie erschrocken. »Du willst mir aber jetzt nicht alle Haare abrasieren, oder?«

Ich greife in den Schrank und nehme meinen Haarschneider heraus. »Keine Angst«, sage ich und stecke den Stecker ein. »Dir passiert nichts.« Dann hebe ich den Arm hinter mein rechtes Ohr, schalte das Gerät kurz ein und klopfe es danach am Waschbeckenrand aus.

»Siehst du. Jetzt sind wir wieder gleich«, sage ich.

»Will!« Sie geht um mich herum und betrachtet mich fassungslos. »Was zum Teufel …? Warum hast du das getan?«

»Es sind nur Haare, Baby«, sage ich grinsend.

Sie tupft sich wieder mit ihrem zusammengeknüllten Toilettenpapier über die Augen und schüttelt lachend den Kopf. »Du siehst total dämlich aus«, sagt sie.

»Du auch.«

Abgesehen von dem Termin beim Arzt gestern verlässt Lake heute ausnahmsweise noch einmal das Haus. Zuerst wollen wir uns die Talentshow in der Schule ansehen, und danach nimmt Sherry die Jungs mit zu sich, weil ich mit Lake noch etwas vorhabe. Lake hat sich natürlich ziemlich aufgeregt, als ich ihr davon erzählt habe.

»Nie fragst du mich, ob ich überhaupt Zeit und Lust auf

ein Date habe! Immer bestimmst du über mich«, beschwert sie sich. Also bin ich vor ihr auf die Knie gefallen und habe sie gebeten, den Abend mit mir zu verbringen. Aber natürlich habe ich ihr nicht gesagt, was ich geplant habe. Sie hat keine Ahnung, was sie erwartet. Nicht die geringste.

Eddie und Gavin sitzen schon neben Sherry und ihrem Mann David in der Sporthalle, als wir ankommen. Ich überlasse Lake den Platz neben Eddie, weil die beiden sich so lange nicht mehr gesehen haben, und setze mich selbst neben Sherry. Lake hat sich ihre Haare zu einem hohen Pferdeschwanz im Sixties-Style gebunden und die kahle Stelle so perfekt versteckt. Bei mir ging das leider nicht.

»Äh … Will? Ist das ein neuer Trend, von dem ich noch nichts gehört habe«, fragt Sherry, als sie die rasierte Stelle in meinen Haaren bemerkt.

Lake lacht. »Was hab ich gesagt? Du siehst dämlich aus!«

Als ich sitze, beugt Sherry sich zu mir. »Kannst du mir einen Tipp geben, was Kiersten heute vorhat?«, flüstert sie.

Ich zucke mit den Schultern. »Mir hat sie es auch nicht verraten, ich weiß nur, dass sie einen Poetry-Slam-Text vorträgt. Haben Sie denn gar nichts mitbekommen?«

Sherry und David schütteln beide den Kopf. »Sie hat sich zum Proben immer in ihr Zimmer eingeschlossen«, erzählt David.

»Genau wie Caulder. Ich habe keine Ahnung, was er vorführt. Bisher wusste ich nicht einmal, dass er überhaupt ein Talent hat«, sage ich grinsend.

Der Vorhang öffnet sich, Mrs Brill tritt ans Mikro, um die Zuschauer zu begrüßen, und dann beginnt die Show. Sämtliche auftretenden Kinder werden von begeisterten Verwandten auf Video gefilmt, manche sogar gleich mehrfach. Ich schäme mich ein bisschen, dass ich vergessen habe, meine Videokamera mitzubringen. Vielleicht bin ich doch kein so guter Ersatzvater.

Als Kiersten auf die Bühne gerufen wird, greift Lake in ihre Tasche und zieht ihre Kamera hervor. Ich schüttle lächelnd den Kopf. Sie hat natürlich daran gedacht.

Mrs Brill stellt Kiersten vor und geht dann von der Bühne. Kiersten ist wirklich eine jüngere Version von Eddie. Sie scheint nicht die Spur von Lampenfieber zu haben, steht ganz selbstbewusst auf der Bühne und strahlt. An ihrem vergipsten Arm hängt ein kleiner Stoffbeutel.

»Ich werde heute einen kleinen Slam aufführen. Das ist eine spezielle Form von moderner Poesie, die ich vor Kurzem durch einen Freund von mir entdeckt habe. Vielen Dank, Will.«

Ich lächle.

»Okay …« Kiersten holt tief Luft. »Der Text, den ich euch gerne vortragen möchte, heißt *Schmetterlinge*.«

Lake und ich sehen uns an, und ich ahne, dass sie dasselbe denkt wie ich, nämlich: *Oh nein!*

»Schmetterling.
Was für ein schönes Wort.
Was für ein zartes Geschöpf.
So lieblich wie die Wörter, die ihr mir an den Kopf werft.
So bunt wie die Götterspeise, mit der ihr mich beschmeißt.

343

Fühlt ihr euch gut, wenn ihr das tut?
Fühlt ihr euch danach stärker?
Fühlt ihr euch männlicher,
wenn ihr ein Mädchen fertigmacht?
Aber jetzt reicht es mir,
jetzt wehre ich mich,
wie ich es längst schon hätte tun sollen.
Ich lasse mir von euch Schmetterlingen
nichts mehr bieten.«

Kiersten zieht den Stoffbeutel von ihrem vergipsten Arm, greift hinein und holt eine Handvoll selbst gebastelter Papierschmetterlinge heraus. Sie nimmt das Mikrofon vom Ständer und geht die Stufen zum Zuschauersaal herunter, während sie weiterspricht:

>Heute Abend möchte ich das an andere weitergeben, was ich selbst empfangen habe.«

Sie geht auf Mrs Brill zu, die in der ersten Reihe sitzt, und hält ihr einen Schmetterling hin.

>Hier bitte, Mrs Brill. Für mich sind Sie ein wahrhaftiger Schmetterling.«

Mrs Brill nimmt das Geschenk verwirrt lächelnd entgegen, fühlt sich aber offensichtlich geschmeichelt. Lake lacht laut auf und auch ich muss ein Prusten unterdrücken. Kiersten geht durch die Zuschauerreihen und drückt mehreren Schü-

lern Schmetterlinge in die Hand – auch den drei Jungs aus
der Cafeteria.

»Hier, Mark. Du bist ein ganz besonders prächtiger
Schmetterling.
Brendan, du natürlich auch.
Und du, Colby, bist auch ein Schmetterling.«

Als sie fertig ist, kehrt sie wieder auf die Bühne zurück.

»Ich habe noch etwas zu sagen.
Diesmal ist es aber nicht an die gerichtet,
die andere tyrannisieren
oder tyrannisiert werden.
Sondern an die vielen anderen.
Die, die nur danebenstehen
und nichts sagen.
Die, die wegschauen,
als ginge es sie nichts an.
Klar, ihr habt ja nichts damit zu tun.
Zu euch ist keiner fies
und was macht ihr schon?
Nichts.
Aber genau darum geht es.
Ihr macht nicht den Mund auf,
um für die Opfer einzutreten.
Ihr reicht keinem die Hand,
um zu helfen.
Ihr lasst zu,

dass eure Herzen unberührt bleiben.
Das ist scheiße, Leute, merkt ihr das nicht?
Das ist sogar superscheiße.
Und deswegen rufe ich euch dazu auf,
etwas zu tun.
Nicht wegzusehen,
sondern einzugreifen,
wo immer ein Unrecht geschieht,
und nicht zuzulassen,
dass die Arschlöcher auf dieser Welt gewinnen!«

Der ganze Saal hält die Luft an, als Kiersten den letzten Satz brüllt, und Mrs Brill springt auf. Zum Glück ist Kiersten schon fertig und läuft von der Bühne, bevor die Direktorin ihr das Mikro aus der Hand reißen kann. Die Väter, Mütter und Geschwister um uns herum sitzen wie erstarrt da und wissen nicht, wie sie reagieren sollen, nur in unserer Reihe sind alle aufgestanden und applaudieren.

Mrs Brill übergeht den Zwischenfall, als wäre nichts passiert, und kündigt schmallippig den Auftritt des nächsten Schülers an.

Als wir uns wieder setzen, flüstert Sherry mir zu: »Das mit den Schmetterlingen habe ich nicht so ganz verstanden, aber ansonsten fand ich ihren Text toll.«

»Absolut«, stimme ich ihr zu. »Das war wirklich ein verschmetterlingt gutes Stück Slam Poetry.«

Dann kommt Caulder auf die Bühne. Er sieht so nervös aus, dass ich selbst ganz nervös werde, und auch Lake reibt sich die Hände an ihrer Jeans. Ich wünschte, er hätte mich vorher um Rat gefragt, und bin gleichzeitig stolz darauf, dass er das ganz allein durchzieht.

»Hallo«, sagt er ins Mikrofon. »Ich heiße Caulder und werde auch einen Poetry-Slam-Text vortragen. Meiner heißt *Zuckerstück und Säurebad.*

Ich bin in meinem Leben schon öfter ins Säurebad gefallen.

Am schlimmsten war es, als meine Eltern gestorben sind.

Das ist jetzt über drei Jahre her

und meine Erinnerung an sie wird von Tag zu Tag verschwommener …

Aber ich weiß noch, wie gern meine Mutter gesungen hat,

dass sie immer fröhlich war

und mit mir auf dem Arm durch unser Haus getanzt ist.

Wir haben viele Fotos von ihr,

und trotzdem beginne ich zu vergessen, wie sie aussah

oder wie sie roch

oder wie ihre Stimme klang.

Mein Dad war für mich der tollste Mann der Welt.

Er war klug

und hatte auf alles eine Antwort.

Er war stark

und konnte Gitarre spielen.

Ich erinnere mich noch, wie ich nachts im Bett lag

und er im Wohnzimmer Musik machte.

Vielleicht ist es das, was mir am meisten fehlt.

Zum Klang seiner Gitarre einzuschlafen.
Als meine Eltern tot waren, haben Grandma und Grand-
paul mich zu sich geholt.
Ich liebe meine Großeltern,
aber bei ihnen war ich nicht zu Hause.
Zu Hause war da, wo ich glücklich gewesen bin
mit meiner Mom und
mit meinem Dad.
Mein Bruder hatte damals gerade angefangen zu studie-
ren.
Er wusste, wie sehr ich mich nach zu Hause sehnte.
Er wusste genau, was es für mich bedeutete.
Und deswegen hat er dafür gesorgt, dass ich es zurück-
bekam.
Ich war erst sieben, deswegen habe ich es zugelassen.
Ich hab zugelassen, dass er sein ganzes neues Leben op-
ferte, um mir mein Zuhause zurückzugeben,
damit ich nicht mehr so traurig war.
Jetzt bin ich älter und weiß manches besser.
Noch mal würde ich nicht zulassen, dass er das für mich
tut.
Mein Bruder hatte auch eine Chance verdient,
eine Chance, ganz normal seinen Spaß zu haben
wie andere Jugendliche.
Aber mit sieben sieht man die Dinge noch nicht in 3D.
Ich schulde meinem Bruder echt eine Menge.
Eine Menge Dankes.
Eine Menge Tut-mir-leids.
Eine Menge Ich-liebe-dichs.

Ich weiß, was du für mich getan hast, Will.
Danke, dass du dafür gesorgt hast,
dass das Säurebad
weniger ätzend war.
Weißt du was?
Du bist mein
Zuckerstück.«

Kann ein Mensch auch zu oft weinen? Wenn ja, dann habe ich meine Quote diesen Monat auf jeden Fall überschritten. Ich stehe auf und schiebe mich an Sherry und David vorbei zum Mittelgang durch. Als Caulder die Stufen von der Bühne herunterkommt, hebe ich ihn hoch und drücke ihn so fest an mich, dass er wahrscheinlich keine Luft mehr bekommt.

»Und du bist meins, Caulder.«

Wir bleiben nicht bis zur Preisverleihung. Caulder und Kiersten scheint es nicht zu interessieren, ob sie gewonnen haben oder nicht, was mich ein bisschen stolz macht. Offenbar hat Kiersten den Satz von Allan Wolf »Der Punkt sind nicht die Punkte. Der Punkt ist Poesie«, den ich ihr immer wieder gepredigt habe, wirklich verinnerlicht.

Nachdem David und Sherry mit den Kindern nach Hause gefahren sind, führe ich Lake zu unserem Leihwagen und öffne ihr die Beifahrertür.

»Gehen wir was essen?«, fragt sie. »Ich hab echt Hunger.«

Ich lächle nur geheimnisvoll und setze mich ans Steuer. Dann greife ich nach hinten auf die Rückbank, wo zwei Papiertüten liegen, und reiche ihr eine davon. »Wir haben keine Zeit, etwas zu essen, deswegen habe ich uns überbackene Toasts gemacht.«

Lake lächelt, als sie die Tüte öffnet und ihr Sandwich und eine Flasche Cola herausholt. Ich sehe ihr an, dass sie sich erinnert. Ich hatte gehofft, dass sie es tut.

»Wir haben eine ziemlich lange Fahrt vor uns«, sage ich. »Was hältst du davon, wenn wir etwas spielen? Zum Beispiel ›Was wäre dir lieber?‹. Kennst du das?«

Sie grinst. »Ja, ich hab das einmal gespielt. Mit einem total süßen Typen, aber das ist lange her. Vielleicht kannst du mir noch mal erklären, wie es geht.«

»Okay. Aber vorher …«, ich klappe das Handschuhfach auf und nehme ein schwarzes Tuch heraus, »muss ich dir die Augen verbinden. Du darfst nicht sehen, wo wir hinfahren. Es soll eine Überraschung für dich sein.«

»Du willst mir die Augen verbinden? Ist das dein Ernst?« Sie schüttelt den Kopf, beugt sich aber zu mir rüber.

»So, fertig«, sage ich, als ich die Binde zugeknotet habe. Während ich vom Parkplatz fahre, stelle ich ihr die erste Frage. »Was wäre dir lieber: Wenn ich wie Hugh Jackman aussehen würde oder wie George Clooney?«

»Wie Johnny Depp«, antwortet sie für meinen Geschmack etwas zu schnell.

»Hey!«, beschwere ich mich. »Die richtige Antwort hätte gelautet: wie Will. Du sollst sagen, dass du willst, dass ich wie ich aussehe.«

»Aber die Option gab es nicht«, sagt sie.

»Johnny Depp war auch keine Option.«

Sie lacht. »Okay. Ich bin dran. Würdest du lieber ständig unkontrolliert rülpsen oder jedes Mal laut bellen, wenn jemand ›der‹, ›die‹ oder ›das‹ sagt?«

»Bellen wie ein Hund?«

»Ja.«

»Dann würde ich lieber unkontrolliert rülpsen«, sage ich.

»Igitt.« Sie rümpft die Nase. »Mit dem Bellen könnte ich leben, aber bei dem Rülpsen bin ich mir nicht so sicher.«

»Okay, in diesem Fall ändere ich meine Antwort zu Bellen. Ich bin wieder dran. Würdest du lieber von Aliens entführt werden oder mit Nickelback auf Tour gehen?«

»Ich würde lieber von den Avett Brothers entführt werden.«

»Das war keine Option.«

Sie lacht. »Na gut, dann eben die Aliens. Wärst du lieber ein reicher, glücklicher, alter Mann, der nur noch ein Jahr zu leben hat, oder ein armer, trauriger, junger Mann, der noch fünfzig Jahre zu leben hat?«

»Am liebsten wäre ich Johnny Depp.«

»Ich glaube, du hast die Spielregeln nicht begriffen«, neckt Lake mich.

Ich greife nach ihrer Hand und verschränke meine Finger mit ihren. Sie lehnt sich glücklich lächelnd in den Sitz zurück, ohne eine Ahnung zu haben, wohin wir fahren. Wahrscheinlich wird sie sich gleich ziemlich verarscht fühlen … aber hoffentlich nicht zu lange sauer sein. Ich könnte auch noch den ganzen Abend so weiterfahren und »Was wäre dir lieber« mit ihr spielen, aber irgendwann sind wir am Ziel angekommen. Ich springe aus dem Wagen, öffne die Tür und helfe ihr, auszusteigen. »Hier, halt dich an meiner Hand fest. Ich führe dich.«

»Du machst mich nervös, Will. Warum musst du um unsere Dates immer so eine Riesenshow machen?«

»Weil ich dich gern überrasche. Nur noch ein paar Meter, und du darfst sehen, wo wir sind.« Ich muss grinsen, als ich mir ihre Reaktion vorstelle. »Jetzt nehme ich dir die Augenbinde ab. Bitte denk daran, wie sehr du mich liebst, okay?«

»Ich kann nichts versprechen«, sagt sie.

Ich stelle mich hinter sie, löse den Knoten und nehme ihr das Tuch ab. Lake öffnet die Augen und sieht sich um. Okay. Sie *ist* sauer.

»Sag mal … Will! Was soll das für ein Date sein? Wir sind ja schon wieder bei dir zu Hause gelandet! Warum machst du das immer wieder?« Sie blitzt mich wütend an.

Ich lache. »Bitte verzeih mir.« Ich werfe das Tuch auf den Couchtisch und nehme ihre Hände in meine. »Aber es gibt einfach ein paar Dinge, die nicht in der Öffentlichkeit stattfinden sollten. Manche Dinge müssen privat bleiben. Und genau um so etwas geht es hier.«

»Worum geht es? Ich verstehe kein Wort! Will! Du machst mich nervös.«

Ich drücke ihr einen Kuss auf die Stirn. »Setz dich bitte. Ich bin gleich wieder da«, sage ich und deute auf die Couch.

Danach gehe ich in mein Zimmer, nehme etwas aus dem Schrank, stecke es in die Tasche und komme wieder zu ihr ins Wohnzimmer zurück. Ich schalte die Anlage an und stelle *I & Love & You* von den Avett Brothers auf Wiederholung. Das ist einer ihrer Lieblingssongs.

»Will, ich möchte, dass du mir sofort sagt, was du vorhast, bevor ich anfange zu heulen … Hat das wieder etwas mit meiner Mutter zu tun? Du hast doch gesagt, dass die Vase mit den Sternen das letzte Geschenk von ihr war.«

»Das war es auch, versprochen.« Ich setze mich neben sie auf die Couch, nehme ihre Hand in meine und sehe ihr tief in die Augen. »Lake, ich habe dir etwas zu sagen, und ich möchte, dass du mich anhörst, ohne mich zu unterbrechen, okay?«

»Ich bin nicht diejenige, die andere ständig unterbricht«, stellt sie klar.

»Siehst du. Schon ist es passiert. Tu das nicht.«

Sie lacht. »Okay. Sprich.«

Ich will gerade anfangen, das zu sagen, was ich sagen möchte, als ich innehalte. Irgendetwas fühlt sich noch nicht richtig an. Es gefällt mir nicht, dass wir so förmlich nebeneinandersitzen. Das sind nicht wir. Also lege ich Lake einen Arm um die Schulter und einen um die Taille und ziehe sie mit einem Ruck zu mir auf den Schoß.

Sie schlingt die Beine um meine Hüfte, legt ihre Arme locker um meinen Hals und sieht mich an. Ich öffne den Mund, um zum zweiten Mal anzusetzen …

»Will?«

»Du unterbrichst mich, Lake.«

Sie lächelt und nimmt mein Gesicht in ihre Hände. »Ich liebe dich«, sagt sie. »Danke, dass du dich so um mich kümmerst.«

Sie lenkt zwar schon wieder von dem ab, was ich eigentlich sagen will, aber ich kann ihr deswegen nicht böse sein. Sie ist einfach zu süß. Langsam lasse ich meine Hände an ihren Armen hinaufgleiten und lege sie auf ihre Schultern. »Du würdest dich genauso um mich kümmern, Lake. Wir kümmern uns eben umeinander. Das ist das, was wir tun.«

Sie lächelt. Eine einzelne Träne rollt ihre Wange herunter und ausnahmsweise hat sie nicht versucht, sie wegzublinzeln. »Ja«, sagt sie. »Das stimmt. Das tun wir.«

Ich nehme ihre Hand und drücke einen Kuss hinein. »Lake, du bedeutest mir mehr als alles auf der Welt. Du hast mein Leben so unendlich bereichert ... und zwar genau in dem Moment, in dem ich es am dringendsten gebraucht habe. Ich wünschte, du wüsstest, wie hoffnungslos ich mich gefühlt habe, bevor ich dich kennengelernt habe, damit du wüsstest, wie sehr du mich verändert hast.«

»Ich weiß es, Will. Ich habe mich genauso hoffnungslos gefühlt.«

»Du unterbrichst mich schon wieder.«

Sie grinst und schüttelt den Kopf. »Mir egal.«

Ich fasse sie lachend an den Schultern, drehe mich mitsamt ihr um und drücke sie sanft auf den Rücken hinunter. Dann kauere ich mich über sie und stemme beide Hände neben ihrem Kopf ins Polster. »Kannst du dir eigentlich vorstellen, wie sehr du mich manchmal in den Wahnsinn treibst?«

»Ist das eine rhetorische Frage? Ich meine ja nur. Weil du mir doch gerade gesagt hast, ich soll dich nicht immer unterbrechen. Deswegen weiß ich nicht, ob du willst, dass ich darauf antworte.«

»Du bist *unmöglich*, Lake! Ich kann keine zwei Sätze sagen, ohne dass du dazwischenplapperst!«

Sie lacht und packt mich am Kragen meines Hemds. »Ich höre dir zu«, flüstert sie. »Ehrenwort.«

Ich will ihr glauben, aber als ich zum dritten Mal ansetze, drückt sie ihre Lippen auf meine. Einen Moment lang vergesse ich, was ich vorhatte, weil mich der süße Geschmack ihres Kusses und die weiche Wärme ihrer Haut an nichts anderes denken lassen als daran, wie sehr ich sie begehre. Ich senke meinen Körper behutsam auf ihren und gebe mich unserem Kuss noch eine Weile hin, aber dann schaffe ich es, mich von ihr loszureißen.

»Verdammt, Lake. Lässt du mich jetzt endlich zu Ende bringen, was ich angefangen habe?« Ich ziehe sie hoch, bis sie sitzt, und gehe dann am Boden vor ihr in die Knie.

Ich glaube, bis zu diesem Moment hatte sie wirklich nicht die geringste Ahnung, was ich heute Abend vorhabe. In ihrem Gesicht spiegeln sich die unterschiedlichsten Gefühle wider: Angst, Vorfreude, Nervosität, Aufregung, Neugier. Ich nehme ihre Hände in meine und hole tief Luft.

»Ich habe dir gerade gesagt, dass die Sterne das letzte Geschenk deiner Mutter waren, und theoretisch stimmt das auch.«

»*Theoretisch?*«, ruft sie. »Was meinst du damit?«

Als ich die Stirn runzle, wird ihr klar, dass sie mich schon wieder unterbrochen hat.

»Ups. Ach ja. Entschuldigung«, sagt sie und legt den Finger an die Lippen, um mir zu zeigen, dass sie ab jetzt nichts mehr sagen wird.

»Ja, *theoretisch*. Sie hat mir nämlich doch noch etwas gegeben. Einen Stern, den ich dir überreichen soll, wenn ich bereit bin. Und wenn du bereit bist. Deswegen hoffe ich, dass du … es bist.«

Ich muss mich ein Stück aufrichten, um den Stern aus der Hosentasche herauszuholen. Als ich das Papier langsam auffalte, fällt ein goldener Ring in meine Hand. Julias Ehering. Lake erkennt ihn sofort und schlägt die Hand vor den Mund.

»Ich weiß, dass wir verdammt jung sind, Layken. Wir haben noch unser ganzes Leben vor uns, um Dinge zu tun wie … na ja, zum Beispiel heiraten. Aber nicht bei allen Menschen läuft das Leben in der chronologisch üblichen Reihenfolge ab. Besonders in unseren Leben scheint das so zu sein. Bei uns ist die Reihenfolge schon vor langer Zeit durcheinandergeraten.«

Meine Hand zittert, als ich nach ihrer greife, die ebenfalls zittert, und ihr den Ring über den Finger streife. Er passt perfekt. Lake wischt mit der anderen Hand die Tränen weg, die mir über die Wangen laufen, und küsst mich auf die Stirn. Weil ihre Lippen meinen plötzlich so nahe sind, muss ich das, was ich noch sagen wollte, verschieben und sie erst einmal küssen. Sie umfasst meinen Hinterkopf, und während sie sich von der Couch in meinen Schoß gleiten lässt, verschmelzen ihre Lippen mit meinen. Ich verliere das Gleichgewicht und wir fallen rückwärts zu Boden, aber unsere Lippen trennen sich nicht eine Sekunde, während Lake mir den absolut schönsten Kuss gibt, den ich je von ihr bekommen habe.

»Ich liebe dich, Will«, murmelt sie an meinen Lippen. »Ich liebe dich. Ich liebe dich. Ich liebe dich.«

Ich lege die Hände um ihr Gesicht und halte sie ein Stück von mir weg. »Verschmetterlingt, ich war noch nicht fertig«, beschwere ich mich lachend. »Hör endlich auf, mich zu unterbrechen!« Ich ziehe sie zu mir hinunter auf den Boden, rolle sie auf den Rücken, stütze mich neben ihr auf den Ellbogen und sehe sie an.

Lake trommelt mit den Fäusten und den Fersen auf den Boden. »Jetzt frag mich schon endlich. Ich halte es nicht mehr aus. Ich sterbe vor Aufregung!«

Ich schüttle lachend den Kopf. »Okay, das war's, Lake. Ich frage dich nicht, ob du mich heiraten willst ...«

Sie sieht mich erschrocken an, aber bevor sie mich wieder unterbrechen kann, lege ich den Zeigefinger an ihre Lippen.

»Ich weiß, dass es dir lieber ist, wenn man dich fragt und nicht einfach über dich bestimmt. Aber ich frage dich nicht, ob du mich heiraten willst.« Ich beuge mich über sie, sehe ihr in die Augen und flüstere: »Ich *bestehe* darauf, dass du es tust, Lake. Weil ich ohne dich nämlich nicht leben kann.«

Wieder laufen ihr Tränen über die Wangen ... und im selben Moment strahlen ihre Augen vor Glück. Sie lacht und weint und küsst mich gleichzeitig – genau wie ich sie.

»Ich hab mich geirrt«, sagt sie zwischen Küssen. »Manchmal möchten Mädchen nicht gefragt werden.«

»Sag bloß, du hast einen Braten in der Röhre?«, sagt Eddie.

»Nein, Eddie«, gibt Lake grinsend zurück, »der brutzelt nur bei dir.«

Wir sitzen zu viert im Wohnzimmer. Lake konnte es nicht erwarten, Eddie zu erzählen, dass wir verlobt sind, und hat sie sofort angerufen. Es hat nicht einmal eine Stunde gedauert, da standen die beiden schon vor der Tür.

»Versteht mich nicht falsch, ich freue mich total für euch, aber ich kapiere es nicht. Warum so plötzlich? Der 2. März ist schon in zwei Wochen! In der Zeit kann man doch keine Hochzeit vorbereiten!«

Lake dreht den Kopf und zwinkert mir zu. Sie sitzt an mich gekuschelt zu meinen Füßen. Ich beuge mich vor und küsse sie auf die Lippen. Ich kann nicht anders.

»Das wird eben eine andere Art von Hochzeit, Eddie«, sagt sie. »In unserem Leben läuft doch alles anders ab. Keiner von unseren Eltern wird da sein. Du und Gavin – ihr seid unsere einzigen Gäste. Wills Großeltern kommen auch nicht. Seine Großmutter hasst mich.«

»Ach so, das hatte ich ganz vergessen, dir zu erzählen«, mische ich mich mit leicht schlechtem Gewissen ein. »Meine Großmutter mag dich. Sie mag dich sogar sehr. Sie war auf *mich* total sauer, weil sie fand, dass ich mich komplett danebenbenehme.«

»Im Ernst?«, sagt Lake. »Woher weißt du das?«

»Sie hat es mir gesagt.«

»Ach.« Sie lächelt. »Nett, dass ich das auch mal erfahre.«

»Siehst du?«, sagt Eddie. »Dann kommen sie bestimmt zu eurer Hochzeit. Und Sherry und David und Kiersten auch. Dann sind wir schon zu neunt.«

Lake verdreht die Augen. »Erwartet ihr im Ernst, dass wir für neun Gäste eine Hochzeitsfeier ausrichten?«

Eddie seufzt und schmiegt sich an Gavin. »Wahrscheinlich hast du recht und das lohnt sich nicht. Schade. Ich hatte mich so darauf gefreut, eine große Hochzeit mit allem Drum und Dran zu planen.«

»Du kannst deine eigene planen.« Lake sieht Gavin an. »Wie viele Minuten dauert es noch, bis du ihr den Antrag machst, Gavin?«

»Etwa dreihunderttausend«, antwortet er wie aus der Pistole geschossen.

»Siehst du, Eddie? So lange brauchst du gar nicht mehr zu warten. Außerdem musst du mir trotzdem die Haare machen und mich schminken«, sagt Lake. »Und du und Gavin, ihr sollt unsere Trauzeugen sein. Kel und Caulder sind natürlich auch dabei.«

Eddie lächelt. Die Tatsache, dass sie Trauzeugin sein darf, scheint sie damit zu versöhnen, dass keine Hochzeitsfeier stattfindet.

Ich war am Anfang auch skeptisch, als Lake mir erzählt hat, dass sie nicht groß feiern möchte. Aber nachdem sie mir die Gründe aufgezählt hat, war ich überzeugt. Das Hochzeitsdatum stand natürlich sowieso von Anfang an fest.

»Habt ihr euch schon überlegt, wo ihr danach wohnen wollt?«, fragt Gavin. »Hier oder bei Lake drüben?«

Lake sieht mich an und ich nicke. Über dieses Thema haben wir schon vor einiger Zeit gesprochen. Nachdem Lake die letzten Wochen hier gewohnt hat, war für uns beide klar, dass wir nicht mehr getrennt leben wollen. Vor ungefähr einer Woche haben wir einen Entschluss gefasst, und der heutige Abend scheint der ideale Zeitpunkt zu sein, um ihn den beiden mitzuteilen.

»Das ist einer der Gründe, warum wir euch gleich angerufen und gebeten haben, herzukommen«, sage ich. »Normalerweise wäre die Hypothek für dieses Haus erst in drei Jahren abbezahlt gewesen, aber zwei Wochen nach Julias Tod lag ein Brief mit der Besitzurkunde in der Post. Sie hatte den Kredit abbezahlt. Die Miete für das andere Haus ist bis September bezahlt. Na ja, und da wir wissen, dass ihr euch nach einem Haus umseht, das groß genug für euch und das Baby ist … bieten wir euch an, drüben einzuziehen. Wie gesagt, bis September ist alles bezahlt, danach müsstet ihr die Miete selbst übernehmen.«

Die beiden sehen uns fassungslos an und bringen kein Wort heraus. Gavin schüttelt den Kopf und will gerade protestieren, als Eddie ihm den Mund zuhält und kreischt: »Oh mein Gott! Oh mein Gott! *Oh mein Gott!*« Sie springt auf, klatscht in die Hände und umarmt erst Lake und dann mich. »Wir nehmen euer Angebot an! Natürlich nehmen wir es an! Oh Mann, ihr seid echt die besten Freunde, die man sich vorstellen kann! Stimmt's, Gavin?«

Er lächelt, und ich sehe ihm an, dass es ihm ein bisschen unangenehm ist, aber die beiden brauchen wirklich dringend ein Haus, in dem sie zusammen wohnen können. Schließlich siegt Eddies Begeisterung über Gavins Bescheidenheit und er nickt glücklich. »Sehr gerne.« Er umarmt Lake, dann mich, dann Eddie und danach noch einmal mich. Als er sich wieder aufs Sofa fallen lässt, erstirbt sein Lächeln plötzlich.

»Weißt du, was das bedeutet?«, sagt er dumpf zu Eddie. »Dann wird Kiersten unsere Nachbarin.«

18.

Freitag, 2. März

Dieses Gefühl wiegt allen Schmerz auf,
alle Tränen,
alle Fehler ...
Die Herzen zweier Menschen, die sich lieben,
wiegen alle Qualen dieser Welt auf.

Die letzten beiden Wochen habe ich Lake immer wieder gesagt, dass sie es sich jederzeit anders überlegen kann. Sie hat zwar deutlich gemacht, dass sie wirklich keinen Wert auf eine traditionelle Hochzeit legt, aber ich wollte nicht, dass sie diese Entscheidung eines Tages bereut. Die meisten Mädchen verbringen Jahre damit, ihren Hochzeitstag in allen Einzelheiten vorauszuplanen. Andererseits ist Lake eben nicht wie die meisten Mädchen.

Und ich muss zugeben, dass ich auch ganz froh bin, dass wir uns für eine schlichte Trauung entschieden haben. Ich bin dermaßen nervös, dass ich gar nicht wissen möchte, wie es mir gehen würde, wenn wir jetzt eine komplette Hochzeits-gesellschaft im Nacken sitzen hätten. Meine Hände sind so feucht, dass ich sie an der Hose trocken reiben muss. Lake hat darauf bestanden, dass ich eine ganz normale Jeans anziehe. Sie hat gesagt, dass sie mich auf gar keinen Fall in einem Smoking sehen möchte. Ich weiß nicht, für welches Outfit sie sich entschieden hat, nur dass sie mit Sicherheit kein Hoch-zeitskleid tragen wird. Sie findet es unsinnig, sich ein Kleid zu kaufen, das man dann nur an einem einzigen Tag anzieht.

Unsere Trauung ist wirklich alles andere als traditionell. Deswegen stehe ich auch nicht in einer Kirche, sondern in einem relativ nüchtern aussehenden Büro im Rathaus. Lake und Eddie sind wahrscheinlich gerade noch auf der Damen-toilette, wo Eddie sie schminkt. Es kommt mir absurd vor, die große Liebe meines Lebens in demselben Gebäude zu heiraten, in dem ich mein Auto angemeldet habe, aber ehr-lich gesagt glaube ich, dass es egal wäre, wo wir heiraten. Ich wäre überall gleich aufgeregt.

Als die Tür aufgeht, erklingt kein Hochzeitsmarsch und es trippeln auch keine Blumenmädchen herein oder ein kleiner Junge mit einem Samtkissen, auf dem die Ringe liegen. Da ist nur Eddie, die hereinhuscht und sich leise auf den Stuhl neben Kel setzt. Als Nächstes kommt der Standesbeamte und reicht mir ein Formular.

»Sie müssen neben die Unterschrift noch das Datum set-zen«, sagt er und gibt mir einen Stift.

Ich lege das Blatt auf den Tisch, beuge mich darüber und schreibe: *2. März.* Das wird von jetzt an unser Tag sein. La-kes und mein Hochzeitstag. Ich gebe dem Beamten das Formular zurück und höre, wie sich die Tür öffnet. Als ich mich umdrehe, tritt Lake lächelnd in den Raum. Sobald ich sie sehe, durchströmt mich eine warme Welle der Erleichterung und ich bin sofort ruhig. Es gibt keinen anderen Menschen, der diese Wirkung auf mich hat.

Lake trägt ebenfalls Jeans und sieht wunderschön aus. Ich muss grinsen, als ich sehe, dass sie die Bluse anhat, die so hässlich ist, dass ich sie schon wieder liebe. Sie trägt genau das, was ich auch für sie ausgesucht hätte.

Ich gehe auf sie zu, umfasse ihre Taille, hebe sie hoch und wirble sie im Kreis herum. Als ich sie wieder auf dem Boden absetze, flüstert sie mir ins Ohr: »Nur noch zwei Stunden …«

… dann beginnt *unsere* Nacht. Wir haben so lange darauf gewartet. Ich ziehe sie an mich und gebe ihr einen Kuss auf die Lippen. Alles rückt in den Hintergrund, während wir selbstvergessen ineinander versinken und …

»Ähem!«, reißt uns das Räuspern des Standesbeamten ins Hier und Jetzt zurück. »Beim Sie-dürfen-die-Braut-jetzt-küssen-Teil sind wir noch lange nicht.«

Ich lache, greife nach Lakes Hand, und wir gehen nach vorn, wo wir unsere Plätze vor dem Schreibtisch einnehmen. Als der Standesbeamte den Text vorzulesen beginnt, legt Lake ihre Hand an meine Wange und dreht mein Gesicht so, dass ich sie ansehe, nicht den Beamten. Ich nehme ihre Hände in meine und verliere mich in ihren Augen. Wahrscheinlich sollte ich besser zuhören, was der Standesbeamte sagt, aber ich kann und will mich auf nichts anderes konzentrieren als auf meine zukünftige Frau.

Lake strahlt mich an, und ich sehe, dass es ihr genauso

geht. In diesem Moment gibt es nur sie und mich. Ich weiß, dass es immer noch nicht so weit ist, aber das ist mir egal – ich küsse sie trotzdem. Wir küssen uns, und ich höre kein einziges Wort von dem, was der Mann, der uns traut, vom Blatt abliest. In weniger als einer Minute wird diese Frau meine Ehefrau sein. Mein Leben.

Plötzlich lacht Lake und sagt: »Ja, ich will«, ohne sich von meinen Lippen zu lösen. Ich habe gar nicht mitbekommen, dass wir offenbar schon beim Jawort sind. Sie schließt die Augen und küsst mich noch inniger. Ich weiß, dass so eine Hochzeitszeremonie für die meisten Leute verdammt wichtig ist, aber ich muss die ganze Zeit gegen den Drang ankämpfen, sie einfach in die Arme zu nehmen und rauszutragen, noch bevor die Trauung vollzogen ist. Lake kichert wieder. »Ja, er will es auch«, sagt sie.

Ich löse meine Lippen von ihren und sehe den Beamten an. »Ja, stimmt. Ich will es auch.«

Dann wende ich mich wieder Lake zu, und wir machen da weiter, wo wir aufgehört haben.

»Tja, dann. Gratuliere. Hiermit erkläre ich Sie zu Mann und Frau. Sie dürfen fortfahren, die Braut zu küssen.«

Das muss er mir nicht zweimal sagen.

»Nach Ihnen, Mrs Cooper«, sage ich, als wir aus dem Aufzug steigen.

Sie lächelt. »Das gefällt mir. Klingt gut.«

»Ich bin froh, dass du das so siehst, weil es jetzt ein bisschen spät wäre, um deine Meinung noch zu ändern.«

Während sich die Aufzugtür zischend schließt, ziehe ich

die Schlüsselkarte aus der Tasche und schaue noch einmal nach, welche Zimmernummer wir haben. »Hier lang«, sage ich und deute nach rechts. Ich nehme Lakes Hand und will mit ihr den Flur entlanggehen, als ich abrupt zurückgerissen werde, weil sie stehen geblieben ist.

»Warte«, sagt sie. »Du musst mich über die Schwelle tragen. So machen frischgebackene Ehemänner das.«

Ich will mich gerade bücken und sie auf meine Arme nehmen, da legt sie mir die Hände um den Hals, springt hoch und schlingt die Beine um meine Hüften. Ich schiebe die Hände unter ihre Oberschenkel, damit sie nicht herunterrutscht. Weil ihre Lippen meinen so nahe sind, kann ich nicht anders, als sie zu küssen. Als ich mich von ihr lösen will, zieht sie meinen Kopf wieder zu sich und zwingt mich, sie weiterzuküssen. Ich spüre, wie sie abrutscht, und mache schnell einen Schritt nach vorn, um sie an einer Zimmertür abzustützen. Als ich sie gegen das Holz drücke, stöhnt sie leise auf.

»Oh nein! Entschuldige. Hat das wehgetan?« Ich muss an die blauen Flecken auf ihrem Rücken denken.

Sie grinst. »Im Gegenteil, das war ein lustvolles Stöhnen.«

Die Intensität ihrer grünen Augen ist magisch. Ich kann den Blick nicht von ihrem lösen, hebe sie an den Schenkeln noch ein Stückchen höher und presse meinen Körper an ihren. »Nur noch fünf Minuten«, flüstere ich.

Ich schließe die Augen und will sie gerade wieder küssen, als ich abrupt nach hinten taumle. Die Zimmertür, gegen die wir uns lehnen, ist plötzlich aufgegangen. Ich versuche, das Gleichgewicht zu halten und gleichzeitig Lake am Abrutschen zu hindern – vergeblich. Mit lautem Getöse purzeln wir übereinander auf den Teppich eines fremden Hotelzimmers. Lake hat immer noch die Arme um meinen Hals geschlungen und sieht lachend zu mir auf, bis wir den Mann und die beiden Kinder bemerken, die auf uns herabstarren. Der Mann sieht nicht gerade begeistert aus.

»Lass uns abhauen«, flüstere ich. So schnell wir können, kriechen wir in den Flur hinaus, helfen uns gegenseitig auf die Füße, dann greife ich nach ihrer Hand, und wir rennen den Flur entlang, bis wir vor unserem Zimmer stehen. Mit zitternden Händen schiebe ich die Karte in den Schlitz, als Lake sich zwischen mich und die Tür drängt und mich ansieht.

»Einen Augenblick«, sagt sie, greift hinter sich, dreht den Knauf und die Tür schwingt auf. »Und jetzt trag mich über die Schwelle, Ehemann.«

Ich bücke mich, verschränke beide Arme unter ihren Knien und werfe sie mir über die Schulter. Lake quietscht, als ich die Tür mit einem Fußtritt weiter aufstoße. Und dann trage ich meine Frau über die Schwelle.

Die Tür schlägt hinter uns zu und ich lasse Lake aufs Bett gleiten.

»Mhm, ich rieche Blumen«, sagt sie mit geschlossenen Augen, dann richtet sie sich auf und sieht sich um. »Und Pralinen sind auch da«, stellt sie anerkennend fest. »Das haben Sie gut gemacht, Mr Cooper.«

Ich hebe ihre Beine hoch und ziehe ihr die Stiefel aus.

»Danke für das Lob, Mrs Cooper. Ich habe auch an den Früchtekorb gedacht. Und an die Bademäntel.«

Sie zwinkert mir zu, rollt sich auf die Seite und rutscht auf dem breiten Bett ein Stückchen höher. Als sie eine bequeme Position gefunden hat, beugt sie sich vor, greift nach meiner Hand und zieht mich zu sich. »Komm her, Mr Cooper«, flüstert sie.

Ich will mich gerade zu ihr legen, als mein Blick auf ihre Bluse fällt. »Erst wenn du das hässliche Ding da ausziehst«, sage ich.

»Du bist derjenige, der sie so hässlich findet. Deswegen musst du sie mir auch ausziehen.«

Und das tue ich. Diesmal beginne ich mit dem untersten Knopf und presse meine Lippen genau an der Stelle auf die pfirsichzarte Haut, wo der Bund ihrer Jeans endet und ihr Bauch beginnt. Anscheinend ist sie dort besonders kitzelig. Jedenfalls windet sie sich unter mir, während ich den nächsten Knopf öffne und meine Lippen millimeterweise zu ihrem Nabel hinaufwandern lasse. Als ich ihn küsse, stöhnt sie wieder auf, aber diesmal mache ich mir keine Sorgen, dass ich ihr wehgetan haben könnte. Ich arbeite mich Zentimeter für Zentimeter weiter nach oben, bis die hässliche Bluse endlich am Boden liegt. Als meine Lippen den Weg zu ihrem leicht geöffneten Mund finden, halte ich kurz inne und sehe ihr in die Augen, um sie ein letztes Mal zu fragen.

»Bist du sicher, dass du nicht doch noch das Signal zum Rückzug geben willst, Mrs Cooper? Denn das wäre jetzt deine letzte Chance.«

Sie schlingt die Beine um mich, zieht mich an sich und flüstert: »Ich bin mir verschmetterlingt noch mal so sicher wie noch nie.«

Danksagung

Die Namen all derjenigen, denen ich Dank schulde, hier auf diesem begrenzten Platz aufzuzählen, wäre ein Ding der Unmöglichkeit. Deswegen bleibt mir wohl nichts anderes übrig, als noch ein paar Dutzend Bücher zu schreiben, um allen Genüge zu tun. Diesmal möchte ich meinen FP-Mädels danken: meinen Vorbildern, meinen Vertrauten, meinen Feedbackgeberinnen, meinen Freundinnen, meinen Einundzwanzig. Ich liebe jede Einzelne von euch und kann euch gar nicht genug dafür danken, dass ihr mich in allerletzter Sekunde in euren Kreis aufgenommen habt. Ihr habt mein Leben verändert.